D0271631

DE BLAUWE DIAMANT

KATIE HICKMAN

De blauwe diamant

SIJTHOFF

Uitgeverij Sijthoff en Drukkerij HooibergHaasbeek vinden het belangrijk om op
milieuvriendelijke en verantwoorde wijze met natuurlijke bronnen om te gaan

© 2010 Katie Hickman
All rights reserved
© 2010 Nederlandse vertaling
Uitgeverij Luitingh ~ Sijthoff B.V., Amsterdam
Alle rechten voorbehouden
Oorspronkelijke titel: *The Pindar Diamond*
Vertaling: Inger Limburg
Vertaling gedicht op p. 298-299: Rob van Moppes
Omslagontwerp: Marry van Baar
Omslagfotografie/illustratie: Hillcreek

ISBN 978 90 218 1167 3
ISBN e-book 978 90 218 6208 8
NUR 302

www.boekenwereld.com
www.uitgeverijsijthoff.nl
www.watleesjij.nu

Dit boek is voor mijn dochter Maddie

A'az ma yutlab
mijn hartenwens

Deel een

1

1603

Er doen allerlei verhalen de ronde over hoe het is om te verdrinken.

Dat het een langzame, dromerige manier is om te sterven. Dat je je hele leven aan je voorbij ziet trekken terwijl je wegglijdt in het niets of in de volgende wereld. Maar naderhand, toen het allemaal voorbij was, vond ze het onbegrijpelijk dat dit soort dingen werd beweerd.

Nee, wat ze je niet vertellen over hoe het is om te verdrinken, is het geluid. Niet het geluid van de golven boven je hoofd of het gekraak en geschommel van de boot, niet eens de gedempte stemmen van de roeiers – 'Kom op jongens, schiet een beetje op, hoe eerder we klaar zijn, hoe eerder we naar huis kunnen' – niet eens het afschuwelijke geraas van het water in je oren. Het is het geluid van je eigen stem dat je nooit vergeet. Het geluid van je eigen stem die smeekt, huilt, schreeuwt – 'Niet zo, niet op deze manier, niet de zak, alsjeblieft, alsjeblieft, dood me nu meteen' –, die stem die maar blijft klinken, zelfs in het water, tot het lijkt alsof je eigen stem je keel dichtknijpt en je verstikt. Misschien was dat de reden dat ze nu niet sprak, dat ze sindsdien niets meer had gezegd. Sinds het allemaal voorbij was; sinds ze was overgegaan naar de volgende wereld.

2

De kust van Zuid-Italië, 1604

Toen de vrouwen vroeg in de ochtend op hun bestemming kwamen, zagen ze dat dit het armoedigste dorp was dat ze tot nu toe op hun reis door dit straatarme land waren tegengekomen.

Ze hadden de hele nacht gereisd, maar wisten meteen dat ze een fout hadden gemaakt. Het dorp was niet zozeer een dorp als wel een verzameling vissershutjes die zich als zeepokken aan de onbeschutte kustlijn vastklampten. Vanaf de zee moesten de hutjes eruitzien als stapels wrakhout, uitgehold en gebleekt en bij toeval door de getijden bijeengedreven. En als je goed keek, bleek dat ze niet veel meer waren dan dat, wrakhout en oude lappen.

De vrouwen stopten aan de rand van het dorp, zoals ze gewend waren, en bekeken hun bestemming met lede ogen. Voor zover ze konden zien, was er geen kerk, zelfs geen kapel, hoewel er aan de weg, op het punt waar het dorp begon, een stenen kruis stond dat als een soort rudimentair altaar was versierd met bloemen en een ruw geschilderde afbeelding van de Madonna op een stukje tin. Aan touwtjes boven het kruis bungelden een paar votiefbeeldjes, die de vorm hadden van vrouwen met kroontjes op hun hoofden. Ze tingelden in de wind. Niet ver daarvandaan stonden een paar ruïnes die eruitzagen alsof het ooit statige woningen waren geweest. De daken waren ingestort, zwartgeblakerde daksparren staken als botsplinters door het half weggerotte strodak; maar hier en daar, tussen de kapotte muren, zag je een stenen latei, een deurstijl van houtsnijwerk – getuigen van welvaart in een lang vervlogen, lang vergeten tijd.

Twee van de kinderen, tweelingzusjes van acht of negen, sprongen van de achterkant van hun wagen op de grond en renden vlug als kwikzilver achter elkaar aan over de verwaarloosde binnenplaatsen. Met hun felgekleurde jurken leken ze op vlinders. Maryam, de leidster van de groep, riep ze met boze stem terug.

'Hoe haal je het in je hoofd om ze zomaar rond te laten rennen?' Ze keek naar hun moeder, een vrouw met het bedroefde, bleke gezicht van een pierrette, die naast haar zat voor op de wagen.

'Ach, wat kan er misgaan? Laat ze zich maar even uitleven,' zei de andere vrouw sussend.

'Roep ze terug,' zei Maryam nors, 'we gaan.'

'Maar we zijn hier nog maar net...'

'Kijk daar.' Maryam wees naar een houten deur die scheef aan zijn scharnieren hing.

Elena zag het meteen, het primitief met kalk geschilderde kruis. Haar hart kromp ineen. 'Hebben ze ons naar een dorp gestuurd waar de pest heerst?'

'Dat zou een hoop verklaren, vind je niet.' Maryam wees met haar kin naar het verlaten dorp.

'Maar ik dacht dat ze zeiden...'

'Het doet er niet toe wat ze zeiden, hier blijven we niet.' Maryam sprong van de wagen. Zelfs op blote voeten was ze nog een kop groter dan de meeste mannen, en haar borst en schouders pasten bij haar lengte. De zware leren leidsels van het paard leken in haar handen zo dun als de teugels van een hobbelpaardje.

'Maar we kunnen niet verder. We zijn al dagen onderweg.' De warme wind vormde zanderige klitten in Elena's haar. 'De kinderen zijn zo moe... we zijn allemaal zo moe.' Ze gebaarde naar het wanordelijke groepje vrouwen achter hen en vervolgens naar het paard. 'En deze arme knol kan ook niet altijd maar door lopen.'

Het dier, dat zo dun was dat alle ribben naar buiten staken, liet zijn hoofd bijna tot op de grond zakken.

'Het kan me niet schelen, we gaan hier weg, einde discussie.'

Maryam gaf de rest van de kleine karavaan een teken, haalde de teugels over het hoofd van het paard en voerde hem weg van het dorp, over de strook zanderige, stoppelige grond tussen de vissershutjes en de zee.

Aan de rand van de duinen struikelde het paard en viel op de grond. Maryam sloeg hem zo lang met haar zweep tot ze dacht dat haar schouder zou breken, maar het was duidelijk dat hij nooit meer op zou staan.

Later, toen de anderen bezig waren de tenten op te zetten in de schaduw van twee kronkelige olijfbomen op het winderige achterland, ging Elena op zoek naar Maryam, en ze vond haar zittend op de grond met haar rug tegen een grasheuveltje. Een poosje zaten ze zwijgend naast elkaar naar de zee te kijken. De wind was wat gaan liggen en het enige geluid dat klonk was het zachte geruis van kleine golfjes die braken op het strand. Hier was geen zand, alleen maar een dunne strook kiezelstenen. Er hing een penetrante stank van bederf, van zeewier en rottend dennenhout.

'Hier, ik heb dit voor je meegenomen.' Elena gaf haar een stuk brood met kaas.

Maryam nam een hapje. Ze proefde zout op haar lippen. De rest stopte ze in de leren buidel die aan haar gordel hing.

'Nou, het ziet ernaar uit dat we toch hier blijven,' zei ze na een tijdje. Haar stem was schor. Geen van beiden bracht het dode paard ter sprake.

'We hebben het werk nodig, weet je.'

'Werk? *Panayia mou!* Heilige Moeder Gods! Er is hier geen werk.' Maryam keek alsof ze iets zuurs had geproefd.

'Maar... ik dacht dat je had gezegd...' Elena keek haar van opzij aan. 'Hoe zit het dan met het dorpsfeest?'

'Er is geen dorpsfeest.'

'Hoe bedoel je?' Elena probeerde Maryam wat op te beuren. 'Er is altijd een dorpsfeest.'

'Wat, hier? In deze spookstad? Hoe kan er nou een feest zijn als er geen mensen zijn?' Maryam gebaarde met een hoofdknik naar de hutjes. 'Het is tijd om het onder ogen te zien... we zijn bedrogen. Zou niet de eerste keer zijn. Een groep rondtrekkende acrobaten is al erg genoeg, geen haar beter dan een rovende zigeunerbende. Maar een groep vróúwelijke acrobaten, zonder echtgenoten of vaders om ze in het gareel te houden... dat kan natuurlijk niet.' Ze klonk verbitterd. 'En wat is er grappiger dan die vrouwen bij de neus te nemen? Ik neem aan dat hij vond dat we er nog goed vanaf kwamen, die man in Messina...'

'Maryam, die man...'

Maar Maryam luisterde niet. Het enige waar ze aan kon denken was het paard, dat in deze hitte nu natuurlijk al lag weg te rotten. Maryam begroef haar gezicht in haar handen. Moesten ze proberen het op te eten? Het te verkopen? Ze drukte haar vingers in haar ogen, zo hard dat ze sterretjes zag dansen. Het verlies van hun enige paard was een ramp; ze wist dat ze nog niet eens goed kon overzien hoe groot die ramp was. Ze zouden eerst terug moeten naar Messina en dat konden ze alleen lopend doen. Ze hadden drie dagen nodig gehad om hier te komen. Zij was de krachtpatser van de troep, sterker dan drie mannen... Maar ze betwijfelde of ze sterk genoeg was om die wagen de hele weg te trekken. Misschien als ze zich aan de disselbomen zou laten vastbinden... Ze drukte haar vingers nog verder naar binnen, als om die gedachte uit te drijven.

'Maryam!' Elena trok aan haar arm. 'Maryam, hoor je wel wat ik zeg?'

'Wat...?'

'Hij is hier.'

'Wie is hier?' Maryam tilde haar hoofd op. Haar ogen traanden.

'De man die ons heeft ingehuurd, die man uit Messina.'

'Is die hier?'

'Ja, ik zag hem net.'

'Nu ben jij degene die spoken ziet.'

'Het is geen spook.' Elena glimlachte. 'Ik heb ook met hem gepraat. Hij is in het kamp. Daar staat hij nu op ons te wachten. Dat is wat ik je wilde vertellen.'

De man, Signor Bocelli genaamd, zat op zijn gemak een reep gedroogd en gerookt spek tussen twee stukken brood te eten. Maryam, een vrouw van weinig woorden, verspilde geen tijd aan zinloze verwijten.

'Ik weet niet waarom u ons naar dit spookdorp hebt gestuurd en het interesseert me ook niet. Maar luister, we willen toch betaald worden voor de moeite, *capito*?' Ze hoopte dat hij de wanhoop die in haar stem doorklonk niet kon horen.

Signor Bocelli antwoordde niet meteen. Hij leek ervan te genieten om haar nog wat langer voor zich te laten staan wachten. Uit een leren knapzak aan zijn zij haalde hij een grote rauwe ui, bijna net zo groot als een struisvogelei en met dezelfde kleur, waar hij gretig zijn tanden in zette.

'Pfoei! Ik was het vergeten!' Eindelijk keek hij grijnzend naar haar op, terwijl hij, nog met volle mond, zijn hoofd schudde. 'Je bent echt enorm, hè? Je lijkt wel een reuzin.' Maryam keek naar het stukje ongekauwde ui dat uit zijn mond vloog en aan haar voeten landde. Hij volgde haar blik. 'Pfoei! Je hebt de voeten van een cycloop, en bijpassende handen...' Hij zuchtte, nog steeds grinnikend. 'Pfoei! En lelijk ook nog. Mijn god.'

Denk je dat ik dit allemaal niet eerder heb gehoord? Maryam bleef hem strak aankijken. Ze zag het sap van de ui over zijn kin druipen. *Dit en erger. Veel erger. Is dit echt alles wat je kunt verzinnen, geniepig, achterbaks onderkruipsel? Weet je dat ik met mijn blote handen je schedel kan verbrijzelen?* Maar ze zei niets, stond daar alleen maar naar hem te staren, in haar vormeloze leren mannenwambuis en mannenlaarzen, tot hij eindelijk stopte met zijn domme gegrinnik en bijna verlegen leek te worden, geïntimideerd door de intense kracht van haar zwijgen.

'Goed, goed.' Hij boerde en gooide de rest van de half opgegeten ui in zijn knapzak.

'Waarom hebt u ons naar een dorp gestuurd dat verwoest is

door de pest?' Maryam begon genoeg te krijgen van Signor Bocelli. 'Er is hier geen *festa*.'

'Dat heb je goed gezien, er is geen festa. Maar dat komt niet door de pest.' Hij hield zijn hoofd een beetje scheef.

'Wat is er dan aan de hand? Het bevalt me hier niet...' Maryam keek naar een eenzame hond die rondsnuffelde in het stof tussen de verlaten hutjes. 'Er is hier iets... vreemds aan de hand.'

'Heeft niemand het je verteld? In Messina, bedoel ik.'

'Wat verteld?'

'Wat dit voor dorp is.'

Er viel een stilte. 'Nu spreekt u in raadselen, Signor Bocelli.' Maryams ogen fonkelden. 'Misschien wilt u zo vriendelijk zijn om gewoon te vertellen wat er aan de hand is.'

'Heb je wel eens een van deze gezien?' De man haalde een klein, glimmend voorwerp uit zijn knapzak en reikte het haar aan. Maryam pakte het en keerde het voorzichtig om.

'Wat is het? Een talisman? Het ziet eruit als een soort vis...'

'Een amulet. Kijk eens beter.'

Maryam keek nog eens. Het amulet was van zilver en had niet de vorm van een vis, zag ze nu, maar...

'Een zeemeermin!'

De zeemeermin hing aan een zilveren ketting. Ze zwom op haar rug en blies op een hoorn. Ze had een kroon op haar hoofd en aan haar staart hingen kleine klokjes.

Maryam herinnerde zich het getingel. 'Ik heb er een paar gezien,' zei ze, 'aan de rand van het dorp, boven het stenen kruis. Maar ik wist niet wat het was.'

'In deze streek heeft men altijd geloofd dat zeemeerminnen geluk brengen. Deze amuletten zijn bijna overal langs de kust te vinden. Het verbaast me dat je ze niet eerder bent tegengekomen. En vooral in dit dorp speelde die cultus een grote rol. Het probleem is...' hij wiebelde wat heen en weer, '... dat ze nu een echte hebben.'

3

Ze lag in een box in een van de stallen, een mager hoopje mens met samengeklit haar. Naast haar lag een klein, smerig bundeltje. Eerst dacht Maryam dat ze dood was, zo stil lag ze, maar nadat ze een tijdje zwijgend naar haar hadden staan kijken, tilde ze een hand op, zo dun en bleek dat hij van papier leek te zijn, waarmee ze door de bedorven lucht zwaaide. Een zwerm dikke, zwarte vliegen steeg loom op van de open wonden op haar polsen en enkels, waaraan ze zich tegoed hadden gedaan, en daalde geleidelijk weer neer op het feestmaal. Het stonk naar ontlasting en bedorven vis.

Met een uitdrukkingsloos gezicht zette Maryam een paar stappen achteruit. Ze had genoeg gezien.

'Als het een paard was, zou ik het doodschieten.'

Ze probeerde om Bocelli heen te lopen, maar hij hield haar tegen.

'Laat me erlangs...'

'Neem haar mee.' Hij stond zo dichtbij dat ze de uiengeur van zijn adem kon ruiken. 'Ze kan meedoen in je voorstelling.'

'Wat zou ze dan precies moeten doen?' Maryam voelde gal opstijgen in haar keel. 'we zijn acrobaten, evenwichtskunstenaars, Signor Bocelli.'

'Je kunt haar tentoonstellen. Als attractie, snap je.' Toen hij zijn hand op haar arm legde, wilde ze hem instinctief wegslaan. Maar ze hield zich in.

'Als een gedrocht, bedoelt u?' Ze zweeg even, alsof ze dit idee overwoog.

'Ja, als extraatje! Nu denk je tenminste logisch na. Dat was precies waar ik aan dacht.' Voor het eerst verscheen er iets op Bocelli's gezicht wat zou kunnen doorgaan voor een glimlach. 'Het zal je een fortuin opleveren.' Hij wreef veelbetekenend de toppen van zijn duim en vingers tegen elkaar.

Maryam keek op hem neer. Ze was ruim twee koppen groter dan hij. Zag hij de blik in haar ogen? Ze hoopte van wel.

'Nee, dat lijkt me geen goed idee.' Een voor een pelde ze zijn vingers van haar arm. 'Maar toch bedankt.'

Ze liep de stoffige straat op, met Bocelli op haar hielen. De zon stond nu hoog aan de hemel en de hitte die door de witte huisjes werd weerkaatst, was als een muur waar ze tegenaan botste.

'Maar... het is een zeemeermin... een echte, levende zeemeermin...' hoorde ze hem roepen. 'Je krijgt er spijt van, heel erge spijt,' riep hij met een hoge, smekende stem.

Maryams maag kromp ineen toen ze zich realiseerde dat hij waarschijnlijk niet eens rekening had gehouden met de mogelijkheid dat ze zijn aanbod zou weigeren. 'Als ik er zo'n spijt van krijg, waarom doet u het dan niet zelf.'

De woorden waren eruit voor ze het wist. En nee, dacht ze, het is geen zeemeermin. Dat weet je net zo goed als ik. Het is een jonge vrouw, en ze hebben haar benen gebroken. God mag weten hoe ze op deze plek terecht is gekomen.

Maryam dacht diep na, terwijl ze met grote passen over straat beende. Ze kende de Bocelli's van deze wereld. Nu smeekte hij haar nog, bijna onderdanig, maar dat zou niet lang duren. Ze wist meteen dat het niet verstandig was om hem al te openlijk dwars te zitten en dat ze moesten maken dat ze wegkwamen, voordat hij zich tegen haar en de hele groep zou keren, wat vroeg of laat zou gebeuren. Zich ervan bewust dat hij vlak achter haar liep, probeerde ze iets te verzinnen om hem een beetje te paaien.

'Bovendien, Signor Bocelli, hebben we geen geld om haar van u te kunnen kopen.'

'Geld? Wij willen geen geld.' Ze hoorde dat hij moeite moest doen om haar bij te houden. 'Je mag haar voor niets meenemen...'

'Het spijt me, maar ik wil haar niet...'

'En we geven je een paard op de koop toe.'

Maryam stond abrupt stil. 'Wat?'

'Ik zei, we geven je een paard toe. Als je haar hier maar weg-haalt...' Hij stond nu naast haar te hijgen. 'Dat is het enige wat we vragen.'

Ze staarde hem aan, durfde haar oren niet te geloven. 'Jullie ge-ven me een paard?' Vaag vroeg ze zich af wie hij bedoelde met 'wij'.

'Jullie paard is dood...' hij zweeg even, '... nietwaar?' Maryam voelde een druppel zweet langs de zijkant van haar gezicht glijden. 'Hoe komen jullie hier anders weg?'

Ze voelde dat de balans begon door te slaan naar zijn kant. Maar met veel moeite vermande ze zich. Ze zei niets en zag tot haar ge-noegen dat de fonkeling in Bocelli's ogen snel verdween.

Hij ging naast haar lopen. 'Waar ga je naartoe?' vroeg hij om een gesprek uit te lokken.

'Verder noordwaarts langs de kust,' antwoordde ze kortaf, 'naar de Serenissima.'

'Naar Venetië?' Hij leek verguld met dit antwoord.

'In ons vak leiden alle wegen naar de Serenissima,' antwoordde Maryam koeltjes.

'Luister.' Hij probeerde het nu op een andere manier, door haar in vertrouwen te nemen, 'de dorpelingen zijn bang, dat is alles.' Met zijn hand gebaarde hij naar de verlaten straat. 'Ze komen pas terug als zij is verdwenen.'

'Bang voor een meisje met gebroken benen?'

'Een meisje met...?' Even zag ze een blik in Bocelli's ogen die ze niet begreep. 'O, ja, natuurlijk, het meisje...' Hij aarzelde. 'Ze heb-ben het meisje gevangen in een visnet. We dachten allemaal dat ze was verdronken, maar...' hij schudde zijn hoofd, 'ze was niet dood en ze bleef leven, zelfs... zelfs nadat de baby was geboren.'

'Nadat de baby...? Heeft ze een kind gebaard?' Maryam herinnerde zich het kleine bundeltje naast het meisje. Dus dat was een kind. *Panayia mou!* Ze waren beter af geweest als ze waren gestorven, allebei. Nu lag hun lot in de handen van mannen als Bocelli. Ze wiste met haar enorme hand het zweet van haar voorhoofd. 'Arme stakkers...'

'Het is een regelrecht wonder, als je het mij vraagt.' Bocelli aarzelde weer en durfde haar niet aan te kijken. 'Of, waarschijnlijker nog, het werk van de duivel. Het verbaast me niets dat ze allemaal zo bang zijn? Hoe is ze hier terechtgekomen, in haar toestand, het lijkt onmogelijk.'

Maar Maryam had genoeg gehoord 'Hoezo?' Ze begon genoeg te krijgen van dit gesprek. 'Ze kan zwemmen, dat is alles. Dat is toch niet zo moeilijk te begrijpen?'

'Zwemmen?' Bocelli spreidde zijn vingers in een gebaar waar ongeloof uit sprak. 'In haar toestand? En waar komt ze dan vandaan? Het dichtstbijzijnde eiland ligt meer dan honderd mijl hiervandaan.'

'Tja, ik neem aan dat niemand geprobeerd heeft het aan haar te vragen?' Er klonk een ondertoon van sarcasme in haar stem.

'Ze zegt niets.' Bocelli sloeg zijn ogen neer. 'Ze... kan niet praten.'

'Ik dacht dat u zei dat zeemeerminnen geluk brachten in dit gebied. Waarom houden jullie haar niet hier?' Haar nieuwsgierigheid was geprikkeld.

'Haar hier houden? Hoe dan? Ik weet dat de amuletten geluk zouden moeten brengen en ze zeggen dat er verderop aan de kust een heilige boomgroep staat die aan hen is gewijd, maar een echte zeemeermin...' Hij haalde zijn schouders op. 'Niemand weet wat we met haar aan moeten. Ze durven zelfs niet bij haar in de buurt te komen. Ze hadden haar allang gedood als ze niet dachten dat ze daarmee nog grotere rampspoed over zichzelf afriepen.'

'Dus daarom hebt u ons hiernaartoe gestuurd. In de hoop dat wij haar mee zouden nemen?'

'Ja.'

Maryam zweeg. Uit haar ooghoek zag ze een kleine zandhoos, een wervelwind van zand en aarde, die voort danste over de in de zon bakkende straat. De zee achter de vissershutjes was diepblauw, bijna zwart.

'Neem haar mee. Neem haar mee naar Venetië.'

Hun blikken ontmoetten elkaar.

'Ik geef jullie mijn paard.'

Maryams wambuis plakte op haar rug. Ze draaide zich om, liep terug naar het vrouwenkamp en hurkte neer onder de twee gekromde olijfbomen die enige beschutting boden tegen de gloeiend hete zon.

'Mijn prijs is twee paarden, Signor Bocelli,' riep ze over haar schouder naar hem.

'Twéé paarden...'

'Ik neem aan dat u wilt dat ik ook de baby meeneem?'

Signor Bocelli had het fatsoen om er verslagen uit te zien. Hij mompelde iets wat ze niet kon horen.

'Twee paarden, dus.' Maryam knikte kort. 'En ik neem ze vannacht nog mee.'

Er gingen allerlei gedachten door Elena's hoofd toen ze het meisje zag, maar ze zweeg. Ze legden haar op een bed van kussens op de grond, waar ze heel stil bleef liggen en het kleine bundeltje vieze lompen tegen haar dunne borst aandrukte. Het bundeltje maakte een zacht geluid, als een miauwend jong katje.

Elena keek op naar Maryam. 'Is dat een baby?'

'Daar lijkt het wel op.'

'Arm kind.' Het pierrettegezicht van Elena werd nog langer en droeviger toen ze naar het meisje keek. 'Wat is er met haar gebeurd?'

'Niemand weet het. Ze hebben haar in een van hun netten gevangen, ergens in zee. Dat zegt hij tenminste.'

'En jij gelooft hem?'

'Of ik Bocelli geloof? Natuurlijk niet. Waarschijnlijk is ze gewoon verlaten door haar man, door de vader van het kind, wie zal het zeggen. Nu beweren ze dat ze een zeemeermin is. Wat een onzin!'

'En ze zijn bang?'

'In ieder geval te bang om haar hier te houden. Ze durven alleen maar rauwe vis naar haar te gooien...'

Elena hurkte neer, aaide het meisje over haar hoofd en sprak zachtjes tegen haar, op sussende toon, alsof ze tegen een dier sprak dat gevangen zat in een strik. 'Ik zal je geen kwaad doen.' Maar ze had zich geen zorgen hoeven maken; het meisje verroerde zich niet, zelfs niet toen ze de vieze lompen van haar afpelden, haar gebroken benen en de wonden op haar polsen en enkels wasten en haar een schoon, linnen hemd aan trokken. Ze protesteerde niet en deed geen poging hun handen af te weren; ze bleef volkomen passief liggen, zonder een woord te zeggen.

'Het lieve kind heeft net zo weinig hersenen als haar baby,' zei Elena toen ze klaar waren.

'En deze lompen zijn alleen maar geschikt om te verbranden.' Maryam tilde het bundeltje op van de grond en toen ze dat deed viel er iets uit de plooien. Ze bukte om het te pakken. Het was een beursje van roze fluweel. 'Waar komt dit vandaan?' Ze liet het beursje aan Elena zien.

Elena haalde haar schouders op. 'Dat moet ergens onder haar kleren hebben gezeten, in het linnen genaaid... Ik weet het niet. Maak het eens open, misschien komen we wat meer te weten als we zien wat er in zit.'

Maryam maakte het beursje open en haalde er een hard, rond voorwerp uit dat in een doekje was gewikkeld. Het was ongeveer zo groot als een krielkippenei.

'Wat is dat?'

'Ik weet het niet.' Ze vouwde het doekje open en bekeek het voorwerp. 'Het ziet eruit als een steen.'

'Wat voor steen?'

'Een gewone steen. Zo een die je op het strand kunt vinden.' Ze woog het in haar hand. 'Eigenlijk lijkt het wel een steen van dit strand... Maar, Elena, wat is er aan de hand?'

Elena had ondertussen de baby op haar knie gezet en was begonnen de smerige doeken af te wikkelen. Nu staarde ze naar het kind. Haar gezicht was bleek.

'Elena, wat is er?'

'Moet je kijken...' Elena's stem was hees. 'Ze is... het is... Signor Bocelli vertelde de waarheid!'

Ze strekte haar handen met de baby uit naar Maryam.

Het kind was zo klein en zwak dat het een wonder leek dat het nog leefde. Het lag roerloos in de handpalmen van Elena. Het leek alsof alleen de ogen van het pasgeboren wezentje – zo blauw en donker als de zee waar het uit was gekomen – nog leefden. De ogen en de kleine ribbenkast, die rees en daalde, rees en daalde, zwoegend om lucht binnen te krijgen, als een gewond vogeltje.

En toen zag Maryam dat de baby in plaats van twee benen één ledemaat had dat naar voren uitstak. En op de plaats waar twee voeten hadden moeten zitten, zat een web van vlees dat heen en weer zwaaide.

'Zie je dat? Het is toch een zeemeermin. Bocelli had het niet over de moeder, maar over de baby! Het is een echte zeemeermin!'

4

Venetië, 1604

'Hij komt heus wel.'

'Ja, dat weet ik wel.'

'Denk je dat hij dronken is?'

'Wat denk jij?'

'Ik geloof dat ze dat een retorische vraag noemen,' zei de courtisane Constanza Fabia die in de schaduw stond.

'Ik weet niet hoe ze het noemen.' John Carew leunde nog wat verder uit het raam en tuurde naar het kanaal onder hem. 'Ik weet wel dat ik er allerlei woorden voor kan verzinnen... ah, kijk, daar is hij.'

Carew zag verderop, in de bocht van het kanaal, een gondel die het pikzwarte, olieachtige water doorkliefde. De lamp gaf vonken van licht af, maar toen de boot dichterbij kwam, zag Carew dat hij niet de vlag van de Levant Compagnie voerde. 'Ach, nee, ik vergis me.' Hij trok zijn hoofd weer naar binnen. 'Dronken of niet, het is hem niet.'

De kamer op de eerste verdieping van Constanza's *palazzo* was een van de vreemdste ruimten die Carew ooit had gezien. De zaal was drie keer hoger dan hij lang was en het enige grote meubelstuk dat in de ruimte stond, was een reusachtig bed met een baldakijn van zilverbrokaat boven het hoofdeinde. Hoewel de muren waren bekleed met wandtapijten maakte de ruimte een kale indruk. Tegen twee van de muren stond een beschilderde en met houtsnijwerk verfraaide kist en tegen de derde muur stond een enorm kamerscherm, ook van houtsnijwerk. Een klaptafeltje met een Turks kleed erover stond aan het voeteneind van het bed waar Constanza zat. Wat zag ze er klein uit in deze holle zaal, dacht Carew.

'Kom in godsnaam even bij me zitten, John Carew.' Constanza had een tarotspel in haar hand. Ze schudde behendig de kaarten en spreidde ze met vloeiende, geoefende bewegingen uit op het tafeltje voor haar.

'Het heeft geen enkele zin.' Haar stem was licht, zorgeloos. 'Dat weet je best.'

'Wat heeft geen zin?'

Ze voelde de blik van Carew op zich en keek hem aan met haar lome, katachtige, halve glimlach. Maar ze gaf geen antwoord. In plaats daarvan zei ze: 'Ik zal de kaarten voor je leggen.'

'Ga je mijn toekomst voorspellen?' Hij had geen zin om zijn uitkijkpost bij het raam te verlaten en bracht verstrooid zijn hand naar zijn litteken – een lange, zilveren streep die van zijn jukbeen naar zijn mondhoek liep. 'Het vervelende is dat ik mijn toekomst al ken. En de jouwe ook, Constanza, als we zo doorgaan.'

Maar Constanza zei nog steeds niets en lange tijd was er niets anders te horen dan het geritsel van de kaarten en het zachte gesis van de kaarsen in hun zware zilveren kandelaars aan weerszijden van de ramen.

'Waar is hij dit keer naartoe gegaan?' vroeg ze uiteindelijk.

'Naar De Pierrot. Die zit ergens boven een wijnhandel.'

Er fonkelde iets in Constanza's ogen toen ze Carew aankeek.

'De Pierrot?'

'Ja. Hoezo? Ken je die?' Voor het eerst zag Carew een barstje in de onverstoorbare houding van Constanza.

Ze wisselden een korte blik van verstandhouding in het schemerlicht.

'Dus hij zit er tot over zijn oren in,' zei ze alleen maar.

Carew wendde zijn blik af en keek naar het kanaal, waaruit nu nevel opsteeg, die in flarden boven het water bleef hangen.

'Hij jaagt zichzelf de dood in, weet je,' zei hij met zijn rug naar haar toe. 'En als hij het niet zelf doet, maakt iemand anders hem wel een kopje kleiner,' vervolgde hij op vlakke toon. 'Misschien doe ík dat wel.'

'Ach, kom.' Constanza klakte zachtjes met haar tong tegen haar tanden.

'Hij is blut. Bijna, althans. Avond aan avond, Constanza... geen denkspelen, waarbij hij nog een kans heeft om te winnen, maar kansspelen. Hij heeft alles wat hij bezat erdoorheen gejaagd met dobbelen – zijn hele fortuin! En waarvoor?'

Constanza schudde de kaarten opnieuw en spreidde ze met een snelle beweging uit op het tafeltje: de Toren, de Zon, de Magiër. Pentakels Negen.

'Hij is niet gelukkig,' zei ze uiteindelijk.

'Niet gelúkkig?' Carew spuugde het woord bijna uit. 'Denk je dat het me een zier kan schelen of hij gelukkig is? Ik zal je vertellen, Constanza, volgens mij is hij gek geworden, stapelgek.'

'Hoe lang...?' begon Constanza.

'Hoe lang nog voordat ik hem vermoord?'

'Nee!' Ze glimlachte ondanks zichzelf. 'Ik bedoelde, hoe lang is hij al zo?'

'Dat weet je net zo goed als ik. Drie jaar, of langer... Ik weet het niet precies. In ieder geval al zolang als we in Venetië zijn. Sinds we zijn teruggekeerd uit Constantinopel.'

'Sinds hij het meisje verloor, bedoel je?'

'Ja... het meisje.'

'Het meisje van wie ze dachten dat ze was omgekomen bij een schipbreuk?'

'Ja.' Hij klonk somber.

'Wat is er met haar gebeurd?'

Carew wist dat Constanza het verhaal al kende, het waarschijnlijk al duizend keer had gehoord van Pindar zelf, en hem er alleen maar naar vroeg uit medelijden; maar hij vertelde het toch.

'Ze heette Celia Lamprey. Haar vader was kapitein op een van de koopvaardijschepen van de Compagnie. Zoals je al zei, dachten we dat het schip was vergaan in de Adriatische Zee. Maar later bleek dat het schip was aangevallen door zeerovers. Ze doodden de vader en iedereen aan boord, maar het meisje werd meegenomen en als slavin verkocht. We denken, nee, we wéten, dat ze concubine werd in het paleis van de sultan. Ik heb haar daar één keer gezien...'

'Heb jij haar gezien?' Constanza keek op van de kaarten. 'Ik dacht dat dat onmogelijk was. Ik heb gehoord dat de Turken hun vrouwen beter bewaken dan wij onze nonnen.'

'Ja, ik heb haar gezien... hoewel ik sindsdien vaak heb gedacht dat het een droom moet zijn geweest. Maar Paul heeft haar nooit gezien. We hebben het geprobeerd. We hebben van alles geprobeerd...' Hij zweeg. 'Maar de *walidé* – dat is de moeder van de sultan – kwam erachter en... ach, het is een lang verhaal.'

'Dus ze leeft nog?'

'O nee, ze is dood. Voor hem althans.'

'Dus het heeft allemaal te maken met verdriet, Carew,' zei Constanza langzaam.

'Verdriet? Nee.'

'Wat dan?'

'Woede, zou ik zeggen.'

'Woede? Hoezo?'

'Hij is woedend op zichzelf,' zei Carew. Het was eruit voor hij het wist. 'Omdat hij haar niet heeft kunnen redden.'

'Carew... kom alsjeblieft hier zitten.' Zelfs Constanza klonk nu vermoeid. 'Zoals ik al zei, het is zinloos.'

Hij legde zijn voorhoofd tegen het raamkozijn en sloot zijn ogen. 'Wat is zinloos?' Hadden ze dit gesprek niet al eerder gevoerd? Hij was te uitgeput om er echt over na te denken. Hij duwde zijn ene vuist in de andere en er klonk een reeks scherpe knakjes.

'Turen, wachten...' Constanza keek naar hem op '...je vingerkootjes kraken. In godsnaam, Carew...' Ze legde de kaarten neer en liep naar een van de *cassoni*, waar een zilveren kruik met wijn en twee glazen met lange stelen klaar stonden op een linnen servet. 'Wijn?'

'Nee, dank je.' Carews ogen waren nog steeds gesloten. 'De lust is me vergaan.'

Ze schonk zichzelf een glas in en keek hem priemend aan over de rand van haar glas. Wat wijn zou je goed doen, *carissimo* Carew, wilde ze zeggen. Ze nam hem nog eens goed op, zijn pezige gestalte, het slordige haar tot op zijn schouders, de schichtige, achterdochtige blik. Een typische rebel, zo zouden de meesten hem zien, tot ze zijn handen zagen. Die waren verrassend sierlijk, ook al waren ze bezaaid – verzilverd, zou je kunnen zeggen – met snij- en brandwonden. Handen zeiden veel over een man. Nog niet zo heel lang geleden, beste vriend, was jij degene die gokte en hoeren bezocht, dacht Constanza licht geamuseerd. Jij was degene die altijd in zeven sloten tegelijk liep. En moet je nu eens zien, wie had dat kunnen denken? Dat jij het kindermeisje zou worden van je eigen meester. Tjongejonge... maar Constanza wist dat ze dit soort dingen maar beter niet hardop kon zeggen.

'Hij komt heus wel,' zei ze weer.

'Hij moet komen. Als hij niet hier is voordat Ambrose komt, dan zit ik echt diep in de...'

'In de...?' Constanza trok een volmaakt gebogen wenkbrauw op.

'Nesten, dat wilde ik zeggen, Constanza.' Carew kreunde zonder zijn ogen te openen. 'Tot over mijn oren in de nesten.'

Constanza's tweede vraag: 'En wie is in godsnaam Ambrose?' verstomde op haar lippen, want door het open raam hoorde ze nu het schrapende geluid van een gondel die aanmeerde bij de trap naar het water. Daarna het geluid van mannenstemmen, nors maar niet echt ruzieachtig, en de plons van een zwaar voorwerp dat in het water werd gegooid.

Constanza liep terug naar de tafel en begon de kaarten weer uit te leggen: Bekers, Zwaarden, Pentakels, Staven. De Magiër, alweer. Steeds weer die kaart. Als Carew al merkte dat haar handen deze keer minder vloeiend bewogen, liet hij dat niet blijken. Maar de stemmen verwijderden zich. Ze kwamen niet voor hen.

'*Dio buono...!*'

'Ik dacht dat hij het was.'

'Ik ook...'

De twee keken elkaar aan en allebei zagen ze een flikkering van angst in de ogen van de ander.

'Je hebt niets te vrezen, Constanza...' begon hij.

Ze keek snel weg. 'Dat weet ik.'

'Ik zal niet toestaan dat hij...'

'Paul. Dat zou hij nooit doen. Niet bij mij.'

Carew wilde iets zeggen maar bedacht zich. Hij hoopte vurig dat ze geen vragen meer zou stellen over Ambrose. Hij had al te veel gezegd. Ambrose Jones was onderdeel van zijn geheime plannen; hij zou in een lastig parket komen als die te vroeg aan het licht kwamen. Maar het was te laat om op zijn schreden terug te keren, bedacht Carew, terwijl er een rilling door hem heen voer. Ambrose zou zijn redding of zijn ondergang worden – waarschijnlijk beide.

Hoe lang ze nog hadden gewacht wist hij niet. Af en toe hoorde hij het vertrouwde, heldere geluid van de klok van de nieuwe kerk aan de overzijde van het kanaal, de San Giorgio Maggiore, die ieder kwartier sloeg. Op een gegeven moment, het was diep in de nacht, had hij het gevoel dat hij toch had geslapen. Hij stond nog steeds bij het raam toen hij weer wakker werd en was zich plotseling bewust van de duisternis die hem omringde. Van de kaarsen waren nog slechts stompjes over. Was hing als spinnenwebben aan de kandelaars en op de vloertegels eronder had zich een plas parelachtig stolsel gevormd.

Aan de andere kant van de kamer zat Constanza nog steeds op het bed met het tarotspel in haar handen. Had zij ook geslapen? Carew sloeg de courtisane gade in het schemerlicht. Hoe oud was ze? Dat was moeilijk te zeggen. Zijn meester Paul Pindar, koopman van de Levant Compagnie, noemde haar de sfinx. Hij zei dat ze leeftijdloos was. John Carew, die vooral een praktisch ingestelde man was, wist dat ze inmiddels ver in de dertig moest zijn, misschien ouder. Oud, dus. Maar toch ook niet erg oud. Hij keek toe terwijl zij nogmaals de kaarten legde. Ze was gekleed in een gewaad dat Pindar haar had gegeven toen hij net terug was uit Constantinopel: het mouwloze gewaad van de hooggeplaatste Ottomaanse vrouwen, van bloedrood damast, versierd met tulpen van gouddraad. Het hing open tot haar middel en eronder droeg ze een hemd van batist, zo fijn dat het een wolk van gaas leek. De hals en de mouwen waren afgezet met kleine parels. Geen juwelen. Het donkere haar hing losjes over haar schouders. Ze was, zo dacht hij bij zichzelf, de enige christelijke vrouw voor wie Carew vanaf het moment dat hij haar zag een soort respect voelde. Zoveel respect zelfs dat hij zich nog niet eens had afgevraagd hoe het zou zijn, hoe zij zou zijn – haar smaak, haar geur – althans, niet zo vaak.

Constanza ving zijn blik op. 'Je ziet eruit alsof je hebt geslapen.'

'Ik weet het niet zeker.' Hij rekte zich uit. 'Jij?'

'Ik? Nee.' Ze glimlachte naar hem.

'Waarom doen we dit, denk je?' Hij was verbaasd over zijn eigen vraag.

'Wie zal het zeggen?' Constanza haalde haar schouders op. 'Omdat we van hem houden?' Ze hield haar hoofd scheef. 'Omdat jij en ik, ook al zou je het niet direct zeggen, erg op elkaar lijken?'

Het was niet duidelijk of Carew haar spottende blik opmerkte. 'Nu geef je jezelf te veel eer.' Zijn stem was somber.

Constanza's mond opende zich een beetje van verbazing, maar plotseling gooide ze haar hoofd in haar nek en begon ze te lachen; een volle lach waarin oprechte vrolijkheid klonk. 'Zie je wel. Dat bewijst mijn gelijk. En daarom, Carew, zal ik nu echt je kaarten leggen.'

Ze legde de kaarten opnieuw en bestudeerde ze ingespannen. 'Tut, tut.' Weer maakte ze dat geluid met haar tong tegen haar tanden.

'Wat is er?'

'Wat...?' Ze veegde de kaarten weer bij elkaar en leek zichzelf wakker te schudden uit een diepe droom. 'Nee, nee... er is niets. Laten we het nog een keer proberen. Hier, schud jij ze maar.'

Ze gaf hem het stapeltje aan en toen hij klaar was spreidde ze de kaarten in haar hand uit als een waaier. 'Trek een kaart en geef hem aan mij terug. Maar je mag hem niet bekijken, nog niet.'

Hij deed wat ze zei. 'Laat me raden: is het de Dwaas?' vroeg hij met geveinsde luchtigheid.

'De Dwaas?' Ze schonk hem een van haar lome, scheve glimlachjes. 'De Dwaas staat voor onschuld en dwaasheid. Dat past niet echt bij jou, John Carew. Althans, die onschuld niet.' Er verscheen een kuiltje bij haar mondhoek. 'Vreemd...' Ze keek weer naar de kaarten, nu met gefronst voorhoofd.

'Goed. Als het niet de Dwaas is, dan toch de Gehangene,' zei Carew nu somber. Want zo voel ik me nu, dacht hij bij zichzelf, als een man die op het punt staat te worden opgehangen.

'Nee, niet de Gehangene,' zei Constanza langzaam, 'hoewel dat niet zo erg hoeft te zijn als je denkt.' Ze hield de kaart die hij had gekozen in haar hand, met de rugzijde naar hem toe, zodat hij de afbeelding niet kon zien. 'De Gehangene staat meestal voor verandering, in het leven, in je situatie.'

'Een positieve verandering?'

'Nou, dat hangt ervan af...'

'Veel erger kan het niet worden. Kom, laat me eens kijken.' Hij stak zijn hand uit om de kaart aan te pakken, maar ze hield hem buiten zijn bereik.'

'Nee, nog niet, ik zit nog na te denken.'

'Na te denken?'

'Over wat hij betekent.'

Het was even stil terwijl Constanza de kaarten bestudeerde.

'Je zei dat Paul naar De Pierrot is gegaan,' zei ze uiteindelijk peinzend. 'Weet je zeker dat hij daarnaartoe ging?'

Carew keek haar aan. 'Ik weet helemaal niets meer zeker.'

'Ach, waarschijnlijk is het niets.' Ze raapte de kaarten weer bij elkaar. 'Heb je hem ooit de naam Zuanne Memmo horen noemen?'

'Zuanne Memmo? Nee, zo'n naam zou ik wel onthouden.' Carew schudde zijn hoofd. 'Waarom, is dat een vriend van je?'

'Een vriend?' Constanza lachte zachtjes. 'Ik betwijfel ten zeerste of Memmo wel vrienden heeft. Hij is eigenaar van een *ridotto* waar alleen maar met hoge inzetten wordt gespeeld. En als ik hoog zeg, bedoel ik torenhoog. Mannen, jonge jongens, soms zelfs vrouwen – hij laat iedereen toe. Ik heb gehoord dat hij gespecialiseerd is in buitenlanders...' Ze keek hem waarschuwend aan. 'Het schijnt dat er bij Memmo geen week voorbijgaat zonder bloedvergieten.'

'En is hij degene die je in je kaarten zag?' Carew wees met zijn kin naar de kaarten die nu op een stapeltje met de rugzijde naar boven op het tafeltje lagen. Hij had niet veel op met waarzeggerij, door Constanza of wie dan ook.

'Dat weet ik niet zeker, het is nog niet duidelijk.' Ze fronste en zei peinzend, alsof ze tegen zichzelf sprak: 'Maar waarom jij en niet Paul... en waarom zie ik nou juist Zuanne Memmo?'

Constanza keek weer naar Carew. 'Ik heb gehoord dat er een belangrijk kaartspel zal worden gespeeld in zijn nieuwe *ridotto*. Misschien raakte ik daardoor in de war. Ze zeggen dat de winnaar die diamant krijgt waar iedereen het over heeft.'

'Een diamant?'

'Ja, je hebt er vast wel iets over gehoord: het nieuwe wonder van de Serenissima. Ik geloof dat ze in de Rialto nergens anders over praten,' zei Constanza. 'De blauwe diamant van de sultan. Hij schijnt eigendom te zijn geweest van de Grote Turk of van een of andere Indische koning, ik weet het niet meer.' Ze haalde haar schouders op. 'Maar wie de eigenaar ook was, het schijnt dat een handelaar uit Aleppo de steen heeft meegenomen naar Venetië en hem vervolgens verloor bij een kaartspel. Het nieuws ging als een lopend vuurtje door de stad, je weet hoe het hier werkt...'

Op dat moment bonsde er iemand op de deur. Carew was lange tijd waakzaam geweest, maar nu gingen ze zo op in de kaarten dat ze de gondel niet hadden zien naderen en de voetstappen op de trap niet hadden gehoord. Toen ze opkeken zagen ze de gestalte van een man op de drempel. Hij droeg een reismantel en zijn gezicht was in duisternis gehuld.

'*Salve?*'

De man antwoordde niet en bleef staan waar hij stond. Constanza kwam half overeind.

'*Salve?*' herhaalde ze. 'Paul, ben jij dat?'

Carew mompelde iets onverstaanbaars.

'Nee, het is Paul niet...' begon hij, maar voordat hij zijn zin kon afmaken begon de vreemdeling eindelijk te spreken.

'Is dit het huis van Constanza Fabia?'

'Mag ik weten wie u bent?'

'Dat zou ik van u ook wel willen weten.' De man had een opgewekte stem en sprak met een deftig Brits accent. Er viel een stilte. 'Mij is verteld dat ik hier een man zou vinden die Pindar heet. Paul Pindar, koopman van de Levant Compagnie.'

'Mr... Jones? Ambrose Jones?' Het leek of er iets in Carews keel was blijven steken. 'We... ehh... we hadden u niet zo vroeg verwacht.'

'We?' De man met de reismantel leek moed te vatten en zette een stap de kamer in. 'En met wie heb ik de eer...?'

Op dat moment vlamden twee van de kaarsen even op waardoor Constanza en Carew de vreemdeling die voor hen stond konden zien. Een oudere man, in de vijftig misschien, met grijzend, achterovergekamd haar en een hoog voorhoofd, maagdenpalmblauwe kraalogen, een tulband van eidooiergele zijde in Ottomaanse stijl om zijn hoofd gewikkeld. En zijn neus... het was de grootste en vreemdste neus die ze ooit hadden gezien. Hij bolde rimpelend op vanuit het midden van zijn gezicht en had zo'n bizarre vorm, dat de man, zo herinnerde Carew zich later, wel wat weg had van een fabeldier.

In diezelfde flakkering van licht keek de vreemdeling snel de kamer rond en zijn vrolijke gezichtsuitdrukking verdween.

'Wat is dit allemaal?' Hij had een klein houten kistje in zijn hand, dat hij nu neerzette, en keek hen met een ernstige blik aan. 'Is dit een grap, mijnheer?'

'Carew?' Het was Constanza die sprak. En toen Carew, die – geheel tegen zijn gewoonte in – met stomheid leek te zijn geslagen, geen antwoord gaf, zei ze, nu op licht geïrriteerde toon: 'Wie is deze vriend van je, John Carew? Is dit degene over wie je zo... zo bloemrijk vertelde? Ik zou u graag welkom heten, mijnheer.' Ze wendde zich tot hem met de befaamde hoffelijkheid van de Venetiaanse courtisane, 'maar helaas heb ik niet het genoegen...'

De man met de tulband antwoordde niet. Hij leek immuun voor zowel schoonheid als charme. Zijn fonkelende, zoekende blik gleed door de kamer als de lichtbundel van een vuurtoren; de immense ruimte, ongemeubileerd op het reusachtige bed na, de lege wijnglazen, de courtisane met haar loshangende haar en blote nek. Hij kneep zijn lippen samen tot een dreigende, dunne streep.

'Wel, wel.' Hij keerde zich naar Carew. 'Dus jij bent John Carew. Ik weet in ieder geval wel wie jij bent. Dus hier brengt je meester zijn tijd door? Dat zou een heleboel dingen verklaren. En met welk doel heeft hij mij naar dit bordeel laten komen?'

'Bordeel?' Nu was het Constanza's beurt om dreigend te kijken. 'Wat is hier de bedoeling van, Carew? Wie is deze... deze... deze...' ze liep op hem af.

'Het spijt me, Constanza.' De lemmeten van de messen in Carews riem, glommen in het schemerlicht van de druipende kaarsen. 'Het spijt me echt.'

Plotseling leek Constanza groter te worden.

'Wat zit hierachter? Je hebt hem met opzet hier laten komen, of niet soms?'

'Geloof me, Constanza, alsjeblieft. Het was de enige manier.'

'Hoe bedoel je, het was de enige manier? Kan iemand me misschien vertellen wat er aan de hand is?' Ambrose Jones schreeuwde nu en overstemde de beide anderen.

'Heren, heren... Constanza, alsjeblieft!' Vanuit de deuropening klonk een diepe, welluidende stem.

'Paul!'

'Pindar!'

Alle drie keken ze naar de lange, dunne man die van top tot teen in zwart was gehuld. Voor een ongeoefend oog zag hij eruit als een heer, modieus zelfs. Hij droeg een korte mantel, een doublet van fluweel en een hoge hoed. Maar iedereen die hem goed kende, zag de schrikbarende verandering in zijn voorkomen. Zijn wangen waren ingevallen, zijn ogen glommen onnatuurlijk, zijn huid had de lijkbleke kleur van iemand die zelden het daglicht ziet.

'Con-stán-za.' Paul Pindar sprak haar naam overdreven nauwkeurig uit, alsof zijn tong en lippen niet bij hem hoorden en als losse onderdelen op zijn gezicht waren vastgemaakt. 'En als ik me niet vergis, mijnheer, bent u Am-bro-se Jo-nes.' Ondanks het feit dat zijn tong met melasse tegen zijn gehemelte leek te zijn geplakt, kreeg hij de woorden uiteindelijk toch uit zijn mond. Paul keek niet naar Ambrose, maar naar het donkere hoekje bij het bed achter zich, waar Carew zich in de verwarring stilletjes had teruggetrokken.

'Aha! En natuurlijk, Carew.' Pindar, die steeds verder opzij helde, zocht steun bij de deurpost.

Carew zei niets, maar stond zwijgend naar hem te kijken. Af en toe flitsten zijn ogen heen en weer tussen Ambrose en Paul.

'Denk maar niet dat ik je daar niet kan zien, gluiperige rattenvanger,' siste Paul tegen hem. 'Ik zie het wit van je ogen.'

Nog steeds reageerde Carew niet. Dat maakte Paul razend, en met een plotselinge, niet al te soepele beweging, trok Pindar een korte dolk uit zijn riem. 'Gedoe, problemen, onrust – dan weet je dat hij in de buurt is,' zei hij, terwijl hij met een wazige blik naar de anderen keek. Hij zwaaide een beetje heen en weer en wees met het puntje van de dolk naar zijn dienaar. 'En nu, Carew, vervloekte ellendeling, ga ik je vermoorden.'

En met die woorden verloor hij zijn evenwicht en viel met een enorme klap, als een gevelde boom, op zijn gezicht voor hen op de grond.

Op het moment dat hij neerkwam viel er een hard, rond voorwerp, ongeveer ter grootte van een babyknuistje, naast hem op de grond. Zonder dat iemand het zag flitste het voorwerp even fel in het licht en rolde vervolgens onder het bed.

5

Een eiland in de Venetiaanse lagune, 1604

Annetta stond naar de klokken te luisteren.

Vanuit het raam kon ze de hele tuin overzien: de keurig gesnoeide hagen, de goed verzorgde bloemen en kruiden, allemaal
op hun eigen stukje grond. Al snel zou zelfs deze groene haven sto-
men in de hitte, maar in de vroege ochtend was alles nog fris en
geurde de tuin zo zoet alsof hij net was aangelegd. Daarbeneden
liep Annunciata met haar kleine, houten gieter, zoals iedere ochtend, een witte gedaante die steeds tussen de fruitbomen verdween en weer tevoorschijn kwam. Verderop zag ze de muren van
de beroemde medicinale tuin van het klooster, een rij cipressen en
nog verder een glimp van de lagune. Beter uitzicht was er niet,
dacht Annetta tevreden. Het beste uitzicht dat je met geld kon kopen.

Ze rekte zich uit en snoof de koele, aromatische lucht op. Het
was een prachtige dag – de nicht van Francesca zou op bezoek komen met haar bruiloftsgasten, en iedereen was uitgenodigd; het
zou heel gezellig worden, met wijn en taartjes en allerlei andere
zoete lekkernijen waarop ze het gelukkige paar konden trakteren.
En geen van die verwaande *contesse* erbij, die altijd per se een eigen kamer wilden en zich verheven voelden boven de anderen.

'Waar of niet, kleine kwetteraar?' Annetta haalde een handje zaad uit een pot op de vensterbank en strooide het voorzichtig in de vogelkooi die aan de latei boven haar hing. De spreeuw sprong van zijn stokje naar beneden. Zijn oogjes leken op kleine stukjes git.

Ondanks de feestelijkheden die in het verschiet lagen, had Annetta nog geen zin om zich aan te kleden. Aan haar voeten stond een kom water met daarin de linnen doek waarmee ze zich zojuist had gewassen. De anderen verklaarden haar bijna voor gek omdat ze zich zo vaak waste, maar ja, het was een oude gewoonte. En bovendien voelde de wind die langs haar vochtige, naakte huid streek bijna koud aan; ze rilde van genot.

In de verte beierden nog steeds de klokken van de San Giorgio Maggiore, de kerk van het gelijknamige eiland vlak naast La Giudecca. Het was een hol, koperachtig geluid – om de een of andere onverklaarbare reden vond ze het een groen geluid. Ze had zich niet gerealiseerd hoezeer ze de klokken had gemist in het jaar dat ze weg was geweest. De klokken en het uitzicht – op die plek waar ze had gezeten, had niemand uitzicht.

Annetta zuchtte. Ze moest zich aankleden, maar het was zo prettig om hier te staan; prettig en ook tamelijk gevaarlijk, gezien haar ontklede staat. Annunciata liep terug door de tuin en stopte af en toe om een dode knop uit de rozenstruiken te plukken. Aan haar arm hing een mand vol afgeknipte plantjes voor het herbarium. Als ze nu opkeek, zou ze Annetta bij het raam kunnen zien staan – om precies te zijn, zou ze haar naakt bij het raam kunnen zien staan. Ze wist heel goed dat Annunciata wist dat ze daar stond en wilde kijken, maar vastbesloten was om dat niet te doen. Er verscheen een kuiltje in haar wang. Ze was vergeten hoe ze er altijd van genoot om de kloosterzusters op de kast te jagen.

Op het bed achter haar lagen haar kleren voor die dag. Hoewel het een hete dag beloofde te worden had ze al besloten om ter ere van de festiviteiten de zijden kousen met het geborduurde motiefje op de enkels aan te trekken. Ze had het geluk dat haar beste *camisa* van het fijnste batist was gemaakt; hij was zo dun dat hij bijna doorzichtig was – alsof je lucht droeg, had ze ooit tegen Eufemia gezegd. De hals en de mouwen waren afgezet met een zeer modieuze, zwarte gestikte rand. Over de camisa trok ze haar nieuwe lijfje aan. Het was eenvoudiger dan haar lief was, maar had een dubbele laag point de Venise-kant langs de hals. Annetta bond de linten aan de achterkant van het lijfje zelf vast en trok het aan de voorkant zo ver omlaag als ze durfde, zodat de bolling van haar borsten goed te zien was. Ze had een van de *converse*, de werkzusters die haar gewoonlijk bedienen, kunnen roepen om haar in te snoeren, maar Annetta wilde eigenlijk liever niet dat ze in haar kamer rondneusden.

En daarna kwam het pièce de résistance: haar hoepelrok van zijdegaas, doorstikt met gouddraad. Ze maakte hem met koordjes aan het lijfje vast. Hij was zo mooi dat ze het jammer vond dat ze hem moest verbergen onder haar alledaagse kleding. Ze keek naar de tien centimeter hoge, met paarlemoer ingelegde houten stelschoenen, die ze had meegebracht van die andere plek, maar besloot in plaats daarvan een paar muiltjes van brokaat aan te trekken.

Tot slot kapte Annetta haar haar. Ze trok behoedzaam twee kleine krulletjes aan weerszijden van haar voorhoofd onder haar kapje vandaan en bracht ze volmaakt in model met spuug en haar vingernagels. Om haar hals hing ze twee zware, gouden kettingen. Om haar middel bond ze een gordel waaraan haar waaier en gebedenboekje bungelden.

Uit het kleine holletje in de muur boven het hoofdeinde van haar bed haalde ze een cirkelvormig voorwerp dat in een oude doek was gewikkeld. Het was een kwikzilverspiegel in een lijstje. Ze hield het omhoog zodat ze zichzelf erin kon zien. Zo, ja! Het gebruik van een spiegel was streng verboden, maar waarom zou zij zich daar iets van aan trekken? In haar korte maar enerverende leven had ze zich aan zoveel regels moeten houden, en nu had ze er genoeg van. IJdelheid is een hoofdzonde, zeiden ze. Veel erger dan alle andere zonden die ze in de afgelopen tijd had begaan. Als ze had gewild, had ze ze zo kunnen opsommen: een spreeuw in haar kamer houden als huisdier, om nog maar te zwijgen van de kippen in de rieten kooi vlak buiten de deur, die haar eieren leverden, het dragen van zijde, brokaat en gouden kettingen, naakt bij het raam staan en anderen verleiden tot wellustige gedachten. Maar, zo dacht ze altijd als ze de spiegel voor zich hield, de zonde van de ijdelheid gaf haar verreweg de meeste voldoening. *Suor* Annetta, die binnenkort tot non van het klooster van Santa Clara, zou worden gewijd staarde een paar minuten lang in zorgeloze vervoering in de verboden spiegel.

Op een bepaald moment moesten de klokken zijn gestopt met beieren, want plotseling werd Annetta zich ervan bewust dat ze weer waren begonnen. Nu was ze echt laat. En dus pakte ze het laatste voorwerp van het bed, een klein beursje van geborduurd, roze fluweel, stak het voorzichtig in haar buidel en liep op haar gemak de trap af om zich bij haar medezusters te voegen voor het gebed.

6

Toen Paul wakker werd duurde het even voordat hij wist waar hij was. Het was pikdonker. Hij lag in een overkapt bed in een ruimte met een hoog plafond. Panelen van bewerkt leer bekleedden de muren en voor de ramen hingen zware damasten gordijnen die het daglicht buiten hielden. Hij besefte plotseling dat hij niet alleen was, dat er iemand bij het voeteneind naar hem stond te kijken.

'Constanza?'

'Paul, ben je wakker?'

'Ja.'

Hij probeerde zich om te draaien maar voelde onmiddellijk een steek van pijn tussen zijn ogen.

'Hoe voel je je?'

Hij hoorde het geluid van water dat in een kom stroomde, voelde een koele doek tegen zijn voorhoofd.

'O, niet doen!'

Hij bracht zijn hand naar zijn voorhoofd waar zijn vingers een bult voelden die zo groot was als een tennisbal.

'*Christos!*'

'Doet het pijn?'

Hij streek met zijn handen over zijn gezicht.

'Mijn neus! Lieve god, volgens mij is hij gebroken.'

'Dat zou me niets verbazen.' Constanza klonk weinig meelevend. 'Je bent recht op je gezicht gevallen, hier, op de vloer.'

'Ben ik gevallen?'

Paul liet zijn tong langs zijn lippen glijden. Ze waren zo uitgedroogd dat het leek of ze vol barsten zaten en hij had een vreemde, metalige smaak in zijn mond – hij wist dat het de smaak van bloed was. Er zaten zwarte, opgedroogde korstjes in zijn baard en zijn haar. O, christos.

Hij ging weer liggen en sloot zijn ogen; langzaam kwamen de pijnlijke gebeurtenissen van de vorige avond weer terug.

'Ik heb een boodschap voor je, van je John Carew.' Ze reikte hem wat water aan om te drinken.

'Carew?' Meteen gingen zijn ogen weer open. Hij draaide zijn hoofd, sneller dan hij van plan was, en kon nog net een kreet van pijn onderdrukken. 'Heb ik hem vermoord?'

'Nee.'

'Jammer.' Zijn ogen sloten zich weer. 'Volgende keer dan maar.'

Verrassend genoeg reageerde Constanza niet op dit alles. Dus voegde Paul er langzaam aan toe: 'Hij was altijd al een... achterbakse... huichelende... smeerlap, vind je niet?' Op dit moment kon hij zich niet precies herinneren waarom hij Carew eigenlijk wilde vermoorden, maar de woede die hij jegens hem voelde was er nog steeds, als een rode vlek die tegen zijn oogleden drukte.

Nog steeds antwoordde Constanza niet. *Nou en, ze kunnen allebei naar de hel lopen.* Paul bleef liggen in de duisternis. Het praten had hem vermoeid, maar zijn hoofd deed te veel pijn om te slapen. Misschien moest hij wat wijn drinken? Alleen al de gedachte aan wijn, hoe verleidelijk die normaal ook was, deed hem kokhalzen. Constanza had hem iets verteld, maar hij kon zich met geen mogelijkheid meer herinneren wat het was. In zijn half slapende, half wakende toestand dreven flarden van de gebeurtenissen van de vorige avond vanzelf naar de oppervlakte van zijn brein.

Christos! Plotseling was hij klaarwakker.

'Constanza?'

'Ja?'

Paul draaide zich langzaam en pijnlijk op zijn zij. 'Was... was er gisteravond iemand hier? Niet Carew; iemand anders, bedoel ik?'

'Ambrose Jones?'

'O, god!'

'Herinner je je niet meer dat je met hem hebt gepraat? Hij heeft je een brief gegeven.'

'Een brief? Ja, een brief...' Paul zocht nu koortsachtig tussen de verkreukelde lakens. 'Ja, hier is hij. Maak even wat licht, wil je?'

Constanza trok de gordijnen open. Geknield op het bed las Paul snel de brief. Daarna ging hij weer liggen en staarde hij lange tijd naar het plafond.

'Hij was heel boos op je.' Constanza ging naast hem zitten. 'Waarom was hij zo boos, Paul?'

Ze had een glas wijn in haar hand.

'Nee, dank je,' zei Paul. Hij voelde zich plotseling leeg: opgedroogd als een gebleekte boon.

'Het is niet voor jou,' zei Constanza spottend. Op zachtere toon vervolgde ze: 'Vertel eens, wie is die man? Die Ambrose Jones voor wie jullie allebei zo bang lijken te zijn.'

'Ambrose?' Paul staarde nog steeds naar het plafond. 'Ik weet niet zeker hoe ik Ambrose moet omschrijven. Ambrose is heel veel dingen. Ik denk dat je hem een... collectioneur zou kunnen noemen.'

'Een collectioneur?'

'Onder andere. Hij werkt voor iemand die ik ken, een koopman van de Levant Compagnie in Londen. Een man die Parvish heet. Verzamelt dingen voor hem, alles wat mooi en zeldzaam is, voor zijn rariteitenkabinet.'

'Aha.' Constanza dacht dat ze het begon te begrijpen. 'Heb je het niet al eens eerder over hem gehad? Je bent toch bij hem in de leer geweest?'

'Ja, ik was zijn leerling, lang geleden.' Paul bracht weer een hand naar zijn gezicht om de zwellingen op zijn neus en rond zijn ogen te voelen. Even was hij weer achttien, in Londen, sneeuw die doordrong in zijn laarzen, een bloedneus...

Ze zwegen een poosje.

'Dit heeft hij gedaan om mij in diskrediet te brengen.'

'Wie? Parvish?'

'Nee. Carew, natuurlijk. Hij weet dat Ambrose uitgebreid verslag zal doen in Londen... hij wil me zwart maken bij Parvish.' Plotseling legde hij zijn duim en wijsvinger om haar pols. 'Maar dat heeft hij je vast verteld, of niet soms? Je moet ervan hebben geweten...' Terwijl hij sprak draaide hij zijn vingers strakker om haar pols tot ze met haar ogen knipperde van de pijn. 'Daarom heb je me laten komen. Jullie wisten dat ik zou gehoorzamen.'

'Hij noemde geen reden.' Constanza probeerde zich los te trekken, maar hij hield haar stevig vast; zijn vingers sneden in haar huid. 'En ik wist niets van Ambrose, dat zweer ik...' Hij was verbazend sterk, herinnerde ze zich nu, voor zo'n boekenwurm.

'Weet je dat zeker?'

'Maar als ik het wel had geweten, had ik het toch gedaan. Graag zelfs...'

'Is dat zo?' Hij liet haar pols zo abrupt los dat ze achteroverviel en met haar hoofd tegen de beddenstijl klapte.

'Hij was altijd al slim, dat moet ik toegeven.' Paul keek niet meer naar haar. 'Te slim voor zijn eigen bestwil.'

Paul stond op en liep naar het kleine balkonnetje, een galerijtje met spitsbogen dat uitzicht bood op een bocht in het kanaal. Ambrose. Christos! Hoe haalde Carew het in zijn hoofd? Paul streek nerveus met zijn vingers door zijn haar en over de stoppels op zijn wangen. Het was nog vroeg, maar de zon scheen al fel op de muren van het palazzo aan de overzijde. De gepleisterde muren hadden die rozige tint die zo kenmerkend was voor Venetië. Kooplieden zouden de kleur misschien aanduiden met damesblosje of pimpillo of een term daartussenin, maar hij kon er nooit het volmaakte woord voor vinden. Hij snoof de vertrouwde geur van het kanaal op. Het zou vandaag snikheet worden. Hij keek omlaag: het water zag er uitnodigend koel en groen uit. Meestal genoot Paul van het spiegelbeeld van de gebogen ramen in het water, de kreten van de voorbij varende gondeliers, het spel van licht en schaduw, maar nu was hij alleen maar geërgerd omdat zijn gondel weg was. Het was niet moeilijk te raden wie de schuldige was: Carew was nergens te bekennen.

'Carew zegt dat je bijna bankroet bent,' zei Constanza, die nog op het bed lag. Het leek wel of ze zijn gedachten las.

'O, zegt hij dat?' Paul draaide zich niet om. 'En wat zegt hij nog meer?'

'Dat iedereen in Venetië dat weet. Alle kooplieden.'

'Ga door.'

'Dat je bent gestopt met handelen. Dat je in plaats daarvan al je geld hebt vergokt. Of opgedronken.' Constanza ging verder, en nam nu geen blad meer voor de mond. 'Dat je de Compagnie te schande maakt.'

Bij deze woorden schoten Pauls wenkbrauwen omhoog. 'Heeft Caréw dat gezegd?'

'Nee. Ik geloof dat dat je vriend Ambrose Jones was,' zei Constanza kil.

'Hmm.' Paul sloot zijn ogen toen hij een nieuwe golf van misselijkheid voelde opkomen.

'"Hmm"? Is dat alles wat je kunt zeggen?'

'Nou, als je het mij vraagt, overdrijft Ambrose een beetje,' zei hij mild. En hij vervolgde nieuwsgierig: 'En wat heeft hij nog meer gezegd?'

'Variaties op dat thema, zo zou je het kunnen noemen. Volgens hem gaat het gerucht dat je uit de Compagnie wordt gezet.'

'Je meent het.'

'Mijn god, was je echt zo dronken?' zei Constanza. Ze kon de ergernis in haar stem niet meer onderdrukken. 'Herinner je je er echt niets meer van?'

Paul gaf geen antwoord.

'Hij was heel erg boos.'

'Dat heb ik begrepen.'

'Omdat hij vond dat een nietsnut en dronkenlap als jij niets te zoeken had in een gezelschap van respectabele kooplieden.' Ze kreeg de smaak te pakken en voegde eraan toe: 'Dat een nietsnut, een dronkenlap, een hoereerder niets te zoeken had in een gezelschap van respectabele kooplieden.'

'Een hoereerder?'

'Ik geloof dat hij dat zei.'

'Ach, Constanza.' Nu pas draaide Paul zich naar haar toe. 'Het spijt me, Ambrose gaat te ver.'

Hij liep naar het bed, pakte haar armen – minder hardhandig dit keer – en trok haar naar zich toe. Ze verzette zich niet, maar ging liggen en drukte haar wang tegen zijn borst. Ze voelde hoe hij verstrooid haar haar streelde, zoals hij al die jaren geleden altijd deed. Ze rook zijn vertrouwde geur.

'Dat was een diepe zucht.'

'Deed ik dat?' Nu was Constanza degene die haar ogen sloot.

Ze realiseerde zich nu pas hoe moe ze was, uitgeput. Ze had een hele dag en bijna twee nachten niet geslapen. En ik zou wel eeuwig willen slapen, dacht ze, graag zelfs, als jij, mijn lief, naast me lag. Maar ze zei niets. In plaats daarvan vroeg ze na een tijdje op mijmerende toon: 'Wat ga je nu doen? Met Ambrose bedoel ik?'

'Ambrose? Ik zou me over hem maar geen zorgen maken. Carew is degene met wie ik een appeltje te schillen heb.' Ze voelde dat hij op haar hoofd zijn vuist balde, waardoor zijn vingers hard aan haar haar trokken.

'Carew houdt van je.'

'Helaas, het enige waar Carew van houdt, is Carew.'

Er viel weer een stilte.

'Hij denkt dat je gek bent van verdriet,' probeerde ze voorzichtig.

'Is dat zo?'

'Gek van verdriet en woede.'

Paul reageerde niet.

'Vanwege dat meisje dat je in Constantinopel hebt achtergelaten.'

'Carew is mijn dienaar,' antwoordde Paul zachtjes. 'Wat weet hij nou van dat soort zaken?'

'Je hebt geen idee. Hij heeft hier de hele nacht gewacht. Ik geloof niet dat hij je te schande wilde maken. Ik denk dat hij probeert je te redden door...'

'Mij te redden? Zijn eigen miezerige huid, dat is het enige wat hij wil redden. Als ik bankroet ben, raakt hij zijn inkomen kwijt, zo simpel is het. Ik ken hem beter dan jij. Waar is hij trouwens?'

'John? Hij moest bruiloftsgasten naar La Giudecca of een van de andere eilanden brengen, ik weet niet meer welke.' Constanza onderdrukte een geeuw. 'Naar een of ander klooster.'

'Bruiloftsgasten?'

Ze haalde haar schouders op. 'Ik geloof dat daar een meisje is.'

'Er is altijd wel een meisje,' mompelde hij slaperig.

Met haar hoofd op zijn borst luisterde Constanza naar zijn ademhaling. Ze voelde zijn hand op haar hoofd verslappen en viel uiteindelijk ook in slaap.

Hij moest lang hebben geslapen, want toen hij zijn ogen weer opende, was zijn hoofd helder. De enige pijn die hij voelde was in zijn blaas. Iemand had de gordijnen dichtgedaan en het enige licht kwam van een dun zonnestraaltje dat tussen de dikke gordijnen door piepte. Uit de kracht van de lichtstraal leidde Paul af dat het al middag was. In normale omstandigheden zou Constanza's dienstmaagd al druk bezig zijn om de gordijnen open te trekken, de glazen en afgekloven kippenbotjes van de avond ervoor op te ruimen, schoon linnengoed en warm water klaar te zetten voor de rituele wassing van haar meesteres – daar was Constanza altijd heel strikt in –, maar nu was er niemand. Misschien had Constanza gevraagd om niet gestoord te worden, zoals ze wel vaker deed. Dat leek hem heel waarschijnlijk, maar er was iets wat hem dwars zat, een gedachte die als een afgewaaid blad ergens was blijven hangen in het hoekje van zijn geest. Hij luisterde of hij elders in het palazzo iets hoorde, geroezemoes van de bedienden, een gefluisterde vermaning, gekraak van een vloerplank of een emmer die op de grond kletterde – maar er was niets, geen enkel geluid. Een intense stilte dreunde in zijn oren. In de verte hoorde hij een kerkklok slaan.

Hij vroeg zich af of Carew nog steeds op de bruiloft was, of hij het meisje al had gepakt.

Hij keek de kamer rond. Zijn blik viel op het tafeltje met het Turkse kleedje, het lege wijnglas, het achtergelaten kaartspel. De houten lambrisering op de muren werd onderbroken door bewerkte en beschilderde leren panelen waarop bloemen en paradijsvogels te zien waren. De randen waren versierd met bladgoud. Op het paneel boven een van de cassoni die tegen de muur stonden zag hij een kale plek. Hij herinnerde zich nu dat daar een immense spiegel had gehangen, met een rijk bewerkte, vergulde lijst. Hij vroeg zich af waar Constanza die spiegel had gelaten.

Hij herinnerde zich de eerste keer dat hij hier kwam, als jonge man. Hij herinnerde zich deze kamer, die er nog precies hetzelfde uitzag als toen, de kamer waarvan zij onafscheidbaar leek te zijn. Hij kon geen Madonnabeeld bedenken dat een mooiere omlijsting had dan zij. Hij herinnerde zich ook het kwellende verlangen dat hij had gevoeld toen hij haar voor het eerst zag, alsof ze een bovenmenselijk schepsel was – een mythisch wezen, een sirene of een sfinx –, te verheven voor sterfelijke ogen.

Haar moeder – in haar jonge jaren zelf een van de beroemdste courtisanes van Venetië – had hen ontvangen en had hun zoetigheden en wijn in gouden bekers gegeven. Hij herinnerde zich dat ze hen – hem en zijn metgezel Francesco – in de antichambre had laten wachten. Ze kregen tijd genoeg om, als ze daartoe geneigd waren, spijt te krijgen dat ze dat enorme bedrag hadden betaald om te worden voorgesteld aan de gevierde courtisane. Paul lachte bijna om zijn dwaze, jongere zelf, om de eigengereidheid, de arrogantie van de twee jonge nouveaux riches. Want dat bedrag was zo schrikbarend hoog geweest dat in de drie weken waarop ze hadden moeten wachten op de audiëntie, alleen al de gedachte eraan een golf van misselijkheid bij hem opwekte en hem het koude zweet deed uitbreken, alsof hij ziek was.

Hij had al vaker met publieke vrouwen verkeerd, dat was waar. Ze waren heel gemakkelijk te vinden in de buurt van de theaters van Southwark die hij en zijn medeleerlingen vaak bezochten, maar als hij had verwacht zo'n soort vrouw aan te treffen, dan vergiste hij zich deerlijk. Hij en Francesco hadden daar als twee apen in de antichambre gestaan, gekleed in hun nieuwerwetse fluwelen kniebroeken. Wat moeten ze er met zijn tweeën belachelijk uit hebben gezien; hij kon een glimlach niet onderdrukken. Hoe lang ze hadden gewacht om binnengelaten te worden wist hij niet meer, alleen dat de deuren na wat een eeuwigheid had geleken, opengingen en een zaal onthulden die zo vol was met kaarsen, dat het leek of de felle middagzon hen tegemoet straalde. En daar was ze eindelijk, in de volle glorie van haar oogverblindende schoonheid. Haar donkere haar hing los over haar schouders, haar gewaad was gemaakt van een zeer fijne gouden stof, ze had ringen aan haar vingers en juwelen om haar hals. Ze stond op om hen te begroeten en toen ze naar hem keek, gaf ze hem het gevoel dat hij de schoonheid van Paris en de wijsheid van Odysseus bezat. Dat hij de enige man op aarde was die ze begeerde.

Had ze die dag muziek voor hen gemaakt? Hij kon het zich niet herinneren, maar hij wist nog wel dat ze tegen hen sprak zoals hij nog nooit een vrouw had horen spreken, over poëzie – Dante en Ariosto, en zelfs de vulgaire Aretino. En hij en Francesco stonden daar maar, met zijn tweeën, hun benen zo week als pudding, en konden alleen maar naar haar staren.

Maar toen was hij nog jong. Paul rukte zich los uit zijn mijmeringen. In de holte van zijn elleboog voelde hij de warmte van Constanza die nog steeds lag te slapen. Hij boog zich naar haar toe en rook aan haar haar. Ze rook naar muskus en iets anders, iets zoets – viooltjes misschien? – gemengd met sterkere vrouwengeuren: huid en zweet.

Hij huiverde, kuste haar schouder, streek met zijn lippen, die nog ruw waren van het geronnen bloed, over haar gladde huid. Ze lag met haar rug naar hem toe. Hij dacht erover haar op dat moment te nemen zoals hij vroeger altijd deed als ze nog warm en zacht en meegaand was. Hij voelde dat hij opzwol bij de gedachte. Haar billen voelden koel aan tegen zijn warme kruis, hij was zelfs al begonnen haar camisa langs haar dij omhoog te trekken, maar het had geen zin; de pijn in zijn blaas was nu urgenter. Hij wist dat hij eerst moest plassen voordat hij aan andere dingen kon denken. Hij strompelde het bed uit en ging naar de plaats waar de po altijd stond, achter een scherm in een hoek van de kamer. Onderweg stapte hij op iets groots en hards.

Constanza werd wakker van Pauls gevloek.

'*Cosa?*' Ze sloeg hem gade toen hij op kousenvoeten achter het scherm vandaan hobbelde. 'Wat is er?'

'Niets. Ik stond alleen ergens op, dat is alles. Heb ik gisteravond iets laten vallen?' Hij klom het bed weer in en trok haar naar zich toe.

'Ik geloof het niet. Waarom?'

'Ik geloof dat ik net iets heb gevonden wat van mij is.' Hij trok een schouder van de camisa omlaag zodat een van haar borsten bloot kwam te liggen.

'Paul...'

'Blijf liggen, laat me naar je kijken,' beval hij.

Ze lag een tijdje gehoorzaam stil terwijl ze hem peinzend gadesloeg.

'Waar is de spiegel?' vroeg hij met zijn mond om haar borst. 'De spiegel die aan de muur hing.'

'Wat? O, die.' Constanza haalde haar schouders op. 'Hij wordt opnieuw verguld, dat is alles.' Er viel een stilte. 'Je kunt hier niet zomaar komen binnenvallen, snap je, en dan verwachten... na al die tijd.'

Ze maakte zich van hem los en ging zitten. Ze keken elkaar aan. Toen veranderde haar stemming plotseling. Met één soepele beweging rolde ze naar de andere kant van het bed, waarna ze over haar schouder tegen hem glimlachte. 'Vraag je na al die tijd niet eens naar mijn gezondheid?' Haar weelderige lichaam stak goudkleurig af tegen de donkere beddensprei. Hij zag dat er in beide billen een kuiltje zat.

'Ik kan zien dat het uitstekend met je gaat, Signora Constanza,' wierp hij tegen. Zijn handen voelden aangenaam warm en droog toen hij met zijn vingers langs de kuiltjes ging. 'Beter dan ooit, als ik zo brutaal mag zijn.'

Ze tilde haar arm op en legde haar hand teder tegen zijn wang. 'Weet je het zeker... dat je dit wilt, bedoel ik?'

'Dit?'

'Je weet heel goed wat ik bedoel... *la négociation entière.*'

'Blijf gewoon liggen. Laat me naar je kijken.'

'Je weet heel goed dat je meer wilt dan alleen maar kijken.' Ze schoof weer bij hem vandaan, ging zitten met haar armen gekruist over haar borsten en keek hem aan van de andere kant van het bed.

'Je wilt weten of ik je kan betalen?'

'En?' Ongegeneerd hield Constanza zijn blik vast.

'Is dit genoeg, vrouwe?' Tussen zijn vingers hield hij een klein rond voorwerp, dat in een doekje was gewikkeld.

'Wat is het?'

'Een juweel.'

'Een juweel?' Constanza verstijfde. 'Wat voor juweel?'

'Maak maar open, dan kun je het zien.' Paul legde het voorwerp voorzichtig in haar handpalm. Ze hield het een tijdje vast alsof ze het niet durfde aan te raken.

'Maak je geen zorgen, hij zal je niet bijten,' lachte hij toen hij haar gezichtsuitdrukking zag. 'Ik heb hem gewonnen bij het kaarten.'

Constanza werd bleek. 'Echt waar? Heb je hem met een kaartspel gewonnen?'

'Ja.' Paul keek haar nu verbaasd aan.

'Madonna! Niet te geloven.' Ze vouwde voorzichtig het doekje open en keek naar de steen die erin zat en donkerrood oplichtte in de nog steeds schemerige kamer. 'O...'

'O? Is dat alles wat je kunt zeggen?'

'Een spinel,' zei Constanza beleefd. Plotseling barstte ze in lachen uit.

'Ja, een spinel, en een mooie ook. Ik begrijp niet wat daar zo grappig aan is.'

'Eén onwerkelijk moment dacht ik...' Constanza bracht haar hand naar haar keel. 'Ach, laat maar.'

'Wat dan?'

'O, niets.' Constanza lachte nog steeds. 'Er wordt de laatste tijd alleen zoveel gepraat, weet je.'

'Waarover?'

'Over de blauwe diamant van de sultan. De steen die Zuanne Memmo inzet bij het grote kaartspel...' Zodra de woorden haar lippen hadden verlaten, wist ze dat ze een fout had gemaakt.

'De blauwe diamant van de sultan? Van de Ottomaanse sultan? Weet je zeker dat hij zo wordt genoemd?'

'Sultan... sjah... ik weet het niet precies, iets wat begint met een "s".' Ze probeerde het af te doen met een schouderophalen. 'Waarschijnlijk bestaat hij niet eens, is het niet meer dan een roddel uit de Rialto. Maar déze bestaat in ieder geval wel.' Ze probeerde het gesprek op een ander onderwerp te brengen en hield het juweel tegen het licht. 'Het is inderdaad een spinel... prachtig... geslepen in tafelvorm.' Ze liet haar duim voorzichtig over de bovenkant van de steen glijden. 'Niet de mooiste die ik ooit heb gezien,' zei ze peinzend, 'maar zeker ook niet de lelijkste. En ik dacht dat Carew zei dat je tegenwoordig alleen nog maar verloor bij het kaarten?'

'Nou...' Paul wilde iets zeggen maar leek zich te bedenken. 'Laten we maar zeggen dat ik sinds kort heel geïnteresseerd ben in buitenlandse valuta.'

'Bah! Waarom moet je zo nodig in raadselen spreken?'

'Het is heel simpel. De handel is niet meer zo stabiel als hij was, door allerlei oorzaken. Maar juwelen behouden altijd hun waarde.'

'Geef je je aandeel in je dierbare Levant Compagnie op voor een juweel?'

'Je bent snel van begrip, Signora Constanza. Vind je hem mooi?'

'Hij is schitterend. Wat een kleur, als een heel goede rode wijn.'

'Ik ga er vanavond mee naar Prospero. Hij zal de exacte waarde voor je bepalen. Weet je nog wie Prospero Mendoza is?'

'De juwelenhandelaar? *Ma certo*, iedereen kent hem.'

'Ik zal hem ook naar die diamant vragen. Hij zal het wel weten.'

Constanza keek naar zijn naakte billen toen hij uit haar bed klom en naar het raam liep – waren alle Engelsen zo bleek? Ze was hier met hem, hij was gebleven, hij kwam nu naar haar toe, om bij haar te liggen, net als vroeger, en haar hart zong van vreugde.

Uiteindelijk legde ze de spinel neer en probeerde ze haar emoties in bedwang te krijgen. Ze wist dat dit het moment was om hem te vertellen dat hij die diamant uit zijn hoofd moest zetten, hem te waarschuwen om niet met Zuanne Memmo in zee te gaan, maar het enige wat ze nu belangrijk vond, was dat hij niet merkte hoe gelukkig ze was. Hij mocht nooit te weten komen, dat ze het wel uit wilde schreeuwen, dat ze wilde huilen als ze hem zag. Dat was de les die ze al die jaren geleden van haar moeder had geleerd, de les waarvoor ze een hoge prijs had betaald, en die ze nu niet meer kon afleren. Begeerte voor een man mocht je, net als afkeer, trouwens, nooit laten blijken, maar altijd verborgen houden achter het masker van de courtisane. Dat was een basisprincipe.

En dat was de reden waarom de enige persoon naar wie Paul misschien zou hebben geluisterd, die hem misschien had kunnen redden, niets zei. In plaats daarvan leunde ze met een lome glimlach op haar gezicht tegen de peluwen. 'Ik aanvaard je spinel maar al te graag.' Ze klopte naast zich op het matras. 'En nu, schat, *vieni.*' Ze legde haar arm achter haar hoofd, waardoor een van haar borsten weer vrij kwam uit haar camisa, ze zag hoe hij naar haar keek. 'Vieni. Ik denk dat je zult merken dat ook ik heel goed ben in ruilhandel.'

7

Eindelijk, daar waren de bruiloftsgasten.

Annetta en twee van de andere koorzusters, Suor Ursia en Suor Francesca, en de *conversa* Eufemia, keken naar de kleine vloot gondels die langzaam aan kwam varen over de lagune.

'Denk je dat zij het zijn?'

'Ja! Kijk maar. Daar komen ze!'

'Het zijn er zoveel, dat moeten ze wel zijn!'

De vier vrouwen waren naar een van de slaapzalen boven in het gebouw gegaan, waar de *educande* verbleven. Door drie bankjes op elkaar te zetten konden ze net uit een van de hoog in de muur geplaatste ramen kijken – de enige ramen die uitzicht boden op de buitenwereld. Vanaf dit punt had je, zoals de jongste nonnen in Santa Clara heel goed wisten, het beste uitzicht op de lagune, op La Giudecca in het noorden, op de stad zelf, en vooral op alle boten en gondels die het klooster naderden.

'Hé, kom er eens af allemaal en laat mij erbij.' Annetta duwde de anderen weg. 'Ik wil hier doorheen kijken.'

Uit haar zak haalde ze een kleine cilinder, ongeveer zo groot als een speelgoedfluitje van de kermis, omhuld met segrijnleer. Ze duwde de anderen weg en ging voor het raam staan.

'Wat is dat? Wat heb je daar?' Suor Eufemia, de jongste van het stel, een kind nog, pas twaalf of dertien, hupte van de ene voet op de andere.

'Het is een verrekijker, en praat wat zachter, wil je. Als Suor Margaretta ons hoort, staat ze zo voor de deur.' Annetta zette de cilinder tegen haar oog. Eerst zag ze alleen maar de oogverblindende reflectie van het licht op het groene water van de lagune.

'Je bent weer in de kamer van Suor Purificacion geweest, of niet soms?' fluisterde Ursia.

'Je hebt het gestolen,' zei Francesca, met een norse uitdrukking op haar onaantrekkelijke gezicht.

'Niet gestolen... geleend.' Langzaam speurde Annetta de horizon af. 'Ik geef hem morgen terug aan die brave Suor Puree... o!'

'Wat?'

'Hij doet het... Ik kan ze zien, ik kan ze echt zien!'

'Halleluja! Je maakte me aan het schrikken.' Suor Eufemia legde haar hand tegen haar borst. 'Kijk eens hoe mijn hart bonkt.'

'Laat mij even kijken, ze is tenslotte mijn nicht.' Suor Francesca rukte aan Annetta's rok.

'Geduld!'

In het cirkeltje dat zichtbaar was door de verrekijker, zag ze een vloot van feestelijk versierde boten. Ze vervoerden een groep van ongeveer twintig mensen, die dicht op elkaar zaten. In een van die boten zat de bruid – de nicht van Francesca, Ottavia, die een educanda was geweest – met haar twee bruidsmeisjes, die gemakkelijk te herkennen waren aan het haar dat los over hun rug hing. In de andere zat de rest van de bruiloftsgasten, een groep die voornamelijk bestond uit jonge mannen en vrouwen die de bruid en bruidegom vergezelden op hun bruiloftsvisites.

'Ze zijn er!' Bij het zien van de boten ging er een golf van opwinding door Annetta heen, maar plotseling liet ze de verrekijker bijna vallen. 'O!'

'Wat? Wat nu weer?' piepte de kleine Eufemia met een hoog stemmetje, haar hand nog steeds tegen haar borst gedrukt.

'O, wees toch stil, Eufemia, we worden heus niet betrapt. En houd eens op met dat getrek, Franca.' Annetta duwde Francesca ongeduldig weg met haar voet. 'Jij bent zo aan de beurt. Niets aan de hand, ik dacht alleen... Madonna!' Ze dook weg onder de vensterbank en drukte zich tegen de gepleisterde muur. 'Hij kijkt me recht aan.'

'Wie? Wie kan je dan zien? Ik dacht dat je zei...'

'Femia! Nog even en je krijgt een klap in je gezicht,' siste Annetta. 'Maar nee, dat is onmogelijk.'

Ze stond weer op en zocht naar de gondels in de lagune. De prachtig geklede bruiloftsgasten waren nu zo dichtbij dat Annetta ze met het blote oog kon zien. Ze zette de cilinder weer tegen haar oog en nu was er geen twijfel mogelijk. Achter in de laatste gondel stond een man met precies zo'n verrekijker tegen zijn oog. Hij had een mager, pezig lichaam, en een woeste bos krulhaar op zijn schouders. Ze wist niet hoe lang zijn verrekijker al op de ramen van de bovenste slaapzaal gericht was. Hij keek nog steeds in haar richting en wuifde langzaam met zijn hand. En toen, alsof hij nu zeker wist dat ze hem zag, stak hij langzaam en doelbewust zijn hand tussen zijn benen en bewoog wellustig zijn heupen van voren naar achteren.

Annetta liet de verrekijker kletterend op de vloer vallen en klom snel naar beneden. Haar gezicht gloeide.

'Wat? Wat is er?' De anderen verdrongen zich om haar heen.

'Niets, er is niets. Ik... ik... ik denk alleen dat ik deze verrekijker maar beter terug kan brengen naar de kamer van Suor Purificacion, dat is alles.' En met die woorden rende ze de kamer uit. De andere zusters bleven achter, kwetterend als spreeuwen.

De bruiloftsgasten werden naar de gastenkamer gebracht waar de traditionele bruiloftstraktaties klaarstonden: wijn uit de eigen wijngaard van het klooster, zelfgemaakte taartjes en koekjes. In een uitgelaten stemming die deed vermoeden dat dit niet hun eerste bezoek was, liepen de gasten door de zaal, terwijl ze hun taartjes aten en hun wijn dronken. De nonnen zaten, overeenkomstig de regels van het klooster, in een andere ruimte die met een ijzeren rooster was afgescheiden van de gastenkamer. Vooral de jongere zusters, zoals Suor Francesca en Suor Ursia, dromden samen bij het rooster. Ze riepen de bruid en raakten met hun vingers het kant om haar hals en het brokaat van haar bruidsjurk aan. Na een tijdje ging een deur in de muur tegenover het rooster open en kwam een derde groep binnen, de educande, jonge meisjes die niet waren voorbestemd om de heilige gelofte af te leggen, maar door hun families naar het klooster waren gestuurd om te leren naaien en de catechismus te bestuderen tot er een echtgenoot voor ze was gevonden. Ze mengden zich onder de gasten. Toen Ottavia, de bruid, die tot een paar weken geleden een van hen was geweest, ze zag, slaakte ze een gilletje. Ze vielen elkaar lachend en huilend om de hals en kusten elkaar, tot groot vermaak van het gezelschap.

Slechts één meisje uit de groep nam geen deel aan de feestvreugde: met een somber gezicht zat Annetta in haar eentje achter in de ruimte van de nonnen. Ze sloeg de wijn en de taartjes die haar werden aangeboden af. Na een tijdje kwam Ursia naar haar toe.

'Mag ik hier komen zitten?'

Annetta haalde haar schouders op maar schoof opzij om plaats te maken op het bankje.

'Wat is er aan de hand?' Ursia zag haar sombere gezicht. 'Heeft Suor Purificacion je betrapt toen je de verrekijker teruglegde?'

'Die ouwe Suor Puree? Natuurlijk niet.'

'Is het dan iets wat je hebt gezien? Door de verrekijker, bedoel ik,' vroeg Ursia door, iets te gretig naar Annetta's smaak.

Ze dacht weer aan de man en aan de plek waar hij zijn hand had gelegd, ze zag de kracht en de vorm van zijn heupen weer voor zich.

'Dat gaat je niets aan.' Annetta stond op en sloeg met felle bewegingen een paar onzichtbare kruimels van haar rokken.

Hoewel er weinig licht was waar ze zaten, zag ze dat Ursia haar eerst scherp aankeek en zich vervolgens afwendde. Ze had een uitgesproken, net niet knap gezicht met hoge jukbeenderen, mooie lippen waarvan de randen omhoogkrulden als ze glimlachte. Annetta vroeg zich af welke kleur haar haar had onder de strakke hoofdkap. Blond, misschien; het was moeilijk te zeggen, in ieder geval niet donker. Ze overwoog even om Ursia te vertellen wat ze had gezien. Soms dacht ze dat ze Ursia wel mocht, omdat ze bijna net zo weinig eerbied had voor het kloosterleven en bijna net zo pienter was als zijzelf. Op sommige momenten beschouwde ze haar bijna als een vriendin, want sinds ze was teruggekeerd, had ze zich eenzamer gevoeld dan ze had verwacht. Bovendien was Annetta ervan overtuigd dat Ursia haar verhaal eerder grappig dan choquerend zou vinden. Als het iemand anders was overkomen, zou ze zelf ook stikken van het lachen, maar om de een of andere reden kon ze zich er niet toe zetten om het op te biechten.

Toen Ursia inzag dat Annetta niets zou loslaten, slenterde ze naar de refter en liet ze Annetta achter met haar gedachten.

Hij kan onmogelijk mijn gezicht hebben gezien, dacht ze. Ze gluurde naar de gasten. Nee, dat kan niet, ik had de hele tijd de verrekijker voor mijn gezicht. Hij heeft alleen maar de reflectie van het glas gezien.

Ze stak de twee krulletjes die ze die ochtend zo zorgvuldig in model had gebracht weer onder haar hoofdkap en liet haar blik nog een keer nerveus over de groep gaan om te zien of de man uit de gondel ertussen stond. Maar nee, hij was er niet. Misschien had ze zich vergist, misschien hoorde hij helemaal niet bij het gezelschap en was zijn boot toevallig tussen de andere terechtgekomen. Deze gedachte stelde haar gerust en hielp haar de moed te verzamelen om zich bij de andere zusters te voegen, die bij het rooster stonden.

In een hoek van de gastenkamer had een van de bruiloftsgasten een poppenkast neergezet van geel en rood gestreept canvas, en de voorstelling was net begonnen. Annetta ging zitten om te kijken.

En plotseling stokte haar adem in haar keel. Daar was hij. Ja, het was hem, onmiskenbaar. Hij kwam achter de poppenkast vandaan. Dus daar had hij zich verscholen! Bruine ogen en een nors gezicht – ze was ervan overtuigd dat ze dat gezicht overal zou herkennen – woeste, donkere krullen tot op de schouders. Aan zijn riem hingen scherpe keukenmessen. Dat was wat ze had zien blinken bij zijn middel. Ze zag dat hij behoedzaam naar de achterkant van de zaal sloop, een snelle blik op de verwachtingsvolle menigte wierp en toen, nadat hij zich ervan had verzekerd dat niemand naar hem keek, door de deur van de educande glipte, naar de binnenhof die daarachter lag.

Alle nonnen waren in de zaal om te kijken naar de gasten en de poppenkast en de tuin was leeg toen Annetta naar buiten liep.

Ze kon de indringer natuurlijk niet volgen door de deur van de educande – het rooster tussen de ruimte van de nonnen en de gastenkamer maakte dat onmogelijk. Daarom was ze, zonder zich echt af te vragen wat ze moest zeggen of doen als ze hem tegenkwam, door de gang gerend die naar de refter leidde, vervolgens door de keukens, de talloze bijkeukens en de voorraadkamers die aan de moestuin van het klooster grensden.

Ze had zo hard gerend dat ze buiten adem was toen ze de keukens bereikte. Afgezien van Dikke Anna, de keukenmeid, die op het trapje wortels zat te schillen – ze was doof, dom en zo traag van begrip dat zelfs het poppenspel te moeilijk voor haar werd geacht –, had Annetta tot nu toe niemand gezien. Op het binnenplaatsje achter de keukens stond ze even stil en leunde ze tegen een regenton om op adem te komen.

Dit was een deel van het klooster waar ze tegenwoordig niet veel meer te zoeken had, maar het was nog precies zoals ze het zich herinnerde. Een troep witte ganzen maakte zachte sisgeluidjes toen ze voorbijkwam en een zwarte kat, die scherp afstak tegen de rode vloertegels, lag haar vacht te likken in de zon. Wat een vreemd gevoel: vroeger, toen ze een conversa was, een werkzuster, niet veel meer dan een bediende, woonde ze bijna in deze keukens. Maar nu ze met een flinke bruidsschat naar het klooster was teruggekeerd, en binnenkort zou worden gewijd, was alles anders. Ze stond minstens op gelijke hoogte met die verwaande contesse – en was zeker net zo rijk.

Ze liep van de binnenhof naar de moestuin en stond daar even stil om zich te oriënteren. Het was ongeveer twaalf uur en het was heet en stil in de tuin. Zelfs de cipressen langs de kloostermuren hadden geen schaduw. Iets verderop, aan de ene kant van het hoofdgebouw van het klooster, zag ze een stukje van de medicinale tuin, met zijn keurige buxushaag en de complexe, symmetrische patronen van de opgehoogde bedden met de zeldzame, geneeskrachtige planten waar het klooster beroemd om was. Maar dat deel van de tuin bood weinig dekking, dus besloot ze in het siergedeelte van de tuin te blijven. Ze liep door de rozenhof, waar de rode, witte en roze tinten van de bloemen in de middaghitte waren vervaagd tot een zilveren nevel, en vervolgens door een laan met leilinden. Nu wees een zoemend geluid haar erop dat ze in de buurt van de bijenkorven was. Plotseling deinsde ze terug en verschool zich achter een haag. Suor Virginia, een van de oudste nonnen van het klooster liep tussen de bijenkorven. Haar gebogen rug was naar Annetta toe gekeerd, en voor haar gezicht hing een dicht net. Annetta besloot dat de kans klein was dat Suor Virginia haar zou zien, en liep behoedzaam verder door het laantje.

Hoewel ze hem alleen vanuit de verte en door een verrekijker had gezien, twijfelde Annetta er niet aan dat de man die de tuin in was geglipt dezelfde was als de man in de gondel. Wat was hij van plan? Annetta kende de uitdrukking die ze op zijn gezicht had gezien, nors en arrogant tegelijk, de blik van iemand die meende dat hij wel even naar binnen kon sluipen om daar vervolgens over op te scheppen tegen zijn vrienden. Er waren momenten waarop ze bijna dacht dat ze beter af was op die andere plek, waar ze al die jaren geen man had gezien, tenzij je degenen zonder *coglioni* meetelde, de eunuchen, gecastreerde mannen – ze kende een paar meisjes die toch op hen verliefd waren geworden.

Annetta kreeg het steeds warmer. Er waren plukjes haar onder haar kap vandaan gekomen en ze voelde dat haar camisa tegen haar rug plakte. Afgezien van Suor Virginia met haar imkerhoed, was er niemand te bekennen in dit deel van de tuin. Achter in de tuin, bij de muur aan de kant van de lagune, kwam ze bij een pad dat tussen twee hoge hagen liep. Aan het einde stond een klein, overwoekerd prieeltje met een stenen bankje. Annetta was duizelig van de hitte en ging dankbaar zitten in de groene schaduw. Zelfs door haar dikke rokken heen voelde het steen koel. Aan de andere kant van de buxushaag hoorde ze het geluid van water – een fontein of een bron, die ze niet kon zien. En op dat moment hoorde ze twee stemmen, een man en een vrouw die samen zachtjes lachten.

Onmiddellijk rende Annetta met opgetrokken rokken terug over het pad. Ze liep om de haag heen en kwam terecht in een ronde *grotto* met in het midden een beeld waar een dunne waterstraal uit kwam. Maar nee, ze had zich vergist, er was niemand. Net toen ze ervan overtuigd begon te raken dat het door de hitte kwam, zag ze uit haar ooghoek iets fel gekleurds voorbij de ingang van de grotto flitsen. Ze rende naar buiten en volgde het pad weer terug, maar bedacht zich, draaide zich om en rende de andere kant op, liep om de haag heen en kwam weer bij het prieeltje uit. Niemand te bekennen. Annetta plofte weer neer op het stenen bankje en op hetzelfde moment gleed er een hand om haar nek en sloten ruwe vingers zich over haar mond. Ze sprong op, althans dat probeerde ze, maar het lukte niet, omdat ze stevig werd vastgehouden. Zelfs toen ze probeerde haar hoofd naar links of rechts te draaien om te zien wie haar overweldiger was, hield hij of zij haar met gemak in bedwang. Op de een of andere manier slaagde de ander erin steeds buiten haar bereik te blijven, en hoe meer ze zich verzette, hoe steviger de greep werd. Waren dat zijn vingers die ze om haar keel voelde?

Alleen haar benen waren vrij, dus Annetta greep haar kans en haalde met haar rechterbeen zo hard mogelijk uit naar de persoon achter haar.

'Au!' De ander liet haar onmiddellijk los en Annetta rende struikelend het prieeltje uit.

'*Suora!*' riep een stem achter haar.

'Wat...?'

'Ik ben het!'

Annetta draaide zich om. 'Ursia!'

Het was geen man; het was Suor Ursia maar, en ze had de slappe lach.

'Hoe kom je er in vredesnaam bij om zoiets te doen?' vroeg Annetta woedend.

Ursia moest zo lachen dat ze niet kon praten. 'Het was maar een grapje. Je had je gezicht moeten zien!' Ursia kwam moeizaam van achter het stenen bankje vandaan, terwijl ze de tranen uit haar ogen veegde. Aan haar habijt hingen gescheurde bladeren en spinnenwebben.

'Vind je dat grappig?' Annetta bracht haar handen naar haar keel. 'Ik schrok me dood.' Ze hurkte neer in de schaduw van de haag en trok haar hoofdkap af.

'Het spijt me dat ik je heb laten schrikken.' Ursia zag er nu wat berouwvoller uit en ging naast haar zitten. Annetta's gezicht was vuurrood. 'Je ziet er verhit uit. Voel je je wel goed?'

'Ja, het gaat wel, ik moet alleen even zitten.' Annetta haalde haar vingers door haar haar; het was prettig om de lucht langs haar hoofdhuid en haar nek te voelen stromen. 'Madonna! Ik wist niet dat je zo sterk was.'

'Je spartelde als een kat die verdrinkt.'

'Ik dacht...'

'Wat dacht je?'

'Ik dacht dat jij die man was.'

'Welke man?'

'Die van de gondel. Hij had een verrekijker, weet je nog, net zo een als die van oude Suor Puree.'

'En je dacht dat hij hier was?'

'Ik zag hem door de deur van de educande de tuin in sluipen en toen ben ik hem gevolgd.'

'Heb je hem gezien?'

'Nee, maar ik heb hem gehoord, dat weet ik zeker. Ik hoorde een vrouwen- en een mannenstem. In die kleine grotto met de fontein.' Annetta wees naar de andere kant van de haag. 'Heb jij ze niet gehoord?'

'Ik? Nee, ik was op zoek naar jou.' Ursia haalde haar schouders op. 'Volgens mij zie je spoken. Dat kan gebeuren met die hitte.' Ze klopte op Annetta's arm. 'Hier, kijk.' Ze gaf Annetta haar hoofd-kap terug, 'zet deze maar weer op, de klok voor het gebed heeft al tijden geleden geslagen en je weet wat die oude Suor Puree zal zeg-gen als we te laat zijn. Kom, zullen we naar binnen gaan?'

8

Annetta wist hoe meedogenloos Suor Purificacion was. En dat zou ze later die dag weer ondervinden toen de priores haar bij zich liet komen.

'Weet je waarom ik je wil spreken?'

'Nee, suora.'

'Nee, eerwáárde suora.'

'Nee... Suor Purificacion...'

Annetta hield haar ogen strak op de kleine crucifix gericht, die iets rechts van het hoofd van de non aan de muur hing. En na een korte stilte voegde ze eraan toe: 'Vergeef me, suora, maar weet u, mij is altijd te verstaan gegeven dat we alleen onze abdis zelf als "eerwaarde" mochten adresseren, maar misschien,' voegde ze er gedwee aan toe, 'misschien vergis ik me?' Ze sloeg haar ogen neer. 'En als dat zo is, vraag ik nederig uw vergiffenis.'

Een paar minuten zei de oudere vrouw niets. Annetta hoorde een zacht sissend geluid, alsof ze de lucht door haar tanden naar binnen zoog – de tanden die nog over waren in haar adellijke mond, dacht Annetta met enig leedvermaak. Toen ze een vluchtige blik op haar wierp, zag ze dat Suor Purificacion geluidloos haar lippen bewoog. Maar die oude Puree mocht bidden wat ze wilde,

Annetta zwoer dat ze niet zou zwichten.

Suor Purificacion nam Annetta een tijdje peinzend op. Daarna stond ze op en liep stijfjes om haar bureau heen tot ze achter Annetta stond. Nog steeds zei ze niets. Het enige geluid in de kamer was de wandelstok met de zilveren knop die nu lichtelijk ongeduldig op de vloer tikte.

'Het schijnt dat we gisteren een indringer hadden.'

Na de lange stilte schrok Annetta van de stem van Suor Purificacion.

'O?'

'In de tuin.'

'O.'

'Dat heeft zeker niet toevallig iets met jou te maken, suora?'

Toen Annetta geen antwoord gaf voegde ze eraan toe: 'We weten dat hij in de tuin was, deze *monachino*, want hij heeft een van de bloembedden van Suor Annunciata vertrapt en een paar takken van haar mooiste gevlochten perenbomen gebroken toen hij over de muur klom. Maar hij heeft een mooi geschenk voor ons achtergelaten: een van zijn schoenen...'

Een leren mannensandaal plofte naast Annetta's voeten op de tegelvloer.

'Monachino?'

'Ja, ik weet zeker dat je die term wel vaker hebt gehoord, suora. Een man die zijn tijd verdrijft met vleselijke relaties met nonnen.'

'O...'

'Ben je geschokt?' De lippen van Suor Purificacion namen een vorm aan die een glimlach zou kunnen worden genoemd. 'Nee toch, suora. Juist van jou zou ik dat niet verwachten.'

Annetta voelde iets bij haar voeten. Ze keek naar beneden en zag dat Suor Purificacion de zilveren knop van haar wandelstok aan de zoom van Annetta's habijt had gehaakt en het een stukje had opgetild, net genoeg om haar verboden geborduurde muiltjes te onthullen. Buiten beierden de klokken van een verre kerktoren aan de overzijde van de lagune.

Suor Purificacion liep weer terug naar haar stoel achter het bureau en keek Annetta aan. Haar gezicht, strak omlijst door haar hoofdkap, was een volmaakte ovaal; ondanks haar leeftijd was haar huid heel bleek en verbazingwekkend glad. Ze moest ooit mooi zijn geweest – Annetta stond zelf versteld over deze gedachte. Ze had vreemde, bleke oogleden, die zwaar over haar ogen hingen, alsof ze moeite had om ze open te houden.

'Ik weet niets van die... monachino, zoals u hem noemt,' zei Annetta uiteindelijk.

'Iemand heeft je gezien.'

'Gezien? Waar?'

'In de tuin.'

'Ik ga naar de tuin om na te denken en te bidden – net als alle anderen.' Annetta keek haar even aan. 'Ik heb niemand gezien toen ik daar was, geen indringer. En als er iemand is die iets anders beweert, dan liegt die persoon.'

Weer een lange stilte.

'Ik was ertegen, maar dat weet je waarschijnlijk wel.'

'Ik begrijp u niet. Waar was u tegen?'

Annetta had besloten zich niet zo snel uit de tent te laten lokken.

'Dat je hier weer toegelaten zou worden op zulke gunstige voorwaarden.'

'Gunstige voorwaarden?'

'Je weet heel goed wat ik bedoel. Toen je net in dit klooster kwam, was je maar een conversa, een werkzuster. En nu hoor ik dat je zelfs gewijd wilt worden, dat je een koorzuster wordt, met dezelfde status als degenen van ons die uit de hogere kringen komen, uit de beste families van Venetië.' De stem van Suor Purificacion ging over in gefluister. 'Jij! Die niets beter bent dan een eenvoudige...'

'Het spijt me als ik u heb gegriefd, suora.' Annetta, die geen zin had zich deze beledigingen te laten welgevallen, onderbrak haar. 'Zoals u ongetwijfeld weet, heeft de abdis er zelf mee ingestemd. Ik heb tenslotte een aanzienlijke bruidsschat meegebracht, en dat geld kan het klooster goed gebruiken. En de patriarch heeft besloten...' Annetta zocht naar de juiste woorden, '... de patriarch wees de eerwaarde abdis erop dat we in de ogen van God allemaal gelijk zijn.'

'Hoeveel geld je hebt meegebracht, is volkomen irrelevant. Waar het om gaat is dat je je veel te werelds gedraagt, suora...'

'Te werelds? Hoezo?' Annetta keek haar aan met gefronste wenkbrauwen; dit gesprek had een wending genomen die geen van beiden had voorzien. 'Ik ben hier opgegroeid. Waar had ik anders naartoe gemoeten?'

'Je hebt de gelofte van armoede geschonden...'

'Ik geloof niet dat ik wat dat betreft de enige ben.' Annetta keek veelbetekenend naar de zilveren wandelstok.

'En je brengt de anderen op het verkeerde pad... ze zijn veel te losbandig en ongehoorzaam sinds jij terug bent. Zelfs Eufemia, die maar een conversa is. Jij leidt en zij volgen.'

'Maar ik...'

'Tegen de regels in bewaar je eten en drinken in je cel en ze komen met z'n allen naar je toe om te naaien en lezen. Jullie slapen door de gebeden heen en roddelen met elkaar tijdens de bijbellezing. Je weet heel goed dat al die dingen indruisen tegen de leefregels van onze gemeenschap. Op die andere plek, was vriendschap misschien mogelijk, Suor Annetta.' Ze leunde een beetje naar Annetta toe. 'Maar je moet beseffen dat dat hier niet zo is.'

'U wilt vriendschappen verbieden?'

'Ja natuurlijk. Vriendschappen met individuen zijn verboden. Als je het ene individu boven het andere verkiest, is dat nooit te verenigen met de vriendschap met het al; die universele goedwillendheid waar wij naar streven. Dat begrijp je toch wel?'

'Maar onze eerwaarde abdis heeft altijd...'

Suor Purificacion bracht haar met een handgebaar tot zwijgen. 'Onze eerwaarde abdis is oud, heel oud... en zal niet lang meer deel uitmaken van deze wereld. En als ze er niet meer is, zal er het een en ander veranderen.'

Weer stonden de vrouwen lange tijd zwijgend tegenover elkaar. Annetta zag dat er een klein vogeltje naar binnen was gevlogen, een spreeuw, die vanaf de donkere daksparren op hen neerkeek.

'Vertel eens, suora.' Uiteindelijk sprak Suor Purificacion weer en dit keer klonk er lichte aarzeling door in haar stem, 'hoe was het?'

'Hoe was wat?'

'Die andere plek?'

Annetta dacht even na.

'Het was... groot,' zei ze na een tijdje.

'Groot?'

'Ja, groot.'

De zwarte ogen van Suor Purificacion keken haar uitdrukkingsloos aan. 'Wat bedoel je met "groot"?'

'Ik bedoel dat we met velen waren, Suor Purificacion. Meer dan hier,' voegde ze er behulpzaam aan toe.

'Ik begrijp het.'

'En het eten.'

'Het eten?'

'Dat was anders.'

'Anders?' In haar honger naar informatie, klonk Suor Purificacion nu bijna zwakzinnig. 'Hoezo?'

'Nou,' Annetta drukte haar nagels in haar handpalmen om te voorkomen dat ze in lachen zou uitbarsten, 'het was anders dan wat we hier eten.'

'Ja, ja, ik begrijp wat je bedoelt,' onderbrak de onderabdis haar met een ongeduldig handgebaar. 'Natuurlijk begrijp ik dat.'

O, nee, je begrijpt er niets van, dacht Annetta bij zichzelf. Maar dat zou je wel graag willen, of niet soms? Ik geloof dat ik heel goed weet wat je graag zou willen weten.

'En verder?'

'Ik geloof dat ik u niet helemaal begrijp, Suor Purificacion.' Annetta keek haar aan met een uitgestreken gezicht. 'Wat wilt u precies weten?' vroeg ze onschuldig.

En plotseling wist ze dat ze te ver was gegaan. Even had ze de oudere non in haar macht gehad, maar er was iets ondefinieerbaars veranderd; iets wat ze daarnet nog in haar greep had was uit haar handen geglipt. Suor Purificacion sloot haar ogen, alsof ze de aanblik van het meisje onverdraaglijk vond, en deed een stap naar achteren. 'Wacht hier, suora.'

'Maar ik sta hier al een uur. Ik...'

'Je wacht hier, Suor Annetta,' viel de oudere non haar in de rede, 'zolang ik wil.' En zonder nog een woord te zeggen, liep ze de kamer uit, waarbij haar wandelstok zachtjes op de stenen vloer tikte.

Annetta wist dat als Suor Purificacion een van de jongere nonnen tot een bekentenis wilde dwingen, het meestal afdoende was om ze in haar kamer te laten staan zolang zij wilde. Soms bekenden de meisjes zelfs dingen die ze niet hadden gedaan. Madonna! Annetta wilde stampvoeten van woede. Het was een schandaal! Maar die oude kraai vergiste zich als ze dacht dat ze haar ook op deze manier klein zou krijgen. Haar ervaring als dienstmeisje van de walidé kwam nu goed van pas. Annetta probeerde de laatste tijd niet te veel aan die andere plek te denken, maar nu keerde de herinnering terug.

Ze zag de walidé weer voor zich zoals ze haar voor het laatst had gezien. Ze had die avond dienst en was naar de slaapkamer van de walidé gegaan om te kijken of alles in orde was. Ze had haar liggend op de divan aangetroffen. Op haar rug, ogen open, haar handen netjes op haar borst gevouwen, alsof ze volledig op dit moment was voorbereid – had ze misschien zelfs het tijdstip van haar dood zelf gekozen, vroeg Annetta zich af. Degenen die haar kenden, wisten dat er niets binnen de haremmuren gebeurde waarover de walidé geen controle had. Safiye sultan, de machtigste vrouw van het Ottomaanse rijk, de moeder van Gods Schaduw op Aarde, de Ottomaanse sultan zelf, en de vrouw wier persoonlijke slavin Annetta was geweest.

Ze zeggen dat de doden eruitzien alsof ze slapen, maar daar was Annetta het niet mee eens. Ze herinnerde zich dat het leek of ze de walidé voor het eerst zag. Er zat een moedervlek op haar linkeroorlel en een op haar hand, een paar verspreide sproeten op één wang – onvolmaaktheden die Anna nog niet eerder had opgemerkt.

Toen ze haar vond, was Safiye nog maar net dood, maar haar huid was al aan het vergelen, haar mond was slap, één oog was een beetje open gezakt waardoor het eerst leek alsof ze net wakker werd uit een diepe slaap. Annetta kon haar stem bijna horen – 'Nou, waar wacht je op, *cariye*? Geef me mijn sjaal, mijn koffie, mijn kat, onmiddellijk'. Het was vreemd om te beseffen dat die wonderbaarlijke stem nu voorgoed zou zwijgen. Ze was zo sterk aanwezig in al hun hoofden dat toen Annetta uiteindelijk de eunuchen riep, geen van hen haar durfde aan te raken. Maar dat eerste, lange moment was ze in haar eentje bij de dode koningin.

In de kamer van Suor Purificacion ging er een rilling door Annetta heen. De walidé, dood! Ze herinnerde zich de intense gewaarwording dat dit maar een schil was, een lege huls; alle schoonheid, alle kracht was verdwenen. Het lichaam dat kaarsrecht onder de zware bontdeken lag, was in de dood zoveel kwetsbaarder dan in het leven. Annetta was bijna gechoqueerd; alsof de persoon die ze dacht te kennen, maar een illusie was geweest. Een goocheltruc. Een wilsbesluit. Of, de walidé kennende, alle drie.

In het eigenaardige blauwgroene licht van haar slaapkamer leek haar losse haar op de lokken van een zeemermin. Annetta raakte haar hand aan. De huid was zacht, maar daaronder was het vlees al hard en koud, als een vogelklauw. Ze voelde geen angst, in haar eentje in die kamer, alleen een lichte nieuwsgierigheid. Dus dit was de dood. Was dat alles?

En op dat moment zag Annetta het. Er zat iets in de onderste hand van de walidé. Wat vreemd. Wat was het? Ze bukte zich om het beter te kunnen zien. Een soort juweel – maar niet zomaar een juweel, een diamant! En wat voor een: hij was zo groot dat hij niet eens in de vuist van de walidé paste. Annetta's mond, die al half open stond om om hulp te roepen, klapte dicht.

De walidé had veel juwelen, parures van uitzonderlijk vakmanschap en ongeëvenaarde schoonheid – smaragden uit de Nieuwe Wereld, parels en robijnen uit Perzië en Indië, grote, groene turkooizen uit de bergen in het noorden, de buit van haar lange carrière als favoriet van de sultan – maar Annetta had zoiets als dit nog nooit gezien. Om te beginnen was het een enkele steen, geslepen, maar voor zover ze kon zien niet gezet en misschien wel te groot om te dragen, zelfs voor de walidé.

Het was niets anders dan nieuwsgierigheid die Annetta ertoe aanspoorde om te proberen de steen uit de handen van de dode vrouw te trekken. Ik wil alleen maar even kijken, dacht ze bij zichzelf, en dan stop ik hem terug. Maar de vingers van de dode vrouw hadden zich zo stevig om de steen gesloten dat ze hem niet loskreeg. Haar handpalmen zweetten nu. Zelfs in de mysterieus flakkerende gloed van de twee druipende kaarsen in hun kandelaars – de kaarsen die zij die avond had moeten vervangen – leek de flonkerende diamant te leven. Ze hield haar hoofd scheef en luisterde, maar de stilte in het paleis was zo intens dat Annetta niets hoorde dan haar eigen ademhaling die in haar keel bleef steken en het bloed dat in haar oren klopte.

Niets, niemand.

Ze probeerde het nog een keer. Dit keer trok ze harder aan de diamant en probeerde ze hem los te schudden. En toen dat niet werkte nam ze de vuist van de walidé tussen haar eigen handen en probeerde ze de diamant eruit te persen, als een pit uit een sinaasappel, maar nog steeds zonder resultaat. De hand van de walidé zat om de diamant geklemd alsof haar leven ervan afhing, en wie weet, dacht Annetta... misschien was dat ook zo. Er zijn wel vreemdere dingen gebeurd in de schemerige ruimten van de harem, zoals ze zelf maar al te goed wist.

Annetta voelde paniek opkomen. De dode walidé, zo vredig toen ze haar vond, zag er nu sinister uit. Haar haar zat in de war en hing over haar gezicht, en door de worsteling was haar hoofd opzij gegleden. Ze keek Annetta nu aan en het wit van haar halfopen oog lichtte op in de gloed van de kaars. De huid van haar lippen en kaak was strakker getrokken, waardoor haar tanden een beetje waren ontbloot en er een vreemde grimas op haar gezicht was verschenen.

Annetta kon nauwelijks meer ademen. Ze zweette over haar hele lichaam. Dit was waanzin! Ieder moment kon er iemand binnenkomen en als ze haar zo aantroffen... Er zat maar één ding op. Ze knielde neer op de vloer, greep nogmaals met beide handen de vuist van de walidé en beet in de vingers van de dode vrouw om ze los te trekken. Ze proefde iets zoets – een vrucht die de walidé had gegeten of honing van een taartje, misschien – en toen, eindelijk, voelde Annetta dat een van de vingers los kwam. En toen plotseling een misselijkmakende knak.

Een snerpend, demonisch gejammer verbrak de stilte van de slaapkamer en tegelijkertijd begon het lichaam onder de bontdekens wild heen en weer te bewegen. Annetta opende haar mond om te schreeuwen, maar de angst had alle lucht uit haar longen geslagen. Het enige geluid dat ze voortbracht was een soort hese fluittoon, als het gepiep van een bang muisje. En toen schoot iets zachts en wits vanonder de dekens vandaan.

'Kat! Geniepige, schurftige, nutteloze, afstotelijke, kleine...' Annetta probeerde de kat van de walidé te grijpen, maar het dier glipte langs haar heen, net buiten haar bereik, en verdween in de nacht.

De schreeuw van de kat was opgemerkt. Annetta hoorde het geluid van vrouwen die de antichambre van de walidé naderden en gokte erop dat ze een paar seconden zouden aarzelen bij de deur. Ze trok snel de diamant uit de inmiddels geopende vuist van de walidé, legde de armen van de dode vrouw weer in de oorspronkelijke positie, gekruist over de borst, de hand met de gebroken vinger goed verborgen onder de andere, en liet het gestolen juweel in haar buidel glijden, waar het zwaar aanvoelde, als de stenen in de zakken waarin ongehoorzame haremvrouwen werden verdronken.

9

Die avond, in de stille uurtjes voor de priem, voelde Annetta dat iemand haar wakker schudde.

'Wat...? Wie is dat?'

'Je leg in je slaap te praten, suora.'

'Eufemia, wat doe je hier?'

Hoewel ze nog half sliep, herkende Annetta meteen de muffe, ongewassen geur van de kleine conversa. Al Eufemia's kleren, tot en met haar ondergoed, kwamen, anders dan de fijne gewaden van Annetta uit de zelden schoongemaakte gemeenschappelijke kledingkast.

'Je had sekers die droom weer.' Eufemia's sprak met een zwaar, plat accent. 'Laat me erbij.' Zonder op een uitnodiging te wachten klom ze over Annetta heen, kroop onder de dekens met haar rug naar de muur, zodat ze als twee lepels in een doosje tegen elkaar lagen. In de duisternis kon Annetta nog net het silhouet van haar ontblote hoofd zien. Een tijdje geleden was ze bijna kaalgeknipt en nu groeide haar donkere haar in veerachtige plukjes terug, waardoor ze, zo vond Annetta, wel wat weg had van een jong vogeltje.

In overeenstemming met de regels van de orde had de deur van

Annetta op een kier gestaan, net als die van alle andere koorzusters. Sloten waren niet toegestaan en de gang was altijd verlicht met kaarsen die de hele nacht brandden. Suor Virginia, een van de *discrete*, de oudste en eerbiedwaardigste vrouwen in het klooster, was belast met de taak om ieder uur een ronde te doen en te controleren of er niets onbetamelijks gebeurde bij de jongste nonnen, maar twee uur na zonsondergang was ze meestal al zo diep in slaap dat ze, zoals Ursia graag zei, zelfs door de Dag des Oordeels heen zou hebben geslapen – dat had te maken met het vat wijn dat in haar cel stond.

'Was het diezelfde droom weer?'

'Ik weet het niet.' Annetta voelde dat Eufemia haar haar streelde. 'Ik denk het.'

'Ken je het je niet meer herinneren?'

'Nee ik herinner het me nooit. Ik word gewoon wakker met een... gevoel.'

'Wat voor gevoel?'

'Ik weet het niet...' Annetta staarde in de duisternis en zocht naar de juiste woorden om haar eenzaamheid te omschrijven. Het was een gevoel waarvoor ze geen naam wist, iets donkers, iets zwarts dat op haar neerdrukte. 'Het is alsof ik iets... heb verloren, iets wat ik nooit meer terug zal vinden.'

'Het is voorbij, denk er maar niet meer aan.'

'Je hebt gelijk, ik moet proberen er niet aan te denken.' Annetta voelde de warmte van Eufemia's lichaam geleidelijk in het hare trekken. 'Het was waarschijnlijk de pudding die we gisteravond hebben gegeten – daar zou iedereen nachtmerries van krijgen.'

'Ik heb de mijne aan Suo' Caterina gegeven, je weet hoe dol ze is op zoetigheid.'

'En ik heb de mijne aan de kat van Suor Margaretta gegeven, hoewel die al dik genoeg is.' Annetta glimlachte. 'Niet stoppen, het voelt lekker.' Ze rekte zich een beetje uit en zocht een comfortabelere houding op het dunne matras.

Haar ogen begonnen te wennen aan de duisternis en de vertrouwde contouren van haar kamer kregen vorm. Haar cel, die ze na haar terugkeer uit Constantinopel had gekocht met haar bruidsschat, lag helemaal aan het einde van de slaapafdeling en bestond eigenlijk uit twee ruimten die waren samengevoegd, waardoor het de grootste cel in het klooster was, op die van de abdis na. De muren waren sober witgepleisterd, de daksparren waren hoog en zwart, maar afgezien daarvan had de ruimte weinig weg van een typische cel. Tegen de muren stonden twee beschilderde cassoni waarin Annetta haar kleren had gelegd. In de hoek stond een hoge, houten kast met – heel ongebruikelijk – borden, messen en kruiken en haar eigen etenswaren en dranken. Bij het raam stond het kleine kooitje waarin haar spreeuw zat te slapen.

'Was het daar echt zo anders dan hier – op die andere plek, bedoel ik?' vroeg Eufemia aarzelend.

Annetta dacht even na. Ze had sinds haar terugkeer naar Venetië bijna niets verteld over haar leven in de harem. Dat had er in het begin vooral mee te maken dat ze weer erg moest wennen aan het klooster – ook al was het haar eigen keuze om terug te keren – en later werd haar duidelijk dat ze het aura van mysterie dat haar zwijgzaamheid haar verleende, kon uitbuiten. Maar nu – misschien kwam het door de droom, misschien doordat op eenzame momenten als deze de kleine werkzuster nog het meest in de buurt kwam van wat ze een vriendin zou kunnen noemen – voelde ze een overweldigende behoefte om haar in vertrouwen te nemen.

'Weet je,' hoorde ze zichzelf zeggen, 'in de periode dat ik in de harem van de Ottomaanse sultan verbleef – vier jaar, alles bij elkaar – was er iemand die me aan jou deed denken...'

'Wie dan?'

'O.' Annetta zuchtte en haar stem klonk bedroefd. 'Een Engels meisje. Ze noemden haar Kaya, maar dat was niet haar echte naam.'

Uit de gang, waar sommige nonnen de kippenhokken hadden neergezet die hun van eieren voorzagen, klonk af en toe knorrig getok.

'Weet je, het is vreemd, maar toen ik een conversa was, net als jij, en in die kleine kamers achter de keukens sliep, keek ik altijd zo op tegen de koorzusters die hier mochten wonen, maar nu....'

Annetta glimlachte in zichzelf, '... maar nu, met al die kippen overal, vind ik het eerder op een boerderij lijken.'

'Sst!' Eufemia legde haar vinger tegen haar lippen. 'Anders hoort die ouwe Suo' Virginia je.'

'Suor Virginia? Welnee! Soms heb ik het idee dat je hier kunt doen wat je wilt.'

'Je heb me ooit gezegd dat er op die andere plek meer regels waren.'

'O ja, veel meer regels. Je moest zelfs toestemming vragen om te spreken in aanwezigheid van de sultan. En soms zelfs in aanwezigheid van zijn moeder. En overal stonden bewakers.'

'De gecastreerde mannen?'

'De eunuchen, ja. Zwarte en blanke,' zei Annetta, die heel goed wist hoe graag Eufemia alles over die mannen wilde horen.

'Zwarte mannen, en dan ook nog gecastreerd!' Annetta voelde dat het meisje rilde van fascinatie. 'Hoe waren ze?' ze ademde de duisternis is.

'Mannen zonder coglioni?' Annetta snoof minachtend. 'Meestal ook nog dik, alsof hun borst in hun buik was gezakt. Bah! En ze hadden een vreemde manier van praten,' zei ze met een piepend stemmetje. 'Maar toch waren er meisjes die die mannen leuk vonden,' voegde ze eraan toe. 'Sommigen werden zelfs verliefd. Ik ken een meisje dat met een van hen is getrouwd nadat ze de harem had verlaten.'

'De harem verlaten? Maar jullie waren toch allemaal gevangenen?'

'Ja, dat is waar. Maar er werden voortdurend meisjes weggestuurd. Als ze hun werk niet goed deden of als het er naar uitzag dat de sultan nooit zijn oog op ze zou laten vallen, mochten ze gaan. En wat denk je dan dat er met mij is gebeurd? Ik ben heus niet over de muur gesprongen.' Annetta glimlachte. 'We waren inderdaad allemaal slavinnen, stuk voor stuk christelijke meisjes. En ieder had haar eigen verhaal over hoe ze daar terecht was gekomen. Mijn vriendin Kaya en ik waren meegenomen door zeerovers die onze boot hadden geënterd in de Adriatische Zee. Ik was samen met een paar andere nonnen van Santa Clara op weg naar ons zusterklooster in Ragusa – daar heb je vast wel van gehoord.' Ze voelde dat Eufemia knikte en haar armen nog iets strakker om haar heen klemde. 'We mochten meevaren op een schip van een Engelse koopman. De kapitein had toegezegd ons af te zetten op zijn route naar Constantinopel. Toen de Turken ons aanvielen, gooiden ze de andere zusters overboord. Het schip was op de klippen gelopen en was toch al aan het zinken, dus ze konden ons niet allemaal meenemen, al hadden ze dat gewild, en de kapitein en de meeste van zijn mannen waren al dood.' Annetta sprak op onverschillige toon, 'maar ze namen Kaya en mij mee, en uiteindelijk belandden we in het Huis van Geluk.'

'Slavin bij de ongelovigen! Lieve Vrouwe bewaar ons! Het was beter geweest als jij ook was verdronken!' De vrome woorden van Eufemia stemden niet helemaal overeen met de vonkjes van opwinding die in haar stem doorklonken.

'Beter af als ik dood was? Wat een onzin! Ik was beter af dan als conversa, dat kan ik je wel vertellen.'

'Suo'!'

'Echt waar. Zelfs beter af dan als koorzuster, ondanks alle privileges. Er waren vrouwen die bewust voor dat leven kozen, die zich als slavin lieten verkopen in de hoop dat ze in de harem van een rijke man terechtkwamen. Beter dat dan een leven op het land. En wie van ons zou dat niet doen?'

'Maar hoe ben je ontsnapt?'

'Ik hoefde niet te ontsnappen, dommerdje. Toen de walidé stierf, werden we allemaal vrijgelaten, althans, al haar persoonlijke slavinnen...'

'De walidé?'

'De moeder van de sultan.'

'Ik snap het... En toen?'

'Nou, een paar vrouwen wilden blijven, anderen kregen een bruidsschat mee en trouwden. Vrouwen die in het Huis van Geluk hadden gewerkt, golden als een goede partij, weet je.'

'Suo'!' Eufemia giechelde. 'En wou jij geen man voor je eigen?'

'Wat, ben je gek?' zei Annetta bits. 'Dienares worden van een vadsige pasja? Geen haar op mijn hoofd! Toen ik heel jong was probeerde mijn moeder me aan een dikke, oude kerel te verkopen. Hij wilde wel een groen blaadje, die vieze, ouwe bok.' Tevreden voelde Annetta dat Eufemia, die nog steeds achter haar lag, rilde van afschuw. Ze ging verder, inmiddels in de ban geraakt van haar eigen verhaal.

'Ik was nog maar tien, Femia, een kind nog, jonger dan jij. Maar oud genoeg, en ik besloot dat ik nooit iets met mannen te maken wilde hebben. Nooit meer!'

'Wat heb je toen gedaan?'

'Wat ik heb gedaan? Ha! Ik heb hem zo hard gebeten dat ik zeker weet dat hij nooit meer een jonge *culo* heeft aangeraakt.' Eufemia schudde van het lachen. Ik zei tegen Kaya dat als de sultan mij ooit zou aanraken, ik hetzelfde bij hem zou doen. Madonna! Ik weet nog hoe boos ze toen werd. Ze zei dat mijn scherpe tong ons op een dag allebei fataal zou worden...' Annetta maakte haar zin niet af.

Eufemia wachtte tot ze verderging, en toen dat niet gebeurde porde ze haar zachtjes.

'En je vriendin?' hielp ze. 'Wat is er met haar gebeurd? Met je vriendin Kaya, bedoel ik.'

Annetta zei eerst niets en mompelde toen nors: 'Kaya? Ik wil het niet over haar hebben, duidelijk?' En Eufemia kon alleen maar raden wat ze had gezegd dat Annetta boos had gemaakt.

Annetta lag zo stil dat Eufemia dacht dat ze weer in slaap was gevallen, maar ze was klaarwakker en staarde met wijd open ogen in het donker.

Wat was er met Kaya gebeurd? Er ging geen dag voorbij, geen uur, zonder dat ze zich dat afvroeg. Uiteindelijk had ze alles opgegeven om haar vriendin te redden, zelfs haar waardevolste bezit.

Er rolde een traan over haar wang. Er bleef maar één vraag onbeantwoord, één vraag waarop ze nooit het antwoord zou krijgen: was de diamant van de walidé genoeg geweest om Celia Lamprey te redden?

10

Annetta en Eufemia lagen nog steeds tegen elkaar aan toen ze het geluid hoorden.

Even bleven ze heel stil luisteren.

'Wat was dat?' fluisterde Eufemia uiteindelijk.

'Sst! Ik weet het niet.'

'Luister! Daar is het weer.'

Ergens aan het andere einde van de gang klonk een geluid dat op een zucht leek.

'Madonna! Dat is Suor Virginia! Of erger nog, Suo' Purificacion...! Wat zullen ze doen als ze me hier vinden... Snel, help me me verstoppen in een van je cassoni.' In haar angst te worden betrapt was Eufemia al half uit bed geklommen, maar Annetta hield haar tegen en legde haar vinger tegen haar lippen.

Nee, wacht – geluidloos vormde ze de woorden met haar lippen. Ze gebaarde naar Eufemia dat ze zich onder de dekens moest verbergen, stapte uit bed en glipte stilletjes de gang in.

De kaarsen dropen nog maar waren bijna opgebrand. Ze zag de kippenhokken aan dit uiteinde van de gang en rook de bijtende geur. Waarschijnlijk hadden ze een van de kippen gehoord. Ze stond net op het punt zich om te draaien en terug te keren naar haar bed, toen ze hetzelfde geluid hoorde, maar dit keer lager; eerder een grom dan een zucht.

Op blote voeten sloop Annetta door de gang en keek links en rechts in de cellen van de nonnen. In iedere cel lag een gekortwiekt hoofd op een smal strokussen. Alle vrouwen lagen op hun rug, de armen langs hun zij boven de dekens. Bij de cel van oude Suor Virginia rook Annetta vaag de geur van verschaalde wijn, maar afgezien daarvan was alles in orde, gewoon zoals het hoorde te zijn.

Toch voelde ze een onverklaarbare onrust. Misschien was het de droom die nog na ijlde, maar er was die nacht iets vreemds aan de stilte in de slaapvleugel. Het was té stil. De nonnen waren allemaal in dezelfde houding in slaap gevallen – de houding die was voorgeschreven door hun orde – maar gewoonlijk bleef niemand echt zo liggen. Ze zagen eruit als marmeren grafbeelden, alsof ze de hele nacht nog geen pink hadden bewogen. Snurkte Suor Virginia niet altijd? Daar was ze berucht om; het was een vaste grap onder de jongere nonnen, maar vannacht klonk er niet het minste geruis uit haar cel. Annetta sloop voorzichtig terug en luisterde nog eens. Niets.

En op dat moment hoorde ze het geluid voor de derde keer. Nu onmiskenbaar: eerst een zucht, toen een kreun, toen een iets luidere zucht. En plotseling begreep Annetta waar het geluid vandaan kwam: niet uit de slaapvleugel, maar uit een cel die op een overloop boven aan de trap lag en gewoonlijk alleen werd gebruikt door de zeldzame bezoekers van het klooster. Op haar tenen sloop Annetta de drie treden naar de overloop af. Ze zag dat de deur van de cel op een kiertje stond en gluurde voorzichtig naar binnen.

De ruimte was klein en witgepleisterd. Er waren geen ramen en er was geen enkele versiering, behalve een sobere, houten crucifix die aan een van de muren hing. Het grootste deel van de ruimte werd in beslag genomen door een smal rolbed, en op dat bed lag een vrouw, op haar buik met haar hoofd in een vreemde hoek schuin omhoog tegen het kussen, haar handen om het hoofdeinde geklemd alsof ze houvast zocht. Het geluid kwam uit haar, een soort gejammer.

Haar naakte billen staken rond en bleek in de lucht en achter haar zat een man die van onderen ontkleed was. Hij stootte zijn heupen naar voren en hield met zijn handen haar heupen vast. Het zachte vlees gleed als boter door zijn vingers. Door de hoek van het bed ten opzichte van de deur kon Annetta zijn gezicht niet zien, maar ze voelde dat er zo'n intense kracht door zijn lichaam ging dat er tien man voor nodig zouden zijn om hem weg te trekken. Zijn bewegingen waren eerst langzaam, maar werden steeds sneller, en het gejammer van de vrouw – niet van pijn, bleek nu, maar van genot – zwol aan. Eerst hield hij zijn hoofd voorovergebogen, alsof hij naar zichzelf keek, maar plotseling wierp hij zijn hoofd in zijn nek en hief hij zijn gezicht naar het plafond. Uit zijn mond klonk een zachte snik.

Annetta trok zich terug in de schaduw achter de deur en leunde wankelend tegen de muur. Kon die vrouw die ze zojuist als een dier had zien paren een van de nonnen zijn? *Santissima Madonna!* Annetta's hand vloog naar haar mond en ze voelde dat ze glimlachte. Het was zo! Het tafereel dat ze zojuist had gadegeslagen was... ronduit schandalig, natuurlijk. Ze wachtte tot ze zou worden overspoeld door een gepast gevoel van woede, maar merkte tot haar verrassing dat dat niet gebeurde; ze was eerder nieuwsgierig dan geschokt. Annetta, die het zelf niet zo nauw nam met de regels, was de laatste om te preken. Wat haar veel meer bezighield, was de vraag wie van de nonnen zo onvoorzichtig, zo wanhopig was dat ze recht onder hun neus de liefde bedreef. En de tweede vraag die in haar opkwam was hoe ze deze kennis zou kunnen gebruiken. Annetta was niet voor niets vier jaar dienstmaagd van de walidé geweest.

Ze stond nog steeds achter de deur van de kleine cel en hoorde nu gefluister, de stem van de vrouw nauwelijks hoorbaar, die van de man iets luider. Ze spitste haar oren maar kon niet verstaan wat ze zeiden. Ze hoorde alleen tot haar verbazing dat hij op geruststellende toon sprak, teder bijna. En toen, zonder waarschuwing, ging de deur snel open en kwam de man naar buiten. Hij rende geruisloos de trap af.

Had hij haar gezien? Nee, onmogelijk. Het was nog zo donker en hij was er niet op bedacht dat er iemand achter de deur zou staan. Annetta aarzelde. Haar hart ging zo tekeer dat ze het bijna kon horen. Maar in de slaapvleugel was het, voor zover ze kon beoordelen, nog steeds volkomen stil: geen geluid, geen teken van leven. Het zou heel eenvoudig zijn om erachter te komen wie de non was; Annetta twijfelde er geen moment aan dat ze in staat was om de zondares een bekentenis te ontfutselen. Maar haar minnaar? Als ze ook een kleine kans wilde maken om hem te ontmaskeren, moest ze snel handelen. Annetta rende achter hem aan de trap af.

Onder aan de trap was een gang die de ene kant op naar de refter en de keukens leidde en de andere kant op naar de gastenkamer en de hoofdingang van het klooster. Annetta liep eerst naar de gastenkamer en via de binnenhof naar het poortgebouw. Dit was voor een buitenstaander de voor de hand liggendste en gemakkelijkste route om het klooster binnen te dringen. Als hij de poortwachtster had omgekocht om de deur open te laten, was het zo eenvoudig als wat. Toen Annetta bij de poort kwam, met een steek in haar zij van het rennen, zag ze onmiddellijk dat de met metaal beslagen deur met zijn ingewikkelde systeem van koperen sloten stevig vergrendeld was.

Zonder zich de tijd te gunnen om op adem te komen, draaide ze zich om en rende ze terug, door de binnenhof, door de deur met het rooster die de nonnenkamer scheidde van de gastenkamer, rechtsaf de gang in die naar de refter leidde en verder naar de keukens. Ze wist nu hoe hij binnen was gekomen: door de tuin. Natuurlijk! Net als die andere kerel. Waarom had ze daar niet meteen aan gedacht! Op de drempel van de keuken stond ze even stil. En inderdaad: de deur die naar het binnenplaatsje van de keuken leidde stond open.

Ze rende de nacht in.

Alleen was het niet meer nacht. Het eerste wat Annetta zag, was dat de lucht een paar tinten lichter was dan toen ze haar bed verliet. De populieren die langs een van de kloostermuren stonden, en die ze kon zien vanuit haar cel, stonden als zwarte papierknipsels tegen een hemel die niet meer zwart was, niet eens meer donkerblauw, maar parelachtig grijs. Annetta rilde en snoof de kille lucht op. Hij rook zoet, naar vochtige aarde en bittere kruiden. Ergens in de bomen begon een eenzame vogel aan zijn ochtendlied.

Annetta was nog nooit met zonsopgang in de tuin geweest. De klok voor de priem luidde altijd vroeg in de ochtend om de nonnen op te roepen voor de eerste gebeden van de dag, maar degenen die de moeite namen om uit bed te komen, verzonnen naderhand vaak een goede reden om daar weer naar terug te keren. Zuster Virginia was vermaard om haar inschikkelijkheid, en bijna alle smoezen – 'Suora, ik heb hoofdpijn,' of: 'Suora, ik ben ongesteld' – werkten bij haar.

Op alle bladeren, alle bloemen, elk grassprietje lagen dikke dauwdruppels, zo wit als rijp, waardoor de beroemde botanische tuin was veranderd in een fantasielandschap, dat beter paste bij elfjes en kabouters dan bij gewone stervelingen.

Ze begon weer te lopen, langzaam nu, om het allemaal in zich op te nemen. Ze was zo betoverd door de schoonheid van de stille tuin dat ze nauwelijks merkte dat haar voeten verkleumd waren en dat de zoom van haar linnen nachthemd nat was. Als een eenzaam spook, zweefde Annetta verder. Ze liep door het laantje met de leilinden, langs de buxushagen van de kruidentuin, en stond stil bij de karpervijver aan het einde van dit laantje.

Boven het donkergroene water hingen verstilde mistflarden. In het midden stond een fontein in de vorm van een kleine jongen met in zijn handen een omgekeerde amfora, waaruit een nauwelijks waarneembaar straaltje water zacht borrelend in de vijver stroomde.

Het was nu bijna licht. De hemel, die de kleur van de lagune in de verte weerkaatste, was zo zacht dat hij bijna kleurloos leek. De tuin ontwaakte. Steeds meer vogels voegden hun schrille stemmen bij die van de eenzame zanger in de bomen. Annetta ging aan de rand van de vijver zitten. Hoe kwam het dat ze nu al voor de tweede keer door de tuin rende? Het was alsof ze haar verstand was verloren. Ze keek in het water en probeerde de zwarte vormen van de karpers te onderscheiden die daar bewegingloos tussen de waterplanten zweefden; maar in plaats daarvan zag ze de weerspiegeling van een ander gezicht, een man die vlak achter haar stond.

Annetta sprong zo snel op dat ze bijna in het water viel.

'Jij!'

Instinctief strekte ze haar armen naar voren uit om haar evenwicht te hervinden, maar hij greep haar polsen en voordat ze het wist had hij haar naar zich toe getrokken. Met één hand hield hij haar armen omlaag en de andere legde hij over haar mond.

'"Jij"?' sprak hij haar na, met zijn mond tegen haar oor, en toen spottend: 'Hoe bedoel je, suora, hebben wij elkaar eerder ontmoet?'

Natuurlijk niet, wilde ze zeggen, maar ik ken je wel. Jij bent de monachino, de man met de verrekijker, maar haar mond was gesnoerd. Ze kronkelde zich in alle bochten om zich te bevrijden maar hoe meer ze zich verzette, hoe steviger zijn greep werd. Ze beet naar de vingers die over haar mond lagen, maar zijn hand omklemde haar kaak met zoveel kracht dat ze haar mond niet wijd genoeg kon openen. Ze vochten in stilte met elkaar en toen, net zo plotseling als hij haar had vastgegrepen, liet hij haar los. Annetta viel voorover in het natte gras. In haar mond proefde ze de metalige smaak van bloed.

'Waarom deed je dat? Door jou heb ik mijn lip kapotgebeten.' Ze keek naar hem op en wendde haar blik snel weer af. Ja, geen twijfel mogelijk, het was hem. Dezelfde warrige krullen, dezelfde brutaliteit. Uit de kleren die hij droeg, sober maar van goede kwaliteit, en vooral uit de messen die in hun schede aan een leren riem om zijn middel hingen, leidde ze af dat hij voor een edelman of rijke koopman in Venetië werkte.

'Nou, help je me niet overeind?' zei ze na een tijdje. Maar uiteraard was Carew niet van plan haar te helpen. Hij keek neer op de donkerharige vrouw die in haar vochtige en met aarde besmeurde nachtjapon aan zijn voeten lag. Hij leek niet erg geschrokken te zijn van haar aanwezigheid en ook leek hij niet doordrongen te zijn van de noodzaak om de tuin te ontvluchten voordat iemand hen zou ontdekken.

'Nee.' Hij bleef haar aanstaren, met ogen zo hard als steen, 'waarom zou ik je helpen als je mij bespioneert.'

Annetta spoog zo hard ze kon in zijn richting en zag met tevredenheid een roze getinte klodder op zijn schoen landen. Carew keek haar onaangedaan aan; noch geërgerd noch geamuseerd door deze daad. Toen bewoog hij langzaam zijn hoofd van links naar rechts alsof hij een ondeugend kind een standje gaf. 'Tut, tut.' Hij klakte zachtjes met zijn tong tegen zijn tanden.

'Maar wacht eens even, ik ken jou, of niet soms? Jij was degene die de vorige keer achter me aan kwam. Je bent een bezig bijtje, is het niet? Of zou je zelf ook wel een beetje monachino willen?' Hij zag de blik op Annetta's gezicht. 'Aha! Ik zie dat ik het bij het rechte eind heb; jij wilt ook wel, net als die andere. Nou, laten we eens kijken...' Hij keek peinzend de nog steeds verlaten tuin rond en richtte zijn blik vervolgens weer op haar. 'Hmm, net wat ik dacht, niemand in de buurt,' zei hij opgewekt, 'helemaal niemand. Wat denk je ervan? Je mag nu wel opstaan.'

Eindelijk stak hij zijn hand naar haar uit om haar omhoog te trekken, maar Annetta weerde hem af. 'Blijf van me af, *stronzo*! Waag het niet om me aan te raken.'

'Het is geen vraag,' zei Carew, 'het is een bevel,' en net zo snel als daarnet greep hij haar pols en trok hij haar overeind. Annetta voelde hoe hij haar in zijn armen hield, haar natte lichaam tegen het zijne drukte, zijn mond tegen haar oor legde.

'Ik ben je graag ter wille,' fluisterde hij, 'als je zin hebt.'

'Nee!' Annetta's ogen prikten van woede.

'Maar dat is toch eigenlijk wat je wilt?' Hij wiegde haar nu heen en weer, heen en weer, en ze voelde zijn heupen, o zo voorzichtig, eerst de ene dan de andere, tegen haar lichaam stoten. 'Ik weet dat dat de echte reden is dat je me bent gevolgd.' Hij stond zo dicht tegen haar aan dat ze zijn adem in haar nek voelde, zijn lippen langs de zachte huid vlak onder haar oren voelde strijken.

'Nee!'

Hij was even stil, alsof hij ergens over nadacht. 'Goed dan, dit keer laat ik je gaan,' zei hij, terwijl hij haar nog steeds stevig tegen zich aangedrukt hield, 'maar in ruil wil ik dat je me iets belooft.'

'Wat dan?'

'Dat je niemand vertelt wat je vannacht hebt gezien.'

Annetta dacht even na over de mogelijkheden; ze voelde dat ze liever haar hoofd in olie liet koken dan deze man iets te beloven, maar pragmatisme kreeg algauw de overhand. Natuurlijk zou ze hem alles beloven wat hij wilde, de domkop. En zodra ze op veilige afstand van hem was, zou ze iedereen, maar dan ook iedereen vertellen wat ze had gezien, zo nodig zou ze het van het klooster-dak schreeuwen.

'Goed dan, dat zal ik niet doen,' antwoordde ze gedwee. 'Ik beloof je dat ik niemand zal vertellen wat ik heb gezien...' Maar zodra de woorden haar lippen hadden verlaten, wist ze dat ze in zijn val was getrapt.

'Aha! Dus je hebt inderdaad iets gezien!'

Stronzo! Ze merkte dat de toon van zijn stem was veranderd; kon het zijn dat hij glimlachte, of erger nog, haar zonder pardon uitlachte?'

'Je vergist je, ik heb niets gezien, niet echt!' Annetta probeerde zich eruit te redden, maar ze wist dat het zinloos was.

'O, jawel! Vertel maar eens wat je hebt gezien.'

'Hè?'

'Zo moeilijk is het niet te begrijpen. Ik zei: vertel maar eens wat je hebt gezien.'

'Nee!'

'Ach, kom op. Welk deel spreekt je het meest aan? Alleen maar wat zoenen of... iets opwindenders? Ze is heel gemakkelijk te behagen, dat kleine nonnetje, maar dat zijn jullie meestal, weet je.'

'Stronzo, stronzo, stronzo!'

'Pas een beetje op je woorden, alsjeblieft!' Carew lachte nu voluit. 'Ik durf te wedden dat jij niet je hele leven non bent geweest.

Ik ben benieuwd uit welke goot ze jou hebben opgeraapt.' Zijn greep werd wat losser en hij hield haar op armlengte. Met een blik vol afkeer nam hij haar op.

Op dat moment klonk vanuit het kloostercomplex een klok, die nogal onhandig werd geluid. 'Nou ja, ik zal het antwoord wel nooit te weten komen,' zei hij vrolijk. Plotseling rende hij weg en aan het einde van de tuin verdween hij uit het zicht.

11

Ontredderd liep Annetta terug naar het klooster, haar blote voeten rauw en rood van de kou, haar hemd kletsnat en bevuild met grasvlekken en bladeren.

Vervuld van angst luisterde ze naar de klok. Hij klonk anders dan de gebruikelijke oproep voor de gebedsdienst. Hadden ze haar afwezigheid opgemerkt, vroeg ze zich af. Haar maag trok samen. De zon die net boven de muur van de tuin piepte, vertelde haar dat ze niet alleen de priem had gemist, maar waarschijnlijk ook de metten. Tot nu toe had ze altijd een smoesje kunnen verzinnen voor haar al te frequente afwezigheid bij de diensten, maar nu was zelfs zij, ondanks haar pientere geest en inventiviteit, lichtelijk ongerust bij de gedachte dat ze een plausibele verklaring moest vinden voor het feit dat ze op dit uur van de ochtend in doornatte kleding door de tuin zwierf.

Maar toen ze uiteindelijk de keuken in sloop, ontdekte ze dat het hele klooster in rep en roer was. Nonnen met hun hoofddeksels scheef op het hoofd renden heen en weer door de gang, alsof er midden in de groep een zwerm horzels was losgelaten. Toen ze de trap naar het slaapverblijf van de jongere nonnen op wilde lopen, kwam ze Suor Purificacion tegen die net naar beneden kwam.

Zij was in ieder geval volledig aangekleed, zag Annetta. Haar eerste instinct was om zich om te draaien en de andere kant op te lopen, maar het was te laat; achter haar liepen al anderen de trap op – ze zat in de val. Annetta gaf zich over aan haar onvermijdelijke lot. Maar nee, tot haar verbazing leek Suor Purificacion Annetta nauwelijks op te merken, laat staan dat ze zag in welke vreemde, verwarde toestand ze verkeerde. Ze keek haar uitdrukkingsloos aan, staarde vervolgens dwars door haar heen en liep, zonder iets te zeggen, langs haar naar de nonnenzaal. Haar zilveren wandelstok tikte op de vloertegels.

Toen ze weer in de slaapzaal was, zag ze Ursia die met haar hoofdkap aan het worstelen was.

'Wat is er aan de hand?'

'Hoe bedoel je, wat is er aan de hand? We hebben te lang geslapen, dat is er aan de hand.' Ursia gaapte hartgrondig. 'Zie je niet hoe laat het is. Hier, kun je me even helpen, ik heb vandaag twee linkerhanden.'

'Te lang geslapen? Wat, iedereen?'

'Het lijkt er wel op. Maar zeg jij maar niets, jij hebt je nachtjapon nog aan. Hoorde je de klok niet?' Ursia ging weer op haar bed zitten met haar rug naar Annetta. 'O, wat is er toch met me aan de hand?' klaagde ze. 'Echt, ik zou zo weer in slaap kunnen vallen.'

Annetta hielp Ursia zo snel ze kon met haar hoofdkap en rende vervolgens terug naar haar eigen cel achter in de slaapvleugel. Ze deed de deur achter zich dicht en trok rillend haar natte nachthemd uit en een schone aan. Uit een van haar kisten haalde ze een stapel sjaals en een kleed van sabelbont, een van haar kostbaarste bezittingen. Ze wikkelde alles om zich heen en kroop in bed. Maar zodra ze lag kwam er een gedachte in haar op. Ze stapte weer uit bed, ging op de grond zitten, zette haar voeten tegen de zijkant van een van de zware houten kisten en duwde net zo lang tot hij voor de deur stond. Nog steeds rillend ging ze weer in bed liggen, waar ze nu eindelijk kon nadenken.

Zelfs met het kleed van sabelbont over haar heen, had ze het nog koud.

Wie was die man in de tuin? Het leed geen twijfel dat hij degene was die ze die middag van de bruiloftsvisite door de verrekijker had gezien; toen had ze geprobeerd hem in de tuin te achtervolgen, en hij had zijn schoen verloren in het bloembed.

De monachino, zo had Suor Purificacion hem genoemd. Annetta had gedaan alsof ze de term niet begreep, maar dat was niet helemaal waar. Natuurlijk had ze de andere nonnen vaak over deze mannen horen praten. Er waren altijd verhalen, talloze verhalen. Mannen die het wel spannend leek om – hoe had Suor Purificacion het ook alweer gezegd? – vleselijke gemeenschap te hebben met nonnen. En God wist dat er in deze stad van kloosters – volgens zeggen zat bijna de helft van de Venetiaanse vrouwen opgesloten achter kloostermuren – altijd genoeg waren die het risico wel wilden nemen.

Vleselijke gemeenschap. Nou, wie hij ook was, daar was hij ruimschoots in geslaagd. Voor haar geestesoog verschenen de twee figuren, als in een tableau, met hun eigen vormen, hun eigen kleuren. De bleke flanken van de vrouw, als twee volle manen opgeheven naar haar minnaar. De samengebalde energie van de man; de manier waarop hij zijn hoofd in zijn nek had gegooid, en dat geluid, als een zacht snikje, meer van verdriet dan van extase.

Het was – ze kon bijna niet geloven dat ze deze gedachte had – het was, nou ja... mooi.

Maar toen rezen andere gedachten op die haar veel meer verontrustten. Ze had hem willen volgen maar uiteindelijk bleek hij degene te zijn die haar volgde en haar had opgewacht. Steeds weer zag ze de beelden in haar hoofd: ze herinnerde zich zijn gezicht dat over haar schouder in de karpervijver keek, het moment waarop hij haar pols had gepakt, de kracht waarmee hij haar moeiteloos had overmeesterd – en ze werd overmand door zulke hevige emoties dat de tranen haar in de ogen sprongen.

Waarom had ze niet meer verzet geboden?

Maar dat was onmogelijk geweest. Of niet?

Ze moest even hebben geslapen, want opeens was het al na twaalven, te oordelen naar de felheid waarmee de zon in haar cel scheen, en bonkte er iemand op haar deur.

'Suora... suora?' Ze hoorde de klagerige en enigszins schrille stem van de oude Suor Virginia en toen het doffe geluid van haar celdeur die tegen de houten kist bonkte. 'Wat is er aan de hand? Voel je je niet lekker? Je moet nu naar buiten komen, echt, het moet...'

Maar Annetta was niet van plan om haar deur al open te doen en toen ze niet reageerde, gaf de oude non het al snel op, zoals Annetta had verwacht. Ze hoorde voetstappen die weg schuifelden door de witgepleisterde gang.

Annetta bleef liggen waar ze was en staarde naar het plafond. Ze had het gevoel dat ze niet eens zou kunnen opstaan als ze wilde. Ze had meer tijd nodig om na te denken, meer tijd om te verwerken wat ze had gezien en gehoord – en niet gedaan. Maakte het feit dat ze niet onmiddellijk alarm had geslagen, maar achter de indringer aan de tuin in was geslopen, dat ze daar met hem had gesproken, zij het tegen haar wil, en toen nog steeds geen alarm had geslagen... maakte haar dat niet op de een of andere manier medeplichtig?

Ze mocht van geluk spreken dat het die ochtend zo'n wanorde was in het klooster en dat haar terugkeer niet was opgemerkt – of toch? Kon ze daar wel zeker van zijn? Suor Purificacion had recht door haar heen gekeken, alsof ze, net als Ursia, nog half sliep, maar dat betekende niet dat geen van de andere nonnen alert was. En bovendien was er in ieder geval een van hen die te weten zou komen welke rol zij, Annetta, die nacht had gespeeld: de minnares van de monachino, wie het ook was.

Op dat moment werd er weer hard op de deur gebonkt. 'Suor Annetta?' Dit keer was het de strenge stem met het Spaanse accent van Suor Purificacion. 'Suor Virginia zegt dat je je niet goed voelt.'

Het was even stil terwijl Annetta, die roerloos in haar bed lag, zich afvroeg wat ze moest doen.

'Doe onmiddellijk deze deur open, je weet dat het tegen de regels is om je celdeur op slot te doen.'

We maken ons zorgen over je, suora,' viel het vogelachtige stemmetje van Suor Virginia haar bij.

Zorgen? Helemaal niet, jullie zijn gewoon een stel bemoeials en ik luister niet naar jullie. Ze zou zich muisstil houden. Annetta rolde op haar zij, met haar gezicht naar de muur en trok het sabelbont over zich heen.

Het was donker onder de dekens en het bont kriebelde in haar neus, maar ze begon eindelijk warm te worden. Op de achtergrond hoorde ze vaag weer het geluid van haar celdeur die tegen de houten kist sloeg, maar het kon haar niet schelen. Ze konden de pot op, allemaal!

Ze sloot zich af voor het geluid van hun stemmen, het gebonk en het gerammel aan haar celdeur, en haar gedachten gingen terug naar de indringer. Waarom was het zo moeilijk om de herinnering aan de monachino uit haar hoofd te bannen? Het was verbijsterend geweest, het gevoel van een mannenlichaam. Hij was mager, nergens een ons vet. Wat was het vreemd, dacht ze, wat was het verontrustend, de aanraking van een man, nadat ze al die jaren – bijna haar hele leven, nu ze erover nadacht, bij vrouwen had gewoond.

Zoals ze de avond ervoor tegen Eufemia had gezegd, had Annetta gezworen dat ze nooit meer naar een man zou verlangen. Ze herinnerde zich de klant van haar moeder, een oude man met een dikke buik; herinnerde zich nog hoe hij rook. Bah! Hoeveel pommade hij ook gebruikte, het was niet genoeg om de geur van rotte tanden en zure huid te maskeren. Ze herinnerde zich zijn wriemelende handen, zijn onrustige adem, hoe hij onder haar onderjurk in haar kleine tepels had geknepen, probeerde zijn mannelijkheid in haar geheime plaats te stoten. De gedachte aan hem deed haar kokhalzen.

Maar dit... dit was anders. Annetta kon het niet uitleggen. Het was echt onverklaarbaar, zo mijmerde ze, dat ze helemaal niet bang voor hem was geweest. Toen hij haar tegen zijn wil had vastgehouden, was ze boos geweest, maar niet bang. Stiekem stond ze zichzelf toe om zijn adem weer langs haar nek te voelen, zijn lippen in haar haar, zijn geur, zijn harde lichaam tegen het hare.

En toch, en toch. Onmiddellijk kwam er een nog verontrustendere gedachte voor in de plaats. De manier waarop hij haar had uitgelachen, alsof ze volkomen onbelangrijk was. En toen de blik in zijn ogen: was het echt afkeer wat ze had gezien? Annetta voelde haar tenen kromtrekken van schaamte. Hij verafschuwde haar. Ze voelde de boosheid weer opkomen, tot ze bijna kronkelde van, woede. Zij zou degene moeten zijn die hém verafschuwde, een eenvoudige monachino, een dienaar slechts, te oordelen naar zijn kleren en – ze herinnerde zich hoe hij praatte – ook nog een buitenlander.

Haar geest, die zich een klein beetje had opengesteld, klapte weer dicht als een val.

12

De werkplaats van Prospero Mendoza was gevestigd op de zolder van een huis met zeven verdiepingen in het Joodse getto. Een piepklein kamertje, nauwelijks groter dan een scheepshut. Paul werd op deze gelegenheden meestal vergezeld door Carew, maar Carew had zich niet meer laten zien sinds die avond in het palazzo van Constanza, en dus was hij er in zijn eentje naartoe gelopen, langs het kanaal. In zijn zak zat de spinel die hij bij het kaarten had gewonnen.

De zon was al twee uur geleden ondergegaan en het getto was gesloten, maar de wachters kenden Paul goed en met een paar munten verschafte hij zich toegang. Hij liep de smalle trap op naar Prospero's kleine arendsnest boven in het gebouw. Paul klopte op de manier die was afgesproken – vier snelle klopjes gevolgd door twee langzame – duwde de deur open en ging naar binnen.

Ondanks het late tijdstip stond de man nog aan zijn werkbank. In zijn ene oog zat een juweliersloep geklemd en zijn lange baard, die als hij stond bijna tot aan zijn knieën reikte, had hij over zijn schouder geslagen. Prospero keek niet op toen Paul binnenkwam, maar bleef naar de edelsteen turen die hij vasthield.

'Zo, Engelsman, wat kan ik voor u doen?'

'Jij ook goedenavond, beste vriend.'

'Vriend? Sinds wanneer ben ik jouw vriend?' Prospero pakte een klosje gouddraad dat op de werkbank lag, haalde een meetlat uit zijn zak en knipte een stuk af met een klein schaartje. 'Je komt hier, net als iedereen, met een doel: juwelen kopen of verkopen, heb ik gelijk of niet? Jij bent geen vriend van mij.' Hij keek op naar Paul en zijn oog glinsterde achter de loep, 'wat je ook beweert.'

'Zoals je wilt.' Paul glimlachte naar het kleine mannetje, dat met zijn lange baard en kraaloogjes zo uit de onderwereld leek te zijn weggelopen.

'Goed dan, Engelsman,' ging Prospero op mildere toon verder, 'wat heb je vandaag voor me?'

Paul haalde de rode steen uit zijn zak en legde hem neer voor de juwelier.

'Heel goed, daar kijk ik later wel naar als je wilt.' Prospero wees met zijn kin naar het gordijn dat voor de ingang naar een tweede kamer hing. 'Je bent te laat, hij wacht daar op je.'

Paul duwde het gordijn opzij en liep het kamertje in. Bij het raam stond een man, met zijn rug naar hem toe: klein, brede borstkas, een glimmende, eigele tulband op zijn hoofd. Paul bestudeerde het oosterse gewaad, de opvallende neus, die zo groot was als twee tulpenbollen en zich plompverloren midden in zijn gezicht had genesteld. Ambrose Jones.

'Wel, wel... Ambrose.'

'Ah, daar ben je, Pindar. Het is niets voor jou om iemand te laten wachten.' De twee mannen keken elkaar aan.

'Dat is een lelijke zwelling die je daar hebt,' zei Ambrose uiteindelijk. 'Hier, laat me eens kijken. Is hij gebroken?'

'Nee.' Paul streek met zijn vingers over zijn pijnlijke neus, 'alleen maar gekneusd.'

'Je speelt je rol goed.' Ambrose keek aandachtig naar Pindars bleke huid en de schaduwen onder zijn ogen, 'iets te goed als je het mij vraagt.'

'Ik zou hetzelfde over jou kunnen zeggen.'

'Je bent te vriendelijk, mijnheer.'

Er viel een gespannen stilte.

'Dus ik heb de Compagnie te schande gemaakt, hè?'

'Het spijt me, dat was het beste wat ik op deze korte termijn kon bedenken,' zei Ambrose droogjes, 'hoewel ik moet bekennen dat ik diep onder de indruk ben van jouw John Carew; het moet een hele klus zijn geweest om dat toneelstukje te ensceneren. Heel inventief.'

'Inventief?' zei Paul bitter. 'Carew heeft een grens overschreden, voor de zoveelste keer. Ik wil niets meer met hem te maken hebben.'

'Ik neem aan dat hij geen idee heeft wat er echt aan de hand is?'

'Hij heeft geen idee dat je een informant bent van de Levant Compagnie, als je dat bedoelt. Of dat ik jou al net zolang ken als Parvish.'

'En van de rest... weet hij daar ook niets van?'

'Helemaal niets.'

'Weet je dat zeker?'

'Hij weet het een en ander van de recente problemen van de Levant Compagnie, dat klopt. Maar hij weet niets van jou. Hij denkt dat je gewoon een zaakgelastigde van Parvish bent, een collectioneur voor zijn rariteitenkabinet. Hij weet niet dat je ook hier bent op mijn verzoek, om te praten over geheime zaken die de Compagnie aangaan. Als hij dat had geweten, had hij dit plannetje niet bedacht.'

'Echt niet? Misschien juist wel.'

'Nee, bij Carew speelt het verrassingselement een grote rol, daar kun je van uitgaan.'

'Maar je bent boos op hem.' Ambrose keek hem met priemende ogen aan, '... heel boos. Waarom?'

'Moet je dat nog vragen? Hij heeft je gevraagd naar het huis van Constanza te komen, terwijl hij heel goed wist...'

'Terwijl hij wat heel goed wist?'

'Dat dat soort nachten heel lang kunnen duren.'

'O, dus zo noemen ze dat tegenwoordig? Een lange nacht. Heel mooi. In mijn tijd heette het een stuk in je kraag hebben.'

'Daar gaat het niet om, dat weet je heel goed. Carew is een achterbakse, miezerige...'

'Maar mijn beste Pindar,' onderbrak Ambrose hem, 'je hebt hem laten geloven dat je bijna bankroet bent! Hoe moet hij weten dat je alleen maar... hoe zullen we het noemen...'

'mijn vermogen verspreid.'

'Aha, dus zo heet dat.' zei Ambrose, terwijl hij Paul mistroostig aankeek.

Paul ging er niet op in. 'Mijn belangen in de huidige Levant Compagnie... opgeef,' hij koos zijn woorden zorgvuldig, 'en in plaats daarvan in iets stabielers investeer; iets wat, in tegenstelling tot onze aandelen in deze huidige omstandigheden, zijn waarde behoudt. Edelstenen, om precies te zijn.'

'Ik begrijp het. Dat deel ervan, in ieder geval.' Ambrose pakte een grote zijden doek en veegde zijn voorhoofd af. 'En als geen van de kooplieden in Venetië doorheeft wat je aan het doen bent, hoe kun je dat dan van hem verwachten?'

'Wat ik van hem verwacht is dat hij zijn neus niet in andermans zaken steekt.' Paul keek alsof hij Carew de nek wilde omdraaien. 'Ik zet hem op de eerste boot terug naar Londen – in de galeien, als ik mijn zin krijg.'

'Je bent te streng voor hem.'

'Dat zei Constanza ook. Maar jullie vergissen je, allebei. Als ik iets fout heb gedaan, is het dat ik niet streng genoeg ben geweest. Hij gedraagt zich alsof hij...' Paul stopte midden in de zin. 'Maar hij betekent niets voor me,' zei hij verbitterd. 'Hij is een dienaar! Het is zijn taak niet om na te denken.'

'Kom, kom, laten we het niet over hem hebben...' Ambrose duwde zijn tulband iets naar achteren en veegde weer zijn voorhoofd af. 'Dus ik ben niet meer dan een zaakgelastigde van Parvish? Dat is helemaal mooi! Ik kan je vertellen dat dat kabinet van Parvish mij voor meer problemen heeft gesteld dan mijn werk als informant voor de Compagnie, tenzij je die keer meetelt dat ze een gat in het plafond van de gastenkamer van de Doge hadden gezaagd, maar dat is een ander verhaal. En deze nieuwe onderneming zal waarschijnlijk nog veel meer narigheid brengen...'

'Kom, Ambrose.' Paul zag dat de oudere man zich begon op te winden, 'we lopen te ver op de zaken vooruit, vind je niet? Laten we even gaan zitten. Laten we onze meningsverschillen even opzijzetten. Wat voor nieuws heb je voor me?'

'Ik vrees dat het geen goed nieuws is. Zoals je al weet nemen de schepen van de Hollanders nog steeds met veel succes de nieuwe zeeroute.' Uit een bundel papieren die naast hem lag trok Ambrose een rol waarop een eenvoudige kaart was getekend. 'Ze kopen hier hun specerijen...' Hij wees met zijn duim naar de verspreide specerijeneilanden bij de rechterrand van het papier. 'En in plaats van ze over land mee terug te nemen, zo...' Hij trok met zijn vinger een lijn om de driehoekige landmassa van India, langs de haven van Ormuz, omhoog door de golf naar Basra en door de Perzische woestijnen, 'met de karavanen naar Aleppo en vervolgens naar Venetië en Constantinopel, onze handelsbasis, in plaats daarvan varen ze naar het zuiden.' Met dezelfde vinger trok hij een tweede lijn langs de onderkant van het papier, om de veel grotere landmassa van Afrika heen, 'en ronden ze de kaap die ze zo graag Buena Esperanza noemen, de Goede Hoop. Maar ons zal hij waarschijnlijk weinig hoop bieden, want hoewel deze nieuwe route tien keer zo lang is, blijkt hij tien keer veiliger dan de oude landroutes van de Levant. En we weten welke gevolgen dat nu al voor onze prijzen heeft.'

'Heeft Parvish je de cijfers voor me meegegeven?'

'Inderdaad.' Ambrose rommelde weer in de bundel papieren en pakte een ander vel. Hij zette een groengetinte bril op zijn enorme neus en tuurde door de glazen naar de getallen. 'Laat me eens kijken, aha, ja, daar zijn ze: in Aleppo werd de laatste lading peper voor twee shilling per pond ingekocht; in het oosten is dezelfde hoeveelheid te koop voor maar tweeënhalf pence.'

'Mag ik dat eens zien?' Paul pakte het papier van hem aan. 'Voor kruidnagelen geldt hetzelfde. De laatste tijd kopen we ze voor vier shilling per pond in Aleppo, maar in het oosten kost diezelfde hoeveelheid maar negen pence.' Pauls blik gleed snel over de lijst. 'Kaneel, nootmuskaat... hetzelfde verhaal.'

'Het is zo klaar als een klontje, ze vegen de vloer met ons aan,' zei Ambrose met gefronste wenkbrauwen.

'Nou en of.' Met een bezorgde blik gaf Paul het papier terug aan Ambrose. 'De prijzen zijn nog lager dan ik dacht.'

'En binnenkort komen er nog andere rivalen bij. Heb je de brief van Parvish gelezen over onze eigen Oost-Indische Compagnie, de brief die ik heb achtergelaten in het huis van die, eh... dame?'

Paul knikte. 'Ja, die heb ik gelezen.'

'Als onze eigen kooplieden ooit maar half zo rijk willen worden als de Hollanders...' Ambrose maakte de zin niet af.

'Als uilen naar Athene.'

'Uilen naar Athene?'

'Dat is een Griekse uitdrukking. Daar leefden in de oudheid heel veel uilen, dus dat dier werd het embleem van de stad. Als er al een overvloed van iets op een bepaalde plek is, heeft het geen zin om er nog meer naartoe te brengen.'

'Nou, ik ben net op weg naar Athene,' zei Ambrose somber. 'Ik laat je wel weten of ik nog uilen tegenkom.'

'Athene? Wat brengt jou daarnaartoe?'

'Het kabinet van Parvish. Er gaan geruchten dat er daar net een zeemeermin te koop wordt aangeboden en ik ben op onderzoek uitgestuurd.'

'Ik dacht dat hij al een zeemeermin had.'

'Nee, hij heeft een *mermaid's purse*, een eierkapsel,' zei Ambrose geërgerd, 'dat is iets heel anders. Een mermaid's purse is niets anders dan een plukje zeewier – dat zou je moeten weten – en bovendien heeft iedereen er een. Maar dit is een echte, zeggen ze.'

'Ho! En jij gelooft dat? Dat het geen apenschedel blijkt te zijn die op een gedroogde vissenstaart is vastgenaaid, of een ander onnatuurlijk gedrocht?' Paul bekeek hem met een cynische blik. 'Waar heb je in godsnaam over die zeemeermin gehoord?'

'Je weet dat ik mijn bronnen nooit prijsgeef. Ik heb een bijzonder groot netwerk van informanten dat zich helemaal uitstrekt van hier tot Lime Street – onze goede vriend Prospero maakt er ook deel vanuit.' Ambrose, die zijn papieren weer in de bundel wikkelde, keek Paul streng aan over zijn bril. 'En wie ben jij om aan me te twijfelen? Wie heeft die Egyptische krokodil voor hem gevonden, hmm? Zijn complete verzameling zeldzame vogelsnavels uit het Oosten? Om nog maar te zwijgen van die échte hoorn van een eenhoorn. Ik heb me laten vertellen dat alleen de De' Medici er zo een hebben.'

'Ambrose! Ambrose!' Paul zag dat hij zich weer aan het opwinden was. 'Kom op, ik twijfel niet aan je! We weten allemaal dat als er iemand is die zoiets zou kunnen vinden, jij het bent. Jij hebt voor Parvish de *nec plus ultra* van de *Wunderkammern* aangelegd, het beste kabinet in Engeland, dat weet iedereen.'

'Het beste in Engeland? Het beste in Europa?'

'Het beste in Europa,' zei Paul sussend. 'Maar vertel eens, hoe staat het met die ouwe?'

'Hoe denk je?' Ambrose zette zijn tulband recht. 'Oud.'

'Nee, ik meen het,' zei Paul nu zachter. 'Vertel me eens hoe het met hem gaat; hoe gaat het met Parvish?'

'Zoals ik zeg, hij is oud. Net als ik. Er zijn te veel nieuwe dingen in deze wereld. Eerst een nieuwe koning, nu nieuwe handelsroutes. En wat zal het volgende zijn? We zijn er geen van beiden gelukkig mee. Wij hebben liever die oude routes. Bovendien word ik te oud voor al dat rondrennen.'

Paul lachte. 'Dat zeg je al twintig jaar, of in ieder geval zo lang ik je ken.'

'Maar nu meen ik het. Te veel lekke schepen. Te veel lekke kooplieden, trouwens.' Ambrose legde zijn hand op Pauls schouder. 'Hij zou het verschrikkelijk vinden om je zo te zien. En als je het mij vraagt – en ik weet dat je dat niet wilt –, is dat de reden waarom je zo boos bent op John Carew. Omdat je weet dat dit geen schijn is, zoals je me wilt doen geloven. Hij houdt je een spiegel voor, Pindar, en wat je ziet bevalt je niet.'

'Ik weet wat ik doe.'

'Is dat zo?' Ambrose wees naar het kleine glas-in-loodraampje naast hem. Paul draaide zich om en keek naar zijn eigen spiegelbeeld. Op zijn neusbrug begon zich een blauwe plek te vormen, zijn ogen waren roodomrand. Ondanks zijn nacht bij Constanza zag hij er uitgeput uit, zijn altijd al lichte huid was nu lijkbleek, alsof hij geen oog had dichtgedaan.

'Sluw, een heer, een goede raadgever,' zei Ambrose streng. 'Dat zeiden onze kooplieden altijd over je. Die man kozen ze uit om naar Constantinopel te gaan.' De verassend sterke vingers van Ambrose boorden zich diep in Pauls schouder. 'Maar ik zie het meteen als er iets mis is,' voegde hij er zachtjes aan toe. 'Wat is er met je gebeurd, Pindar? Heb je jezelf nog wel eens in de spiegel gezien de laatste tijd? En ga me nu niet vertellen dat je jezelf dit met opzet aandoet.'

'Ik weet wat ik doe.' Paul probeerde zich los te rukken, maar Ambrose hield hem vast. 'Ik weet wat ik doe – en Parvish ook,' hield Paul vol. 'Als de Britse Oost-Indische Compagnie in zijn opzet slaagt, kopen ze dezelfde specerijen als wij, maar dan veel dichter bij de bron. Als ze dat succesvol kunnen combineren met de nieuwe route, zoals de Nederlanders dat hebben gedaan, zal de handel op de Levant instorten en dat wordt onze ondergang... We hebben afgesproken dat we al onze aandelen zouden verkopen... en het geld zouden steken in iets wat zijn waarde behoudt, totdat duidelijk zou worden wat onze volgende stap moest zijn.'

'Edelstenen. Ja, dat heb je me al verteld. Heel slim. Klein, gemakkelijk te vervoeren en de kans dat ze in het huidige klimaat hun waarde behouden is groter dan bij peper of kruidnagelen. Jij was altijd al degene met de slimme ideeën. Maar dat gokken...'

'Wat is daarmee?'

Uit zijn zak haalde Paul een glanzend rond voorwerp dat in vorm en grootte deed denken aan een horloge. Hij streek met zijn vingertop over het gegraveerde patoon op het vergulde koperen dekseltje van het compendium: twee met elkaar verstrengelde lampreien, een soort paling.

'Je weet heel goed wat ik bedoel,' zei Ambrose. 'Weet Parvish dat je gokt?' Zijn gezicht kreeg plotseling een harde uitdrukking. 'Wat? Heb je je tong ingeslikt? Nee, dat weet hij niet. Je bent gokverslaafd, Pindar, ik voel het in mijn botten.'

'Verslaafd? Ik heb geen idee waar je het over hebt.' Verstrooid opende en sloot Paul het dekseltje van het compendium.

'Volgens mij wel,' zei Ambrose. 'Je hebt jezelf niet meer in de hand, hè? Je kunt niet meer stoppen.'

'Dat is een leugen.'

'Waarom zit je dan aan je compendium te wriemelen? Je zat altijd ergens aan te wriemelen, als jongen al. Parvish zei dat je jezelf altijd daarmee verraadde. Laat me eens kijken.' Ambrose pakte het compendium uit Pauls handen en bekeek het met een collectioneursblik. 'Een waardeloos exemplaar. Je stelt me teleur; Humphrey Cole zou zich omdraaien in zijn graf. Waar is dat andere compendium?'

'Dat heb ik weggegeven.' Paul keek Ambrose uitdrukkingsloos aan. 'Aan een vriend.'

'Aan een vriend?' Ambrose hield het dekseltje omhoog en tuurde naar de gravure. 'Lampreien, als ik me niet vergis. Nou ja...'

Hij gaf het compendium terug aan Paul en plofte neer op zijn stoel. Hij deed zijn tulband af en gooide hem met een geërgerd gebaar in een stoffige hoek. 'Luister,' zei hij zachter terwijl hij zich op zijn grote, kale schedel krabde. 'Ik weet alles van je verliezen, Pindar,' zuchtte hij. 'Ik weet hoe groot ze zijn.'

'Je bent een dwaas als je alles gelooft wat John Carew je vertelt.' Paul voelde dat zijn handpalmen begonnen te zweten.

'En jij bent een dwaas als je denkt dat ik uitsluitend afga op een simpele dienaar,' kaatste Ambrose terug. 'Dit is wat ik doe, Pindar. Verzamelen: hoorns van eenhoorns, zeemeerminnen, informatie. Dat is de reden dat ik hier ben.'

'Om informatie over mij te verzamelen?' Paul begon te lachen, maar zijn ribben deden te veel pijn van de val van de vorige avond. 'Parvish heeft je gestuurd om informatie over mij te verzamelen?' Hij wreef zachtjes over zijn pijnlijke borst. 'Je ijlt, Ambrose.'

Maar toen hij zijn ogen opsloeg, zag hij aan de manier waarop Ambrose hem aankeek dat hij helemaal niet ijlde. 'Nou laat maar zien wat je kunt.' Hij probeerde zich met bluf uit de situatie te redden. 'Wie zijn dan precies je informanten?'

'Ik heb je al gezegd dat ik mijn bronnen nooit prijsgeef.' Ambrose keek hem streng aan. 'Een van de redenen dat ik hier ben is dat je me moet beloven te stoppen met gokken, met jouw geld, met het geld van Parvish, met wiens geld dan ook. Je zegt dat je niet verslaafd bent, dus het zou je niet veel moeite hoeven te kosten.' Hoe klein en dik hij ook was, met zijn krachtige persoonlijkheid vulde hij de hele ruimte. 'Nou,' snauwde hij, 'beloof je dat?'

Paul aarzelde en knikte toen kort.

'Dus ik heb je woord?'

'Je hebt mijn woord.'

Op dat moment werd het gordijn opzij getrokken en kwam Prospero binnen. Hij zag er verhit uit. 'Vergeef me dat ik u stoor, heren, maar u heeft een bezoeker,' begon hij, 'een erg opdringerige jongeman die zich niet liet tegenhouden...' maar voordat hij zijn zin kon afmaken werd hij opzij geduwd door Carew die de kamer in liep.

'Aha, dus daar ben je. Constanza had al zo'n vermoeden. Ik heb overal naar je gezocht...' Hij zweeg toen hij Ambrose zag.

Er viel een korte stilte waarin de drie mannen elkaar aankeken.

'Wel, wel.' Carew nam het tafereel op met fonkelende ogen. 'Wat een gezellige boel.'

'Het geeft niet, Prospero,' zei Paul, 'deze mijnheer en ik waren net klaar.'

'Ga jij maar, Pindar. Ik heb nog wat af te handelen met Prospero hier.' Stijfjes draaide Ambrose zich om om zijn tulband te pakken. 'En er zijn nog een paar dingen die ik je zou willen vragen.' Hij keek Paul peinzend aan. 'Maar dat kan wel even wachten.'

Toen ze weer in de werkplaats waren gaf Prospero de spinel aan Paul. 'Hier is uw steen. Het is een mooie, dat moet ik toegeven, maar ik kan u niet veel bieden.' Hij noemde een bedrag in dukaten.

'Is dat alles?'

'Het spijt me, Engelsman. De markt wordt de laatste tijd overspoeld door juwelen. Een spinel is op dit moment niet veel waard.'

'Hoe komt dat?'

'Ze zeggen dat er een dame is die ze verkoopt, een vrouw uit een van de kloosters.'

'Een non?'

'Misschien wel, misschien niet.' Prospero haalde zijn schouders op. 'Ik weet niets van jullie nonnen en kloosters. Het klinkt ongeloofwaardig; wat moet een kloosterlinge met al die juwelen?'

'Waarschijnlijk een rijke weduwe die daar haar toevlucht zoekt – of een deel van de bruidsschat van een arme novice,' begon Paul te speculeren, maar opeens kwam er een gedachte bij hem op. 'Zou zij ook degene kunnen zijn die die grote diamant heeft verkocht waar iedereen het over heeft, de blauwe diamant van de sultan? Heb je daarover gehoord?'

'De blauwe diamant van de sultan? Natuurlijk heb ik daarover gehoord! Als u die hier brengt, Engelsman, dan is het een heel ander verhaal.' Zijn ogen glommen. 'Ik zou er een lieve duit voor over-hebben hem alleen maar vast te mogen houden. Bijna honderd ka-raat, zeggen ze. Weet u hoe groot dat is?' Hij hief een gebalde vuist op. 'Bijna zo groot als mijn vuist. En dan de kleur: puur blauw-wit, dat is het fijnste wit dat er bestaat met een lichtblauwe fluores-centie. Stel je voor, wat een pracht, Engelsman: een diamant met de kleur van maanlicht!' Prospero zuchtte diep. 'Maar dat is niet de reden dat alle edelsteenhandelaren erover praten. In de loop van de jaren hebben heel wat grote stenen de weg naar de lagune en terug afgelegd. Het opmerkelijkste aan deze steen is het bril-jantslijpsel: ze zeggen dat hij bijna twee keer zoveel facetten heeft als welke edelsteen dan ook. Wat een licht! Wat een schittering! Welk onbekend genie heeft dit wonder geschapen?' Prospero haal-de zijn schouders op. 'Niemand die het weet.'

'Waar denk je dat de diamant vandaan komt.'

'De steen zelf? Zeer waarschijnlijk uit India, uit de grote mij-nen van Golconda; volgens sommigen heeft hij daar ooit in het oog van een heiligenbeeld in een tempel gezeten.' Hij haalde weer zijn schouders op. 'Maar weet je, die grote stenen.' Hij spreidde de vingers van beide handen in een expressief gebaar, 'die komen en gaan – ze krijgen een nieuwe naam – je kunt het nooit zeker weten.

'Oudewijvenpraat.'

'Nee, Engelsman!' Hoewel er niemand in de buurt was die ze kon horen, dempte Prospero zijn stem. 'Geen oudewijvenpraat. Diamanten hebben allerlei mystieke eigenschappen, dat is algemeen bekend. Maar de blauwe diamant van de sultan is... anders. Ze zeggen dat er nog nooit een diamant of edelsteen is geweest die deze kan evenaren.' Prospero fluisterde nu, alsof zijn eigen woorden hem angst inboezemden. 'Ik heb horen vertellen dat deze diamant allerlei eigenschappen heeft: dat de steen, als hij vrijwillig wordt gegeven, de drager bescherming biedt; dat hij een goed mens veel goeds brengt – en dat voor een slecht mens precies het tegenovergestelde geldt. Ze zeggen dat hij een magische inscriptie draagt in de taal van de Mogols.' Toen hij de sceptische uitdrukking op Pauls gezicht zag maakte hij een gebaar alsof hij Paul wegduwde om blijk te geven van zijn afkeer. 'Bah! Je luistert nooit naar me Engelsman. Waarom doe ik nog moeite om je iets bij te brengen?'

'Dus je geeft me er een goede prijs voor, Prospero, als ik hem tegenkom op mijn reizen.'

Maar Prospero was niet in de stemming voor plagerijen.

'Nee, Engelsman, ik wil de blauwe diamant van de sultan niet. Nooit!' riep hij fel. 'En je zult niet veel handelaren vinden die hem willen aanraken. We doen er goed aan om die steen met rust te laten.'

'Waarom zeg je dat?'

Prospero meed Pauls blik. 'De steen reist verder.'

'Wat?'

'Ik zei dat de steen verder reist.' Prospero zwiepte ongeduldig zijn baard over zijn schouder. 'Heb je dan geen woord begrepen van wat ik net zei?' Hij schreeuwde nu bijna. 'Een magische steen als deze, denk je dat die gekocht en verkocht kan worden? Nee, zeg ik je, en wie het probeert staat niets goeds te wachten.'

Prospero liep terug naar zijn werkplaats achter het gordijn maar in de deuropening aarzelde hij.

'Als je het echt wilt weten, naar verluidt was het een man die de blauwe diamant verkocht, geen vrouw. Ze zeggen dat hij uit Constantinopel kwam.'

'Wat is er met hem gebeurd?'

'Niemand weet waar hij is gebleven. Hij kwam met de diamant naar het getto om hem te laten taxeren – maar een steen als deze.' Prospero schudde zijn hoofd. 'Geen enkele edelsteenhandelaar heeft genoeg geld om hem te kopen, al zou hij willen. Ik denk dat hij daar niet op had gerekend. Iemand die ik ken, bood aan om de diamant voor hem te bewaren – het is niet veilig om in de stad rond te lopen met zo'n ding op zak – en het nieuws te verspreiden onder handelaren in Antwerpen en Amsterdam. Uiteindelijk vind je altijd wel een idioot die zo'n steen wil kopen, het kost alleen wat tijd, dat is alles. De man zei dat hij terug zou komen, maar...'

'Dat deed hij niet?'

'Ik hoorde dat hij de steen bij het kaarten heeft verloren – moge zijn naam voor altijd in de vergetelheid raken.' Prospero wendde zich af en spoog op de vloer achter zich. 'Zie je? Zoals ik zei, Engelsman, de steen reist verder. Het heeft geen zin om te vragen waarom, of te proberen hem tegen te houden.'

13

Het was bijna middernacht toen Paul en Carew Prospero's werkplaats verlieten en de maan stond helder aan de hemel. Om zijn bezoek aan het getto geheim te houden, had Paul die avond geen gondel genomen en nu probeerden ze de wachters te ontlopen door een sluiproute te kiezen langs de kleine kanaaltjes.

Paul verbrak uiteindelijk de stilte. 'Ik neem aan dat het geen zin heeft om je te vragen waar je de afgelopen twee dagen bent geweest?' Hoewel hij zijn stem dempte om te voorkomen dat ze de aandacht van de wachters trokken, was zijn toon scherp. 'Maar nee, bij nader inzien, vertel het me maar niet,' hij stak zijn hand op, 'ik wil het niet weten. Van nu af aan sta je er alleen voor, Carew. *Basta.* Je doet maar wat je wilt.'

'Wees gerust, ik blijf hier niet,' zei Carew. 'Maar voor ik ga, ik neem aan dat het geen zin heeft jóú te vragen waarover je met Ambrose hebt zitten smoezen?'

'Wat gaat jou dat aan?' antwoordde Paul; en toen, zichzelf tegensprekend: 'Dat was toch jouw doel, dat wij elkaar zouden leren kennen? Nou daar ben je zeker in geslaagd.'

Carew negeerde de honende toon. 'Wie is hij? Wie is Ambrose?' Toen Paul daar geen antwoord op gaf, ging hij verder: 'Je kende hem al, of niet soms? Ik geloof helemaal niet dat hij een collectioneur voor Parvish is.'

'Jazeker is hij de collectioneur van Parvish, zoals hij zelf zei.' Paul liep zo snel dat zijn ribben weer pijn begonnen te doen. 'Maar hij is ook informant voor de Levant Compagnie, uilskuiken!' Paul stopte even om op adem te komen. 'Heb je enig idee wat je hebt gedaan? Me zwart maken in de ogen van Parvish is al erg genoeg, maar je hebt...'

'Het is nooit mijn bedoeling geweest om je zwart te maken,' viel Carew hem in de rede. 'Ik wilde je alleen maar wakker schudden.'

'Maar je hebt ook nog de macht van Ambrose Jones gebruikt om me te schande te zetten ten overstaan van de hele Levant Compagnie!'

'Maar snap je het dan niet? Dringt het dan echt niet tot je door? Ze weten het al! Iedereen weet alles van jou, van je... je waanzin, je neerslachtige buien...' Carew schreeuwde bijna en zijn stem weergalmde tegen de muren van de smalle *passaggio*. 'Je bent jezelf niet...'

'Houd je mond, dwaas!' Paul greep Carew bij zijn schouder en trok hem de schaduw in. 'Ik heb toestemming om op dit tijdstip hier te zijn, maar jij niet, als je dat vergeten was. En als de wachter je hier vindt, kun je er zeker van zijn dat ik je met liefde aan hem overlever.'

Ze kwamen bij een klein bruggetje aan het einde van het steegje. Paul haalde raspend adem en voelde helse pijnscheuten in zijn borst. Hij liet zijn hoofd achterover tegen de muur leunen en probeerde op adem te komen. Hij keek om zich heen om zich te oriënteren. Ergens in de doolhof van kleine *calli* waren ze verkeerd gelopen en hij realiseerde zich dat hij niet wist waar ze waren.

Het kanaal dat voor hen lag was heel smal. Links van de brug boog het terug naar de kronkelende steegjes van Cannaregio; rechts van de brug mondde het kanaal vrijwel meteen uit in een iets bredere waterweg. De maan hing laag tussen de daken van twee koopmanshuizen en het licht werd gebroken in de stille, glanzende zwarte linten van water aan weerszijden. In een boograam aan het water brandde een eenzame kaars.

Wat was er mooier dan deze stad... of naargeestiger? Paul had zijn halve leven met tussenpozen hier gewoond, maar nu pas, realiseerde hij zich hoe erg hij de stad haatte. Waarom was hij in godsnaam teruggekomen? Was het omdat Celia ook ooit hier had gewoond? Hier had hij haar voor het eerst ontmoet. Hier waren ze verliefd geworden, hadden ze zich verloofd. Toen was hij naar Constantinopel gegaan voor de Levant Compagnie en het schip dat Celia naar hem toe zou brengen was vergaan – dat dachten ze althans. Carew meende haar een keer te hebben gezien in Constantinopel. Hij vermoedde dat ze op de een of andere manier in de harem van de sultan was beland, maar ze waren er nooit in geslaagd contact met haar te leggen en hij tastte nog steeds in het duister.

Had Carew misschien gelijk gehad? Het leek wel alsof hij zichzelf niet meer kende. Celia was nu niet meer hier, hij was haar voorgoed kwijt en toch leek het alsof haar geest nog in de stad rondhing. Als hij door de straten liep, had hij het vreemde voorgevoel dat ze op een dag de hoek om zou komen lopen. Hij had zelfs een paar keer gedacht dat hij haar zag: een jonge vrouw met een bleke huid en roodachtig gouden haar dat bij een raam zat, haar hoofd gebogen over een naaiwerkje of een boek; op andere momenten gleed ze in een gondel voorbij, haar gezicht half naar hem toe gedraaid, haar vingertoppen in het water. Maar dan draaide ze zich om of begon ze te praten en realiseerde hij zich dat het iemand anders was en dat hij haar nooit weer zou zien. Om hem heen niets dan vocht en verval.

Plotseling bewoog er iets in de schaduwen aan de andere kant van de brug.

'Zag je dat?' een stem, een zachte fluistering in zijn oor. 'Onder de arcade, daar links.'

Dus Carew had het ook gezien. Paul knikte; hij draaide zich om en bracht zijn mond naar het oor van Carew, maar net toen hij wilde spreken, kwam er een man tevoorschijn uit de schaduw van de arcade, zijn gezicht verhuld door de schaduw van zijn capuchon. Hij kwam hun kant op maar toen hij midden op de brug was stond hij stil en vroeg met zachte stem:

'Paul Pindar?'

Paul gebaarde Carew te blijven waar hij was en liep vervolgens vanuit de schaduw de vreemdeling tegemoet. 'Wie wil dat weten?'

Instinctief had hij zijn hand naar zijn zwaard aan zijn riem gebracht, maar de man hief zijn handen op om te laten zien dat hij ongewapend was. 'Paul? Ken je me niet?' Hij zette zijn capuchon af en Paul zag dat de gedaante die in het maanlicht voor hem stond inderdaad iets vertrouwds had.

'Ik ben het, Francesco.'

'Francesco?' zei Paul, stomverbaasd. 'Wel heb ik van mijn leven. Je bent het echt!' Hij liep de brug op en de twee mannen omhelsden elkaar.

'Francesco! Hoe lang is dat geleden?'

'Te lang, veel te lang.'

'Jaren.' Paul keek zijn vriend aan met een mengeling van nieuwsgierigheid en blijdschap. 'Francesco Contarini! Tjonge, volgens mij was het tien jaar geleden, of meer.'

'Tien, vijftien – wat maakt het uit?' De andere man glimlachte. 'Te veel om bij te houden.'

Ze stonden elkaar een tijdje aan te kijken.

'Je ziet er nog hetzelfde uit.'

'Jij ook.'

Maar terwijl ze dat zeiden, wisten ze allebei dat de ander loog. Paul, had blauwe plekken rond zijn neus en ogen en grijze plukken in zijn zwarte haar en baard; Francesco's ooit knappe gezicht was dun geworden; het linnen hemd was bij zijn hals en polsen zo smoezelig en versleten dat het leek alsof hij het al maanden aan had. Maar ze glimlachten nog steeds.

'Ik had gehoord dat je Venetië had verlaten.' Francesco gaf Paul met enige aarzeling een klap op zijn schouder.

'Dat klopt. Ik heb een paar jaar in Constantinopel gewoond. De Levant Compagnie had me daarheen gestuurd op een missie, om te onderhandelen met de Grote Turk. Handelsrechten, je kent het wel...'

'Maar natuurlijk: Paul Pindar, de grote koopman.' Hij sprak deze complimenteuze woorden met een ironische ondertoon uit. Toen hij glimlachte, zag Paul dat zijn ondertanden niet veel meer waren dan zwarte stompjes. 'Waarom verbaast me dat niet? Je was voorbestemd voor grote dingen. Vrouwe Fortuna was je altijd al goedgezind.'

'Vrouwe Fortuna?' Nu was het Pauls beurt om te glimlachen. 'Een grillige minnares, helaas.'

'Ik heb het gehoord van Tom Lamprey en zijn dochter.' Francesco knikte meelevend. 'Ik vind het heel erg voor je.'

'Dank je wel,' zei Paul, 'dat is al zo lang geleden.' Hij wilde graag van onderwerp veranderen. 'Maar jij, Francesco? Vertel eens, hoe gaat het met jou?'

'Met mij? Ik ben ook weggeweest.' Francesco maakte een schrapend keelgeluidje, meer een kuch dan een lach. 'Dat heb je waarschijnlijk wel gehoord?'

'Ja, dat heb ik gehoord.'

Wat was er ook alweer aan de hand? Paul probeerde het zich te herinneren. Iets met een vrouw, een ruzie over dobbelstenen of kaarten? Hij had iemand gedood, dat wist hij nog wel.

Francesco las zijn gedachten en haalde zijn schouders op. 'Ze was maar een hoer, volkomen onbelangrijk.' Hij had een nonchalante houding, maar in het maanlicht zag Paul een harde blik in zijn ogen. 'Je weet hoe het gaat. Ze heeft me vier jaar gekost, vier hele jaren in ballingschap. En zal ik je eens wat vertellen, ik weet niet eens meer hoe ze heet. Net als die andere, weet je nog, van toen we jong waren? Hoe heette ze ook alweer?'

Er viel een korte ongemakkelijke stilte.

'Constanza?'

'Constanza. Natuurlijk, helemaal vergeten.'

'Constanza vergeten?' Was hij haar echt vergeten? Terwijl ze jaren geleden om haar hadden gevochten? De strijd om haar affectie was zo bitter geweest dat hun vriendschap nooit echt was hersteld.

'Zie je haar nog wel eens?'

'Van tijd tot tijd.'

'Ze zal nu wel oud zijn. Niets is zo walgelijk als een oude hoer, vind je niet?'

Toen Paul geen antwoord gaf, haalde Francesco zijn schouders weer op. 'Nou ja, zoals je zegt, het is lang geleden. Kom, loop je even met me mee?' En hij nam Paul bij de arm

Paul liet zich gedwee meevoeren door zijn vroegere vriend. De kronkelende smalle straatjes en calli waren verlaten en het enige geluid was dat van hun eigen gedempte stemmen. Het water, dat de kleur en substantie had van zwarte olie, glom in het maanlicht.

'Waar ben je op dit uur van de nacht naar op weg?'

'Moet je dat echt vragen?' Weer dat schorre kuchje. 'Waar denk je dat ik naar op weg ben? Waar anders?'

'Ik gok niet meer, Francesco, als dat is wat je in gedachten had.' Paul was zelf verbaasd over hoe resoluut hij klonk.

'Je gokt niet meer?' Francesco keek hem even snel van opzij aan. 'Ik heb iets heel anders gehoord...' Hij wilde nog iets zeggen, maar bedacht zich.

'Toch is het waar.'

'Sinds wanneer?'

Stilte.

'Sinds vannacht.'

'Sinds vannacht?' Francesco lachte. 'O, ik begrijp het, hebben die blauwe plekken daarmee te maken?' Toen Paul niet antwoordde, lachte hij weer. 'Goed dan, je hoeft het me niet te vertellen als je dat niet wilt, ik weet hoe het voelt.' Hij stond nu zo dichtbij dat Paul zijn adem, die naar wijn stonk, kon ruiken. Zijn lichaam wasemde de ranzige, ongewassen geur uit van iemand die in geen dagen had geslapen en zich even lang niet had gewassen. 'Dan maar gewoon een glaasje wijn?'

'Ik drink ook niet meer.' Bij het vooruitzicht van weer zo'n nacht als laatst draaide Pauls maag zich om. Maar het leek alsof Francesco hem niet had gehoord.

'Ik weet waar we heen moeten. Een kennis van me – de Cavaliere – heeft hier net een kleine ridotto geopend. Heb je hem al ontmoet?'

'Nee, ik geloof het niet.'

Toen Francesco zag dat Paul aarzelde, probeerde hij hem gerust te stellen.

'Ik kan je verzekeren dat het een hoogwaardig etablissement is, niet zoals die nieuwe *casini*. De Cavaliere laat je toe als je door iemand bij hem wordt geïntroduceerd – op voorwaarde dat je kredietwaardig bent. Kom mee.' Francesco grijnsde en toonde zijn zwarte tanden, 'dan zal ik je introduceren. Na al die jaren is dat het minste wat ik kan doen.'

Paul vroeg zich op dat moment twee dingen af. Ten eerste hoeveel Carew, die nog steeds op hem stond te wachten in de duisternis van de kleine passaggio, van het gesprek had opgevangen, en ten tweede hoe hij van Francesco af kon komen. Die man had iets in zijn gedrag, iets koortsachtigs, iets dierlijks bijna, waar hij de vinger niet op kon leggen. Om Carew zou hij zich later wel bekommeren, besloot hij; het zou veel moeilijker worden om zich van Francesco te ontdoen. Hij had Ambrose beloofd om niet meer te gokken, dat was waar, maar hij zou een wijntje drinken met Francesco, eentje maar, en daarna kon hij met goed fatsoen afscheid van hem nemen.

'Voor jou, oude vriend,' zei hij plotseling vrolijk, 'één drankje, ter ere van die goede oude tijd.'

Eén drankje in de nieuwe ridotto, dacht Paul, dat kon toch geen kwaad?

14

De ridotto zat boven een wijnhandel in de Calle dell'Astrologo, vlak achter het Canal Grande.

Lang geleden, toen hij als zaakgelastigde van Parvish in Venetië was, had Paul tientallen ridotti bezocht. Het waren provisorische speelhuizen in kamers boven kroegen of winkels waar grote sommen geld werden verloren met kaart- en kansspelen. Dus hij was niet al te verbaasd toen Francesco hen een verlaten winkel binnenleidde en een deur achter de toonbank opendeed waarachter een smalle trap lag.

Met Paul en Carew vlak achter zich, liep Francesco de trap op. Ze kwamen in een grote ruimte, die baadde in het maanlicht en helemaal leeg was, afgezien van een deurtje in de lambrisering van de muur tegenover hen. Het deurtje was zo klein dat Paul eerst niet kon geloven dat er iets anders achter lag dan een opbergkast of op zijn hoogst een zolderkamertje. Maar toen Francesco klopte, ging de deur geruisloos open, alsof er een geoliede veer in zat. De drie mannen stapten over de verhoogde drempel en kwamen terecht in een soort antichambre die maar een paar meter lang was. Aan het eind van de kamer was een tweede, veel grotere deur; een geheime doorgang, zo besefte Paul meteen, van de eerste verdieping van de wijnwinkel naar een aangrenzend huis.

Toen ze voor de tweede deur stonden, knikte Francesco naar Carew, het eerste teken dat hij zich bewust was van zijn aanwezigheid. 'Kan je dienaar zijn mond houden?'

'Ja, ik sta voor hem in,' knikte Paul, 'maar wat is dit, Francesco? Waar zijn we?'

Er kwam geen enkel geluid van de andere kant van de deur. Het was zelfs zo griezelig stil dat Paul even dacht dat het helemaal geen ridotto was. Dat kleine kamertje gaf hem het gevoel dat hij en Carew als twee ratten in een val zaten. Zijn hart ging sneller kloppen. Het was duidelijk dat ze helemaal alleen waren op deze vreemde plek.

Maar net toen Paul zich begon af te vragen hoe hij zo gek had kunnen zijn om zich hier naartoe te laten brengen, hoorde hij Francesco's stem in zijn oor: 'Wil je weten wat dit is? Dit, mijn vriend is een ridotto zoals je er nog nooit een hebt gezien.'

En terwijl hij dat zei zwaaide de tweede deur geruisloos open, net als de eerste, alleen werden ze nu verblind door een zee van kaarslicht.

Ze stonden op de drempel van de *piano nobile* van een groot herenhuis of palazzo. De muren waren bedekt met beschilderde panelen, voor de ramen hingen zware gordijnen van het weelderigste fluweel, versierd met kwastjes, en aan het plafond hing een grote kroonluchter gemaakt van ragfijn, gesponnen Muranoglas. Maar het vreemdste aan deze stille zaal was dat hij vol was met mensen. Mannen en vrouwen, sommige gemaskerd, stonden in groepjes bij elkaar of liepen zwijgend tussen de tafels door. De menigte zag eruit als een mengeling van jonge edelen en kooplieden.

De vrouwen waren vrijwel allemaal courtisanes, die hun lippen en wangen rood hadden gekleurd met karmozijn – een eigenaardige, typisch Venetiaanse gewoonte. Ook al waren ze in besloten kring, ze gingen volgens de laatste mode gekleed: stijf brokaat in fonkelende kleuren viel in eenvoudige plooien omlaag vanaf gewatteerde in een punt uitlopende borstlappen, de lijfjes waren diep uitgesneden en de borsten waren tot vlak boven de tepel ontbloot en de kragen, van gesteven, vrijwel doorzichtig point de Venise-kant, waren extravagant hoog en waaierden naar achteren uit als een pauwenstaart. Het haar was in het midden gescheiden en aan weerszijden van het hoofd samengebonden tot een soort hoorntjes.

Paul herkende een van de vrouwen als een vriendin van Constanza. Toen ze hem zag, kuste ze de bovenrand van haar waaier en richtte hem lachend naar Paul.

Alle tafels waren bedekt met een dikke fluwelen doek en omringd met vier of meer spelers, die hun gezicht hadden verborgen achter een masker. Aan het hoofd van iedere tafel zat een man die het op zich had genomen om de kaarten te delen. Naast hem stonden twee kaarsen en twee bekers, de ene vol met gouden dukaten en de andere vol zilver, en er lagen verschillende stapels kaarten. De toeschouwers dromden samen achter de spelers, bleven een tijdje kijken en gingen dan door naar de volgende tafel. Af en toe klonk er gedempt gefluister of gekuch, het gerinkel van twee glazen die tegen elkaar stootten, het zachte ruisende geluid van een rok die langs de houten vloer streek, maar afgezien daarvan hing er in de kamer een doodse stilte, die bijdroeg aan de bevreemdende, dromerige sfeer.

Er kwam een bediende naar hen toe met een blad vol bekers wijn. Paul pakte er een en liep achter Francesco aan naar binnen. Het was zo vol dat ze zich tussen de toeschouwers door moesten wringen. Aan iedere tafel werd een ander spel gespeeld, aan de ene *primero*, aan de andere *bessano*, en de hoeveelheid gouden en zilveren munten op het fluweel maakte Paul al snel duidelijk dat er gespeeld werd om buitensporige bedragen.

In het midden van de kamer was een spel gaande dat opvallend veel belangstellenden trok, en hoewel Francesco zonder op of om te kijken doorliep, stond Paul even stil. Aan deze tafel zaten vier mannen, maar alle ogen waren gericht op een van hen, wiens masker een glimlach vertoonde. Uit zijn gekunsteld modieuze kleding en zijn slanke gestalte leidde Paul af dat het een jongeman moest zijn, niet ouder dan achttien of negentien. Naar de hebzuchtige blikken van de toeschouwers te oordelen had de pot een uitzonderlijke hoogte bereikt, maar de jongeman speelde opvallend nonchalant, alsof het fortuin dat door zijn vingers glipte voor hem net zo weinig waarde had als scherfjes gekleurd glas.

Paul keek gefascineerd toe. Hij dronk zijn beker leeg en merkte het nauwelijks toen een bediende het verving door een volle. Hij had beloofd dat hij niet zou spelen en was ervan overtuigd dat hij zich aan zijn woord zou houden, maar toch voelde hij een steek van spijt toen Francesco hem op de arm tikte en hem door de menigte meevoerde naar een deur aan de andere zijde van de kamer.

Deze deur leidde naar een antichambre. Het vertrek daarachter was afgeschermd met een zwaar gordijn van zwart fluweel en gouddraad. Net op het moment dat Paul achter Francesco aan naar binnen wilde gaan, voelde hij een hand op zijn schouder.

'Signor Pindar?'

Paul draaide zich om en zag een duistere figuur met diepe littekens of putjes op zijn wangen.

'En u bent?'

'Cavaliere Memmo, tot uw dienst.' De man glimlachte zonder dat zijn ogen meededen.

Memmo? Waar had hij die naam eerder gehoord?

'Cavaliere.' Paul maakte een buiging.

'U bent hier van harte welkom. Alstublieft,' hij maakte een ruim gebaar naar de kamer, 'het is een eer u in ons midden te hebben.'

'Dank u wel, maar ik ben geen gokker.'

'Vergeef me, maar ik heb andere berichten gehoord, Signor Pindar.'

'Helaas, dan bent u verkeerd geïnformeerd, Cavaliere Memmo.' Toen hij de naam voor de tweede keer uitsprak wist hij het weer. Memmo. Natuurlijk! Had Constanza het niet met hem over ene Zuanne Memmo gehad? Ja, hij wist het zeker.

'Zoals u wilt.' De Cavaliere hief zijn handen op, de palmen omhoog en de vingers gespreid, een gebaar dat leek te impliceren dat de hele kwestie hem niet interesseerde. Toen gebaarde hij met zijn kin naar de zwartfluwelen gordijnen. 'Maar je moet weten dat dit de ruimte is waar onze...' hij aarzelde alsof hij zijn woorden zorgvuldig koos, '... laten we zeggen, onze interessantste spelen worden gespeeld. Maar het geeft niet. Nog wat wijn voordat u vertrekt?'

In de antichambre stond een dressoir met een paar kruiken wijn erop. Memmo liep ernaartoe en kwam terug met een kruik. Paul hield zijn glas bij om het vol te laten schenken. Hij wist dat hij niet te veel interesse moest tonen.

'Waar spelen ze om?'

'Om deelname aan een nog belangrijker spel.' Memmo glimlachte, maar ook nu weer lachten zijn ogen niet mee. 'Maar ik moet oppassen wat ik zeg, anders maak ik nog de gokker in je wakker.' Hij draaide zich om en zette de kruik weer op het dressoir.

'Geloof me, ik gok niet meer,' herhaalde Paul. Wat kostte het hem veel moeite om die woorden uit zijn mond te krijgen! Een gevoel van rusteloosheid bekroop hem. 'Maar vertel eens, ik ben nieuwsgierig, is dit het spel waarover iedereen het heeft, het spel om de blauwe diamant van de sultan?'

Memmo stond nog bij het dressoir, met zijn rug naar Paul, en hij aarzelde een fractie van een seconde voor hij reageerde.

'De blauwe diamant van de sultan?'

'Ik heb gehoord dat er een diamant is die zo heet en die de inzet is van een gokspel.'

'En van wie heb je dat gehoord, als ik vragen mag?'

Er klonk zacht gerinkel toen Memmo de stop terugplaatste op de wijnkaraf.

Een soort zesde zintuig weerhield Paul ervan om de naam van Constanza te noemen.

'Ik dacht dat alle kooplieden in de Rialto ervan wisten,' antwoordde hij zo luchtig mogelijk. 'Een edelsteenhandelaar die ik ken vertelde me dat de man die de steen naar Venetië heeft gebracht hem bij het kaarten heeft verloren voordat hij een koper kon vinden, en ik neem aan dat dat hier is gebeurd.'

Had Memmo zojuist nauwelijks waarneembaar zijn hoofd geschud naar Francesco? Paul kreeg geen zekerheid, want op dat moment kwam een bediende naar ze toe die iets in Memmo's oor fluisterde.

'Neem me niet kwalijk, heren, het duurt niet lang.'

Een andere man, een gemaskerde speler uit de grote zaal kwam de antichambre binnen. Memmo hield het zwartfluwelen gordijn opzij, liet de man voorgaan en trok het gordijn weer goed achter zich dicht.

Vanuit de deuropening klonk een zacht kuchje. Paul keek op en zag tot zijn verbazing Carew staan. Het gesprek met de Cavaliere had hem zo in beslag genomen, dat hij zijn dienaar bijna was vergeten.

'Nou?' Paul keek hem ongeduldig aan. 'Wat doe je hier in godsnaam nog?'

'Ik wacht op u, mijnheer,' zei Carew overdreven eerbiedig, 'om u thuis te brengen.'

Paul draaide zich weer om naar Francesco en was zijn verlangen om uit de ridotto en de klauwen van zijn vroegere vriend te ontsnappen volledig vergeten.

'Dus het is waar, van de diamant?'

'Ja, het is waar.' Francesco, die onderuitgezakt in een stoel zat, dronk zijn glas leeg.

'Ik hoorde dat hij hierheen is gebracht door een man uit Constantinopel.' Hij dacht terug aan het verhaal van Prospero. De blauwe diamant van de sultan, die magische steen. Honderd karaat maanlicht.

'Ik weet het niet. Die man zag er anders uit dan alle Turken die ik ooit had gezien. Eerder als een ontsnapte slaaf,' zei Francesco. 'Hoewel, nu ik erover nadenk, het gerucht ging...' Zijn stem stierf weg.

'Welk gerucht?'

'Dat hij ooit in dienst was bij de moeder van de sultan.'

'De moeder van de sultan? Bedoel je de oude koningin?' Pauls hoofd tolde. 'De koningin die vorig jaar is gestorven?'

'Ik geloof het wel. Ze werd aangeduid met een bepaalde titel, meen ik me te herinneren.'

'Walidé?'

'Ja, dat was het. Walidé.'

'En de diamant?' Paul streek nerveus met zijn hand door zijn haar, 'heb je die gezien?'

'Ja.' Francesco keek even naar het gesloten gordijn. 'Ja, die heb ik gezien.'

Paul volgde zijn blik. 'Wat? Is hij hier?' De gedachte aan de diamant die zo dichtbij was en de inzet was van een kaartspel, bezorgde hem een ondraaglijk gevoel van opwinding. Maar nee, hij moest zich bedwingen; hij mocht er niet eens aan denken. Hij had zijn woord gegeven. Paul voelde zijn luchtpijp vernauwen, alsof iemand zijn keel dichtkneep. 'Hij is hier, hè?'

'Ja.' Francesco knikte.

Om redenen die Paul niet helemaal begreep fluisterden ze allebei. Vanuit de deuropening klonk opnieuw gekuch. Mijn god, was Carew er nog steeds? Dat was een van de grote mysteries van het leven: waarom was Carew er altijd als je hem niet wilde zien en nooit als je hem nodig had? Paul negeerde hem en richtte zijn aandacht weer op Francesco. 'Denk je dat de Cavaliere me toestemming geeft om de diamant te bekijken?' Om de een of andere reden was er nu niets belangrijker dan het zien van die diamant.

'Bij dit spel gaat het om enorme bedragen, de hoogste inzetten ooit in Venetië.' Zelfs in het kaarslicht zag Francesco grauw van vermoeidheid. 'Ik geloof dat je niet helemaal door hebt hoe groot de betekenis is. Hele vermogens zullen van hand tot hand gaan. De autoriteiten willen deze ridotto al sluiten, maar als ze dit te weten zouden komen, zou Zuanne voor het gerecht worden gesleept, misschien zelfs worden verbannen.'

Paul hoorde een soort gebrom in zijn oren. 'Maar stel dat ik zou willen spelen?' Inmiddels kon het hem niet meer schelen of Carew hem hoorde of niet. 'Zou ik hem dan mogen zien?'

Francesco schudde zijn hoofd. 'Hij zal je nooit toestemming geven om mee te doen. Niet met dit spel.'

'Waarom niet?' Pauls handpalmen begonnen te zweten en zijn hart bonkte.

'Doe geen domme dingen, Paul, je hebt al een fortuin verloren. Dat weet iedereen.'

Paul legde zijn hand op Francesco's arm, maar die rukte zich ongeduldig los. 'Maak dat je hier wegkomt, ga naar huis nu het nog kan. Je dienaar wacht op je.'

Op een teken van Francesco liep Carew de kamer in. Hij probeerde Paul mee te trekken, maar de wijn die Paul had gedronken begon zijn werk te doen en hij schudde Carew ruw van zich af.

'Alsjeblieft! Francesco, kun je niet met hem praten? Wil je een goed woordje voor me doen bij Memmo?' Hij greep Francesco bij de arm. Francesco wilde zich weer losrukken, maar plotseling leek hij zich gewonnen te geven.

'Als ik je de diamant laat zien, ga je dan naar huis?'

'Ja.'

Francesco was niet overtuigd. 'Heb ik je woord?'

'Je hebt mijn woord.'

'Beloof je het? Op je erewoord?'

'Ik beloof het, op mijn erewoord. Christos, Francesco, wat wil je nog meer?'

'Kom dan maar mee.'

Francesco wenkte Paul en trok het fluwelen gordijn opzij.

Met Carew op zijn hielen liep Paul door de opening en kwam terecht in een achthoekige ruimte. De kamer had geen ramen, zodat de spelers niet konden zien of het dag of nacht was. Aan alle muren hingen lange glazen spiegels, die van de vloer tot het plafond reikten. Op de spiegels waren armaturen bevestigd waarin kaarsen brandden. De spiegels weerkaatsten het kaarslicht en de warme gloed gaf de kamer een beschutte, baarmoederachtige sfeer.

In het midden stond een tafel waar de spelers omheen zaten: twee mannen en een vrouw; een vierde speler lag schijnbaar slapend op de vloer, gewikkeld in zijn mantel. De tafel was gemaakt van een bijna zwarte houtsoort en rijk ingelegd met paarlemoer, net als de stoelen.

Zuanne Memmo stond met zijn rug naar de spelers. Hij draaide zich om toen hij Paul hoorde binnenkomen en, anders dan Paul had verwacht, keek hij niet misnoegd maar knikte hij zwijgend. De gemaskerde man die met Memmo mee naar binnen was gelopen, stond bij de muur het spel gade te slaan. Anders dan in de grotere ruimte, waar absolute stilte heerste, was praten hier blijkbaar toegestaan, zij het op gedempte toon.

'Kijk,' hoorde Paul Francesco, 'let op Memmo.'

Memmo haalde een klein beursje uit een kabinet achter zich, een damesbeursje van roze fluweel met zilverbrokaat. Hij maakte het open en keerde het voorzichtig om. Een rond voorwerp ter grootte van een kindervuist rolde in de palm van zijn hand.

'Dus het is echt waar,' hoorde Paul de gemaskerde man fluisteren.

'Wat dacht je dan?' antwoordde Memmo. 'De blauwe diamant van de sultan. Natuurlijk is het waar.'

Tussen duim en wijsvinger hield hij de diamant omhoog zodat iedereen hem kon zien. De spelers stopten met hun spel en er daalde een stilte neer. De steen fonkelde oogverblindend in het kaarslicht, een mengeling van blauw vuur en blauw ijs werd honderdvoudig weerkaatst door de spiegels aan de muren. Zo mysterieus. zo mooi, zo zeldzaam, dacht Paul, onaards bijna.

De gemaskerde man boog zich naar voren om de steen beter te bekijken.

'Hé, er staat iets op geschreven.'

'Een inscriptie. Ik heb me laten vertellen dat het in de taal van de Mogols is.'

'Wat staat er?'

'Wie zal het zeggen?' Memmo glimlachte. 'Ik ben nog nooit een speler tegengekomen die die taal sprak.'

Hij draaide zich om en stond op het punt om de steen terug te leggen in het kabinet, toen Paul sprak.

'Laat eens zien.'

Weer dat gebrom in zijn oren.

Memmo keek hem vragend aan, alsof hij niet helemaal begreep wat hij had gezegd.

'Ik zei, laat eens zien.'

Even leek Memmo te aarzelen, maar toen strekte hij met een onverwacht gracieuze beweging de hand met de steen naar hem uit.

'Maar natuurlijk, Signor Pindar. Dit is wel heel opmerkelijk, ik wist niet dat we een geleerde in ons midden hadden.'

Paul liep naar hem toe en pakte de diamant. De huid van zijn vingers leek te tintelen toen hij de steen aanraakte, alsof hij leefde. Hij voelde de grootte en het gewicht, voelde hoe volmaakt hij in zijn vuist paste, alsof zijn hand een speciaal voor de steen gemaakte handschoen was. Paul hield de steen tegen het kaarslicht zoals hij Memmo had zien doen en keek naar het vreemde, bleke vuur binnenin. Nu hij hem van zo dichtbij zag, viel hem het buitengewone vakmanschap op waarmee de steen was geslepen en het feit dat een van de facetten aan de bovenzijde groter was dan de andere. En inderdaad was er een piepkleine inscriptie, precies zoals Prospero had gezegd.

Langzaam spelde hij de woorden en zijn nekharen gingen overeind staan.

'Wat staat er?'

'Er staat *A'az ma yutlab.*'

'Wat betekent dat?'

'Het betekent "mijn hartenwens".'

De steen zou de hartenwens van zijn eigenaar vervullen.

Op dat moment wist Paul dat hij hem in bezit moest krijgen, tot iedere prijs.

15

Niet Suor Virginia, zelfs niet Suor Purificacion, die zich meestal over dergelijke kwesties boog, maar Suor Bonifacia, de eerwaarde abdis zelf, had de taak om Annetta te straffen voor het feit dat ze zich in haar cel had opgesloten.

Sinds Annetta in het klooster was teruggekeerd, had ze maar één keer met Suor Bonifacia gesproken, op de dag van haar aankomst, toen de abdis haar formeel welkom heette. Sinds die dag had Annetta haar bij enkele gelegenheden gezien, meestal op feestdagen, als de oude non gezond genoeg werd geacht om de gebedsdienst in de kapel bij te wonen. Ondanks haar positie als abdis verliet Suor Bonifacia tegenwoordig nog maar zelden haar vertrekken, omdat ze te oud, en vaak te zwak was – volgens sommigen ook van geest – en het had er alle schijn van, althans voor de jongere nonnen, dat ze weinig tot niets meer te maken had met het bestuur van het klooster. En toch genoot ze veel aanzien, maar Annetta was er al snel achter gekomen dat dat niet zozeer te maken had met enige blijk van spirituele rijkdom als wel met de omvang van de bruidsschat die ze had meegenomen en het feit dat ze kon bogen op minstens vier doges in de familie.

Gezien vanaf Annetta's kamer lagen de privévertrekken van de abdis aan de andere kant van het klooster. Toen ze aanklopte, werd ze meteen binnengelaten door een vrouw die, tot Annetta's verrassing geen nonnenhabijt droeg en zelfs niet het gewaad van een conversa, maar het uniform van een gewone dienstmeid. De kamer was groot en beschikte over een aantal hoge ramen die uitzicht boden op de tuin. In één hoek was een enorme open haard waarin, ondanks het jaargetijde, een vuur brandde.

'Kom maar binnen, suora,' zei een stem, en pas op dat moment merkte Annetta de abdis op. Klein als een vogeltje zat ze achter in de kamer, bij een van de open ramen, waar een stoel voor haar was neergezet. Het was duidelijk dat de dienstmeid bezig was met het toilet van de oude vrouw, want hoewel ze volledig gekleed was, was haar hoofd onbedekt en haar haar los. Annetta zag dat het niet kort was geknipt, zoals de orderegels voorschreven. Het hing als een zilveren gordijn, zo fijn en dun als spinrag, over haar schouders en reikte tot haar middel.

'Wees maar niet bang, kom binnen, kom binnen, ga hier maar zitten.' De oude vrouw, die het blijkbaar geen probleem vond dat ze in deze toestand werd gezien, klopte op een stoel tegenover de hare. Annetta kwam eerbiedig dichterbij en ging gehoorzaam zitten. De dienstmeid ging weer verder met het kammen van Suor Bonifacia's haar.

Annetta keek om zich heen. De kamer was ingericht als het boudoir van een adellijke dame. De wanden waren bekleed met tapijten en gordijnen van felgekleurd damast en fluweel. Boven de schoorsteenmantel hing een schilderij van de annunciatie, waarop de vleugels van de engel waren verfraaid met glanzend bladgoud. Op een tafel naast de open haard stond een aantal in leer gebonden boeken, met bladgoud op de ruggen, en er lagen pennen en papier, zegels en zegelwas. Tegen allebei de korte muren stond een cassone, groter en zwaarder dan die van Annetta en prachtig beschilderd met jachttaferelen.

'Ik zie dat je naar mijn cassoni kijkt.' Hoewel Suor Bonifacia dit op ernstige toon zei, dacht Annetta te zien dat de vrouwen een geamuseerde blik uitwisselden. Ondanks haar hoge leeftijd had de abdis een heldere, zachte stem, de stem van een vrouw die nooit had getwijfeld aan haar gezag. 'Ik heb me laten vertellen dat jij er precies zo een hebt, klopt dat?'

Annetta had zich erop voorbereid haar zaak met verve te verdedigen, maar de abdis was zo ontwapenend vriendelijk dat ze in plaats daarvan zichzelf op een voor haar doen ongebruikelijk gedweeë toon hoorde zeggen. 'Ja, eerwaarde abdis.'

'Suor Purificacion is het daar niet mee eens.'

Annetta wist niet hoe ze deze opmerking moest interpreteren, dus weer zei ze alleen maar: 'Ja, eerwaarde abdis,' en ze zette zich schrap voor de preek over trots en ongehoorzaamheid die zeker zou volgen.

Maar tot haar verbazing kreeg Annetta de indruk dat de abdis zich helemaal niet druk maakte om haar ongehoorzaamheid en dat ze er verder geen woorden aan vuil wilde maken. De oude vrouw keek uit het raam.

'Kijk eens naar buiten. Is het niet prachtig? Als je weet waar je moet kijken kun je de lagune zien, daar, achter die populieren.'

Annetta keek vol bewondering naar buiten en vroeg zich af of Suor Bonifacia wist dat ook zij een kamer met uitzicht had. Maar waar haar raam uitzicht bood op het zuidelijk deel van het eiland, op de groenten- en kruidentuinen bij de keukens, keek de abdis uit over de formeler aangelegde medicinale tuin met zijn geometrische bedden. Iets opzij zag ze ook het laantje met gevlochten lindebomen, het pad dat tussen de hoge heggen door liep, de grotto met de fontein, de karpervijver waarin ze de weerspiegeling van de monachino had gezien. Bij deze onverwachte herinnering maakte haar hart een sprongetje.

'Weet je hoe lang ik hier al zit?'

De abdis wuifde met een hand, die er zo knoestig uitzag dat hij eerder op een stuk eikenhout leek dan op een menselijk lichaamsdeel, naar het raam en de tuin daarachter.

Wilde ze een antwoord op die vraag? Annetta wist het niet zeker en toen ze bleef zwijgen glimlachte de abdis naar haar.

'Zestig jaar!' De oude vrouw lachte even. 'Zestig jaar, zolang zit ik hier al. Ik was hier eerder dan wie ook, behalve misschien Virginia en Margaretta, en zij kwamen hier toen ze acht waren. Stel je voor, een heel leven binnen deze muren. Geen man, geen kinderen, alleen maar de tuin.' En alsof ze een teken had gegeven verschenen Suor Annunciata en een paar van haar assistentes in hun blikveld. Sommigen droegen manden aan hun armen, anderen waren gewapend met schoffels en spaden. Suor Bonifacia volgde hen met haar blik en zuchtte.

'Toen ik hier kwam, was er nog helemaal niets, weet je. Mijn broer, de graaf, was de eerste die planten voor ons meenam. Onze kooplieden maakten ook toen al verre reizen. Een koopman die hij kende gaf hem een paar exemplaren en hij gaf ze aan mij. Hij had de botanische tuin in Padua gezien en hij bedacht dat we er hier ook een konden aanleggen. Er worden voortdurend zeldzame planten verhandeld, uit het gebied rond de Adriatische en de Zwarte Zee, uit de Ottomaanse landen, Syrië, Griekenland, Alexandrië, Tripoli, Tunis, zelfs de Nieuwe Wereld. De *Fritillaria imperialis*. Zie je, ik weet het nog. Dat was de eerste – ik geloof dat we er nog een stekje van hebben – en toen brachten anderen er nog meer en geleidelijk aan verspreidde zich het nieuws over onze tuin. Snap je, ik heb die tuin zien groeien vanaf het begin,' de abdis zuchtte, 'en Suor Purificacion denkt dat ik me moet opwinden over een meisje en haar cassoni! Echt waar, het zijn net kinderen tegenwoordig, allemaal. De dingen waar ze zich druk om maken.' Blijkbaar vond ze het een vermakelijk idee.

Even was het stil in de kamer. Het enige wat te horen was, was het geknetter van het hout in de haard en het zachte ritmische geluid van de bediende die het haar van de abdis kamde. Toen Annetta eindelijk opkeek, dacht ze dat Suor Bonifacia in slaap was gevallen. Ze had haar gezicht naar het zonlicht gewend dat door de ramen naar binnen stroomde, maar haar ogen waren gesloten, alsof de warmte haar had overmand. Ze zat zo lang stil dat Annetta begon te denken dat ze haar was vergeten. Maar net op het moment dat Annetta zich afvroeg of ze moest vertrekken, opende de abdis haar ogen.

'Basta, Giovanna.'

Met haar lange zilveren haar dat nog steeds los hing, zag ze er meer uit als een waarzegster of een profetes dan als een eerbiedwaardige kloosterlinge.

'*Si*, Contessa.'

De bediende trok zich geruisloos terug en de twee vrouwen bleven alleen achter.

'Ik wil je iets vragen, suora.'

Annetta voelde haar borstkas aanspannen. Was het dan toch mogelijk dat iemand – misschien Suor Bonifacia zelf? – haar gisterochtend in de tuin had gezien.

'Ja, eerwaarde abdis?'

'Ben je hier tegen je wil naartoe gestuurd?' Annetta voelde de ogen van de abdis op haar gericht. 'Ik heb begrepen dat dat niet meer is toegestaan, maar...' Ze haalde haar schouders op. 'Nou ja, jij bent de enige die het antwoord op die vraag weet. Wees alsjeblieft eerlijk, suora, Giovanna kan ons niet horen. Beschouw deze ruimte maar als een biechthokje.'

Toen Annetta niet meteen antwoord gaf, ging ze verder: 'Weet je dat ze mij hier tegen mijn wil hebben weggestopt?' Ze keek Annetta onderzoekend aan. 'Hebben ze dat met jou ook gedaan?'

'De eerste keer dat ik hier kwam, was ik nog maar een kind en wist ik niet beter,' antwoordde Annetta, die niet wist hoeveel de oude abdis zich nog herinnerde over haar verhaal. 'Maar de tweede keer, nee, suora... ik bedoel, eerwaarde abdis, dat was op mijn eigen verzoek.'

'Echt waar?' Plotseling verschenen er rimpels in het voorhoofd van de oude vrouw en voor het eerst viel Annetta op hoe glad haar gezicht was, haar wangen zagen eruit als de blozende schil van een appel. Maar ook nu leek ze de belangstelling voor Annetta snel weer te verliezen.

'In mijn tijd waren we met zovelen. De meeste nonnen met wie ik hier ben opgegroeid zijn nu dood. Behalve ik natuurlijk, hoewel ik er ook snel niet meer zal zijn. Zestig jaar wachten is lang genoeg, vind je niet?'

Ze glimlachte weer naar Annetta. 'Niet genoeg echtgenoten voor iedereen. Althans, niet genoeg echtgenoten uit geschikte families of de juiste kringen, want natuurlijk zouden onze families ons liever dood zien dan dat we beneden onze stand trouwen,' voegde ze eraan toe, 'en daarom hebben ze ons hiernaartoe gebracht, de deur op slot gedaan en de sleutel weggegooid.' Ze zag Annetta's reactie op deze mededeling en lachte. 'Kijk maar niet zo geschokt, suora. Ik ben oud. Ik zeg wat ik denk. Dat is mijn recht, wat die oude – hoe noemen jullie jonge nonnen haar? – Suor Puree ook zegt.'

Annetta barstte in lachen uit. De ogen van Suor Bonifacia flonkerden. 'Giovanna vertelt me alles,' fluisterde ze.

De oude vrouw leunde achterover in haar stoel en Annetta zag dat ze moe begon te worden; het gesprek putte haar uit. Ze draaide haar gezicht weer met gesloten ogen naar de zonnestralen, alsof ze zich niet meer bewust was van Annetta's aanwezigheid.

'Zal ik gaan, eerwaarde abdis?'

'Hmm? Ja, dat lijkt me het beste,' mompelde de oude vrouw, nog steeds met gesloten ogen. 'Zou je zo goed willen zijn om Giovanna te roepen op weg naar buiten?'

Toen Annetta bij de deur was en zich omdraaide om de gebruikelijke knix te maken, zag ze dat de oude non toch naar haar keek, nog steeds met een kaarsrechte rug en haar haar los over haar schouders, alsof ze een meisje was. Met de zon achter haar leek het alsof de vrouw plotseling weer jong was geworden.

'En suora...'

'Ja?'

'Ik denk dat ik Suor Purificacion zeg dat je van nu af aan bij Annunciata in de tuin zult werken. Zij vindt vast wel iets nuttigs voor je om te doen.'

Annetta keek haar ontsteld aan. Ze kon niet geloven wat ze hoorde.

'Eerwaarde...?'

'Volgens mij heb je me wel gehoord, suor.'

'Maar...'

'Het spirituele leven dat je als koorzuster hebt gekozen is niet altijd zo... laten we zeggen, onderhoudend, als het zou kunnen zijn. Anders gezegd, zestig jaar is lang als je alleen maar uit je raam kunt zitten kijken, hoe mooi het uitzicht ook is. Geloof me, ik kan het weten.'

'Maar ik dacht niet dat ik...'

'Dat is alles, Suor Annetta.' Plotseling had de stem van de abdis een staalharde klank gekregen. 'Ik geloof dat dit de beste manier is om iedereen in deze kwestie tevreden te stellen. Ik ben tenslotte de abdis van dit klooster. Althans, dat zeggen ze.'

16

'En hoe gaat het met onze eerwaarde abdis?'

Suor Annunciata – vrolijk, vitaal, bolle wangen, gebronsde en verweerde huid door de lange uren in de tuin – leek de sombere uitdrukking op het gezicht van Annetta, die zich de volgende ochtend meldde voor het werk in de tuin, niet op te merken.

'Ze verkeert in goede gezondheid, suora,' antwoordde Annetta nors, 'alles bij elkaar genomen.'

'O, echt waar?' Suor Annunciata hield meelevend haar hoofd scheef. 'Ach, natuurlijk, arme stakker, ze is nu echt heel oud en, tja...' Annunciata tikte veelbetekenend met een vinger tegen de zijkant van haar hoofd, '...je weet wel.'

'Nee, suora, ik zei dat het heel goed met haar ging,' herhaalde Annetta iets luider, 'en lang niet zo simpel van geest als iedereen denkt,' mompelde ze, half tegen zichzelf.

'O, echt?' Annunciata schudde haar hoofd. 'Nou ja, wat verwacht je ook van iemand die al zo oud is.'

'Nee, nee, suora, wat ik zei was...' begon Annetta, maar Suor Annunciata liep al energiek voor haar uit, blijkbaar dolblij dat ze een nieuw hulpje had.

'Zeg, jij was degene die al die jaren geleden als conversa bij ons kwam, is het niet?' Suor Annunciata keek haar met een stralende lach aan, waarbij twee grote, iets naar voren stekende voortanden zichtbaar werden. 'Dus je hebt vast wel eens in onze tuin geholpen.'

'Ja, suora.' Annetta's stem klonk ijskoud. Ze had inderdaad vaak in de tuin moeten werken – net als alle andere converse – en daar wilde ze liever niet aan terugdenken. Maar Suor Annunciata had niets in de gaten en ratelde maar door.

'Fantastisch, fantastisch, volg mij maar.'

Ze kwamen bij de keukentuin waar een grote berg courgettes en pompoenen tegen de muur lag.

'Wacht even, suora, ik heb een probleempje...' Annetta tilde met één hand haar rokken op zodat haar geborduurde muiltjes zichtbaar werden.

'Hmm, ik zie het.' Annunciata keek peinzend naar de fluwelen schoentjes, het kant om Annetta's hals, het kleine geborduurde fluwelen beursje dat altijd aan haar gordel hing. 'Och, och, dat kan zo niet. Ik zie dat we goede tuinierskleding voor je moeten vinden.'

'Het lukt wel.' Met haar rokken in haar handen zocht Annetta behoedzaam haar weg over de keitjes van de binnenhof. Ze had best een paar gewone schoenen aan kunnen doen; er lag een paar in haar kast dat uitstekend dienst had kunnen doen, maar ze had besloten dit zo ingewikkeld mogelijk te maken, voor zichzelf en alle anderen.

'Tja,' zei Suor Annunciata vriendelijk, 'misschien kunnen we de tuin vandaag nog even links laten liggen. Suor Veronica is in het herbarium, ik weet zeker dat ze wel een karweitje voor je heeft. Zullen we haar gaan zoeken?'

Het werk in het herbarium van het klooster gold als zeer specialistisch en hoewel Annetta wist waar het gebouw lag, was ze er in al die jaren maar zelden geweest. Het was een lang gebouw met een laag plafond aan de andere kant van de keukentuin, waar de planten uit de medicinale tuin werden gedroogd en gesorteerd. De vloer van het herbarium bestond uit platgedrukte aarde; de lucht binnen was fris en rook aangenaam naar lavendel en rozemarijn, kamille en wijnruit.

Een paar nonnen waren druk in de weer om de kruiden en bloemen te sorteren. Ze hingen sommige exemplaren in bosjes aan de balken en legden andere op een vel papier op de smalle planken langs de muren. Een tweede groep vrouwen was bezig heel zorgvuldig de gedroogde planten te ontleden. De een haalde de zaden uit de peulen en de bloemkoppen, de ander verzamelde de nog gesloten knoppen, de blaadjes, stelen en zelfs de bollen en wortels van de verschillende planten, en een derde pakte de losse plantdelen in, schreef de naam op het etiket en legde de pakketjes in houten doosjes, om te worden verhandeld door de kruidenkundigen en apothekers uit Veneto.

Suor Annunciata liep verder en stopte af en toe om een blad of een knop van de hangende bosjes te plukken en eraan te ruiken. Soms knikte ze, zichtbaar tevreden; op andere momenten klakte ze geërgerd met haar tong en maakte met een gebaar duidelijk dat het bosje moest worden weggegooid.

De nonnen gehoorzaamden onmiddellijk en op efficiënte wijze. Hoewel de meesten van hen converse waren, viel het Annetta op dat er ook vrij veel koorzusters bij waren. Net als de converse droegen zij dikke, zelf geweven habijten en houten klompen. Ze waren allemaal zwijgend aan het werk, maar met een doelgerichtheid en kalmte die als balsem waren voor Annetta's geprikkelde zenuwen. Wat een verschil met de gespannen sfeer in de nonnenkamer, de minachtende blikken en opmerkingen van Suor Purificacion en de contesse. En toch was de kans groot dat een van deze onschuldig uitziende vrouwen, wier gezichten schuilgingen onder breedgerande tuinhoeden, degene was die ze had betrapt, degene wier minnaar ze de tuin in was gevolgd. De gedachte aan deze man, wiens adem en lippen ze in haar nek en op haar haar had gevoeld, wekte ook nu nog zoveel woede op dat ze bijna flauwviel.

'Aha, kijk aan, heel goed, suora.' Toen Suor Annunciata Annetta's gezichtsuitdrukking zag, brak er een stralende lach door op haar grove gezicht. 'Ik zie dat het werk hier bij ons je best zal bevallen.

Annetta, die niet van plan was om hier of waar dan ook in het klooster langer te werken dan nodig was, wendde haar blik af van de planten die aan het plafond hingen te drogen.

'Ik ben hier niet voor mijn plezier, maar voor dat van de abdis,' zei ze stijfjes, geïrriteerd omdat ze haar emoties had getoond.

Suor Annunciata was geenszins van haar stuk gebracht door Annetta's kille toon.

'Ach, we doen hier tenslotte allemaal Gods werk,' zei ze vriendelijk, 'en ik denk dat je wel zult ontdekken dat Suor Veronica geen uitzondering is. Ga maar liever,' ze gaf Annetta een klein duwtje, 'zeg haar dat Annunciata je heeft gestuurd.'

De kamer van Suor Veronica grensde aan het herbarium, maar was ervan gescheiden door een klein portiek.

Annetta liep de deur door en kwam terecht in een grote kamer met een hoog plafond, die misschien ooit een schuur was geweest. Bovenlangs liep een houten galerij, die bereikbaar was via een smalle wenteltrap en aan drie zijden gevuld met planken vol boeken. Aan de vierde zijde zat een groot raam dat, te zien aan het waterige zonlicht dat op het plafond danste, uitzicht bood op de lagune. In het midden van de kamer stond een vreemde houten constructie, een soort preekstoel. Er hing een penetrante geur in de ruimte die Annetta niet kon thuisbrengen.

Eerst leek de kamer leeg, maar na een paar seconden merkte Annetta dat er iemand achter de preekstoel zat, met haar rug naar het raam. Suor Veronica had een lang paardengezicht met een Romeinse neus, waarop een brilletje balanceerde, en was van onbestemde leeftijd, niet oud maar ook niet echt jong. In de ene hand had ze iets wat eruitzag als een pen en in de andere had ze een vreemd voorwerp, een soort glazen bol. Ze tuurde zo intens naar iets op het bureau voor haar dat Annetta dacht dat ze haar niet binnen had zien komen, maar na een tijdje zei de non zonder op te kijken: 'Ja, wat is er?'

'Het spijt me dat ik u stoor... Suor Annunciata heeft me gestuurd.'

'Annunciata heeft je gestuurd? Waarom?'

De non doopte haar pen in een van de inktpotten op het bureau en begon met uiterste precisie krasjes te zetten op het papier.

'De eerwaarde abdis wil dat ik in de tuin ga werken,' voegde Annetta eraan toe. De houding van de non gaf haar een onbehaaglijk gevoel.

'Zei Bonifacia dat? Maar dit is niet de tuin,' zei Veronica. Haar stem klonk dromerig, alsof ze heel ver weg was, en ze ging door met tekenen. Het duurde zo lang dat Annetta begon te denken dat ze haar compleet vergeten was. Uiteindelijk keek Veronica op en ze was zichtbaar verrast dat Annetta er nog stond.

'Het spijt me, maar je bent hier verkeerd. Zoals je kunt zien is dit niet de tuin, suora,' herhaalde ze geduldig. Haar stem was diep en aangenaam, maar ook op de een of andere manier droog, alsof ze niet genoeg speeksel in haar mond had.

Annetta keek om zich heen en kon het alleen maar beamen. De kamer zag er meer uit als een bibliotheek of een scriptorium dan als iets wat verbonden was aan kruiden of groenten of bloemen; en toch, ondanks haar tegenzin om zich te verdiepen in de tunierswerkzaamheden, begon ze nieuwsgierig te worden naar Suor Veronica en haar bezigheden in deze vreemde, lichte, met boeken omlijste kamer.

'Annunciata zei dat u mijn hulp misschien wel kunt gebruiken, suora,' probeerde ze.

Eindelijk keek Suor Veronica op van haar werk. Ze legde haar pen neer en keek Annetta over haar bril aan.

'Ik ken jou. Jij bent die voormalige conversa die nu gewijd zal worden. Het meisje dat die schipbreuk heeft overleefd en jaren in het land van de Ottomanen heeft geleefd.'

Annetta's eerste reactie was gewoonlijk om gesprekken over haar vroegere avonturen direct af te kappen, maar ze werd verrast door de directheid van Suor Veronica.

'Ja,' antwoordde ze simpelweg, en ze vervolgde: 'Mag ik zien wat u aan het doen bent?'

'Maar natuurlijk mag dat.'

Toen Annetta naar de preekstoel liep zag ze meteen dat Veronica helemaal niet aan het schrijven was, maar aan het tekenen. Ze had geen pen in haar handen maar een penseel. Op het schuine bureau voor haar lagen twee even grote vellen papier en op beide vellen waren twee bloemen getekend. Hun lange, dunne stelen namen het grootste deel van het papier in beslag en de bloemen boven op die stelen deden denken aan tulbanden die door de regen grotesk waren opgezwollen. In het waterige licht van de lagune gaven de blaadjes een veelkleurige gloed af: karmozijn en vermiljoen, oranje en magenta, knalroze en lichte koraaltinten.

De eerste bloem waar Annetta's blik op viel, was bijna volmaakt rond, als een globe, midden in de cirkel van uitwaaierende blaadjes waren de kwetsbare meeldraden te zien. De tweede bloem was nog fijner, met dunne, sprietige blaadjes, en had de vorm van een mandoline. Veronica had hem geschilderd alsof hij bij de dageraad was geplukt – de blaadjes nog een beetje om elkaar heen gekruld.

'Maar deze zijn prachtig,' zei Annetta vol bewondering.

Suor Veronica was zichtbaar verguld met het compliment.

'Herken je ze?'

'Natuurlijk,' Annetta knikte, 'in de tuinen van de sultan stonden heel veel van dit soort bloemen, maar ik heb hun namen nooit geleerd.'

'Het zijn tulpen.' Suor Veronica, blij dat iemand zoveel belangstelling toonde. 'En je hebt gelijk, deze komen uit het Ottomaanse rijk, zoals wel meer bloemen in deze tuin.'

'Suor Bonifacia heeft me er iets over verteld,' zei Annetta, terugdenkend aan haar gesprek met de abdis. 'Haar broer heeft ze toch hierheen gebracht?'

'Zo is het begonnen, dat is waar. Maar onze kooplieden brengen al jaren nieuwe planten naar Venetië. De mooiste soorten – hyacinten, anemonen, keizerskronen – komen inderdaad uit Ottomaanse landen, maar er zijn ook bloemen uit India, China, de specerijeneilanden, de Nieuwe Wereld.' Veronica wiste haar voorhoofd met een oude doek. 'Ze komen uit alle hoeken van de wereld. Eerst waren het curiositeiten, maar nu wil iedereen ze hebben. Vooral rijke mannen die een tuin willen aanleggen ter meerdere eer en glorie van zichzelf. En mannen als de graaf, de eerste weldoener van het klooster en de broer van Bonifacia, die voor zijn plezier een botanische tuin wilde aanleggen in de stijl van de tuinen in Pisa en Padua.'

Annetta keek weer naar de tekeningen.

'Deze vind ik mooi.' Ze wees naar de vierde tulp. Hij was witroze van kleur maar de onderste bloemblaadjes waren heel licht zilvergroen.

'Ze zijn allemaal heel kostbaar, maar deze, met al die schakeringen,' Veronica wees naar een exemplaar met rode en witte strepen, 'deze zijn het duurst. Hier, kijk hier maar eens door.' Ze gaf Annetta de glazen bol die ze in haar hand had, 'dan zie je het beter. Onze kantmakers gebruiken er ook zo een.'

Annetta keek door de glazen bol en inderdaad leek het alsof de tekening plotseling was vergroot. 'O, kijk!' zei ze opgewonden. 'Mieren!' Langs de steel van de roze-witte tulp klommen twee piepkleine, volmaakt weergegeven, miertjes.

Ze schoof de glazen bol voorzichtig over de andere tekeningen en keek vol ontzag naar de details die haar eerder niet waren opgevallen. Zo lagen in het blad dat de steel van een van de bloemen omhulde twee glanzende dauwdruppels. Bij een andere bloem vloog een insect, een soort piepkleine, veelkleurige vlinder, en boven de draadachtige bloemblaadjes van het derde exemplaar zag ze de gekromde rug en de fijne haartjes van een rupsje.

'Ze zijn zo levensecht dat het lijkt alsof ik ze zo kan oppakken.' Verrukt keek Annetta op. 'Maar dit zijn toch lentebloemen, suora?'

'Ja, dat klopt. Ik heb ze maanden geleden geschilderd, in opdracht van een collectioneur uit Engeland, een koopman. Zijn zaakgelastigde kwam hier langs, de vorige keer dat hij in Venetië was, inmiddels een paar jaar geleden. Nu is hij terug in de stad en een paar dagen geleden was hij hier om nog een tekening te bestellen. Hij wil ze vandaag hebben. Ik was net bezig met de laatste details toen je binnenkwam.'

Suor Veronica nam haar bril af en wreef over de brug van haar neus. Zonder haar bril zag ze er veel jonger uit, ook al had ze een gespannen blik in haar ogen.

'Suora, Annunciata had gelijk, u doet hier het werk van God.' Annetta meende wat ze zei, maar Suor Veronica keek verontwaardigd op.

'We doen allemaal wat we kunnen,' zei ze terwijl ze de bril weer op haar neus duwde. 'En ík ben er in ieder geval van overtuigd dat ik hier inderdaad het werk van God doe, wat sommigen van jullie ook beweren.'

'Maar, suora, ik bedoelde niet...'

'De een werkt in de tuin en kweekt planten, de ander werkt in het herbarium om die planten te sorteren en te drogen. En ik... ik... schilder ze.' Over haar bril keek ze Annetta woedend aan. 'Het is geen ijdelheid, ze kan zeggen wat ze wil...'

'Wacht, wacht, suora, alstublieft. Wat wie ook zegt?' Annetta staarde haar niet begrijpend aan.

Maar Veronica luisterde niet. 'Het ís het werk van God, hoor je, en ik accepteer het niet als er iets anders wordt beweerd.'

'Natuurlijk, natuurlijk,' zei Annetta, maar de oudere vrouw liet zich niet vermurwen.

Boven op het klankbord van de preekstoel stond een verzameling potjes en flesjes met de mineralen die nodig waren om de kleuren te bereiden. De oudere non strekte haar arm uit om er een te pakken, maar in haar haast liet ze hem vallen. Het glazen flesje viel aan gruzelementen en het rode poeder – gemalen cinnaber – dat erin zat verspreidde zich als een bloedvlek over de vloer.

'O, kijk nou wat je doet!' riep ze, terwijl ze met haar hand een afwerend gebaar maakte naar Annetta. 'Verdwijn. Ga weg!'

'Maar... ik ben hiernaartoe gestuurd om u te helpen.'

'Je kunt me niet helpen, niemand kan me helpen.' Suor Veronica kroop nu op handen en voeten rond om de glasscherven op te rapen.

'Laat me dan helpen met opruimen.' Annetta knielde naast haar neer. 'U snijdt zich nog als u niet oppast.'

'Nee, ik doe het zelf wel.' Suor Veronica ging rechtop zitten en streek met haar hand over haar voorhoofd. 'Ga maar naar de galerij,' zei ze, weer met die droge klank in haar stem. Ze gebaarde in de richting van de wenteltrap. 'Mijn bezoeker zal snel hier zijn, kijk even of je iemand ziet komen. Dan ruim ik deze rommel op.'

Annetta liep de trap op naar de galerij. Hoewel niemand in het klooster boeken mocht bezitten, stond het er hier vol mee. Ze had er nog nooit zoveel bij elkaar gezien. Sommige waren oud, andere zagen er met hun omslagen van bleek kalfsleer en hun met goud bewerkte ruggen uit alsof ze net waren gebonden.

Ze hield haar hoofd scheef en las in het voorbijgaan de titels op, met enige moeite omdat ze de talen niet kende: *De Historia Stirpium, Der Gart der Gesundheit, Herbarum vivae eicones*. Ze vroeg zich af hoe die boeken daar terecht waren gekomen. Misschien waren het geschenken van de rijke mannen die Suor Veronica's afbeeldingen bestelden. Waren ze kostbaar? Ze wist het niet. Hoewel ze kon lezen, had Annetta nooit veel boeken onder ogen gehad en de exemplaren die ze had gezien waren meestal in het Latijn, zodat ze de inhoud toch niet begreep.

Beneden haar zat Veronica nog steeds op haar knieën tussen de gemorste verf en het gebroken glas. Ze veegde de vloer schoon met een doek en haar handen waren bloedrood van het pigment, net als de zoom van haar habijt. Annetta keek peinzend naar haar: wat was de reden van die uitbarsting? Het eerste wat haar was opgevallen toen ze binnenkwam, was hoezeer de non door haar werk werd opgeslokt; geen wonder dat ze zo boos werd bij de gedachte dat iemand probeerde haar dat af te nemen. En toch, mijmerde ze, was het een ongebruikelijke taak voor een non. In de harem – een wereld die net als het klooster bevolkt en bestierd werd door vrouwen – waren ze weliswaar fysiek opgesloten, maar was hun geest vrij. Maar hier was het anders. Ze dacht aan Suor Purificacion en Suor Bonifacia, aan de onbekende non en haar minnaar, aan Suor Annunciata in haar tuin en nu aan Suor Veronica met haar schilderijtjes. Maar de processen, spanningen, rivaliteiten en ambities in dit klooster waren zo complex, dat zelfs zij, die wel wist hoe ze zich in dit soort omgevingen staande moest houden, ze nog maar net begon te doorgronden.

Op dat moment hoorde ze een vertrouwd geluid, de kreet van een bootsman. Annetta herinnerde zich dat ze op de uitkijk moest staan en ging terug naar het raam.

Het zonlicht stroomde door het raam naar binnen en scheen zo fel in haar ogen dat ze even werd verblind. Het water van de lagune was bleekgroen. Dichtbij zag ze de tuinen en koepel van San Giorgio Maggiore en daarachter de stad Venetië zelf, als een rozegouden wolk aan de horizon. Er zigzagden allerlei boten – galeien van de koopvaardij en kleinere roeibootjes – over het drukke water.

En daar zag ze inderdaad een kleine boot die naar het klooster voer. Er zaten twee mannen in. Een van hen was oud en gedrongen, en had een gele tulband op zijn hoofd. En de ander...

Annetta sperde haar ogen open. Santa Madonna! De ander was... dat kon toch niet? Ze kon haar ogen niet geloven. Niet weer die man! Bij alle heiligen, dat was onmogelijk. Maar het was wel mogelijk: hetzelfde krullende bruine haar tot op de schouders, dezelfde ogen als twee koude stenen, zelfs dezelfde houding: staand met één been op de rand van de boot, net als die keer dat ze hem voor het eerst had gezien door de verrekijker vanuit het raam van de slaapzaal, op de dag van de bruidsvisite.

Het was de indringer.

17

Op de ochtend na de avond in de ridotto van Zuanne Memmo keerde Carew terug naar het klooster. Maar dit keer was Ambrose Jones bij hem en verwachtte hij een heel ander avontuur.

De schittering op het bleekgroene water van de lagune was zo fel dat het pijn deed aan zijn ogen, en dus keek Carew door zijn oogharen naar de muren van de kloostertuin die gestaag dichterbij kwamen. Hier en daar zag hij de toppen van de bomen – de populieren, de citrusbomen, de gevlochten lindebomen – en het kostte hem geen moeite om zich de plattegrond van die beroemde medicinale tuinen binnen die muren voor de geest te halen; hij was er de afgelopen weken zo vaak geweest dat hij er geblinddoekt zijn weg zou kunnen vinden.

Carew schoof onrustig heen en weer achter in de boot. De gedachte aan zijn avonturen daar zouden een glimlach om zijn lippen moeten brengen, maar dat deed ze niet. De gedachte aan haar, aan de non die hij had gepakt, schonk hem geen plezier nu het achter de rug was. Ze was dankbaar, dat was duidelijk. Gewillig ook, iets te gewillig naar zijn smaak. Ze hadden het, op zijn aandringen, recht onder de neuzen van de jongere nonnen gedaan, bijna in de slaapvleugel, maar ondanks dat pikante tintje voelde hij niets als hij eraan terugdacht, geen zweempje genot. In plaats daarvan was hij zich alleen maar bewust van een vaag onbevredigd gevoel dat hem langzaam bekroop, maar dat hij niet kon omschrijven. Verveling? Afkeer? Carew staarde somber in de groene diepten. Wat maakte het ook uit. Hij zou doen wat hij had beloofd: Ambrose helpen inlichtingen in te winnen over de dame uit de harem. En daarna konden ze in hun eigen sop gaarkoken, allemaal, Pindar, Ambrose, Zuanne Memmo, Francesco, zelfs Constanza.

Plotseling verlangde hij ernaar om weg te gaan, te vertrekken, naar huis.

Het duurde even voordat hij besefte dat Ambrose, die voor in de boot zat, iets tegen hem zei. 'Mr. Ambrose?'

'Blijkbaar kun je me daar niet goed horen.' Ambrose gebaarde Carew naar hem toe te komen. 'Voorzichtig graag, zodat we niet bij elkaar op schoot belanden.'

Maar Carew was zo behendig als een kat en stond al naast hem. 'Sir?'

'Ga toch zitten, John, je maakt de boot gevaarlijk aan het schommelen met je wilde bewegingen.' Ambrose klemde zijn verzamelkistjes tegen zijn borst.

Carew deed wat hem gezegd werd en keek Ambrose ongeïnteresseerd aan. Hij had nu al spijt van zijn beslissing om met hem mee terug te gaan naar het klooster. Zoals Ambrose daar zat, in de voorsteven van de boot, met zijn gele tulband en oosterse gewaad, deed hij hem vooral denken aan een reusachtig kuiken. Van dichtbij bleek zijn neus nog groter te zijn dan Carew zich herinnerde: een spectaculaire, lichtgevende knol die niet zou misstaan in een van de kabinetten waarvoor hij zo ijverig verzamelde. Carew bestudeerde de neus van Ambrose een paar seconden en wendde daarna zijn blik af. Het silhouet van de stad Venetië, omgeven door een roze aureool, gloeide achter hen aan de horizon.

'Ik neem aan dat je je afvraagt waarom ik je heb meegenomen, John.'

Carew zuchtte onhoorbaar. Het laatste wat hij nu wilde was te worden ondervraagd door Ambrose. "'k zou het niet weten, mijnheer.'

'Waar is je gebruikelijke nieuwsgierigheid gebleven?' Ambrose keek hem priemend aan en ging op neutrale toon verder: 'Kom, raad eens.'

'Ik heb gehoord dat er daar een non is die schildert.' Carew staarde recht voor zich uit.

'Ja, dat is één reden. Zuster Veronica. Ik ken haar allang, ze schildert en tekent als een engel, schitterend, echt schitterend...' Ambrose wreef zich enthousiast in de handen, zoals hij vaak deed als hij het over zijn schatten had. 'Alle papiercollectioneurs maken tegenwoordig gebruik van haar diensten, maar ik was natuurlijk de eerste...'

'Dus zij is een van uw informanten?' zei Carew, die nooit een blad voor de mond nam, op vlakke toon. En vervolgens, mompelend in zichzelf: 'Ik vermoed dat zij wel het een en ander te vertellen heeft.'

Ambrose deed of hij de sneer niet had opgemerkt. 'Je hebt de dingen snel door, hè?'

'Jaren oefening, Mr. Ambrose,' zei Carew met een uitdrukkingsloos gezicht, 'om te proberen mijn meester bij te benen.'

Hij keek over de schouder van Ambrose naar La Giudecca, de halvemaanvormige landtong waar de edellieden hun lusthoven bouwden. Langs de waterkant lagen tuinen en gaarden en op een kleine zandbank waren een paar jongens op krabben aan het jagen. Lieve hemel, hij wist dat hij niet mee had moeten gaan, maar nu kon hij niet meer terug.

'Je meester, hè?' Ambrose hief zijn hand op om zijn ogen tegen het zonlicht te beschermen. 'Op dat onderwerp wil ik zo graag nog even terugkomen, maar eerst...'

'Dus u denkt dat uw schilderes-non, of hoe ze zo iemand ook noemen, iets weet over de dame uit de harem?' onderbrak Carew hem.

'Misschien wel.' Ambrose leunde verder achterover in zijn zetel en nestelde zich nog comfortabeler tussen de kussens. 'Als er iemand is die me iets over deze mysterieuze dame met haar juwelen kan vertellen, dan is het wel zuster Veronica. Ze krijgt veel bezoek en schijnt precies te weten wat er in de lagune speelt, maar ik moet je zeggen dat ik ten zeerste betwijfel of ze nog leeft, ook al hoopt Pindar dat nog zo vurig.'

'Wie, de haremdame met de juwelen?'

'Natuurlijk.'

'Maar ik dacht dat Prospero zei...'

'Och, juwelenhandelaren!' Ambrose maakte een wegwerpgebaar. 'Fabulanten, zonder uitzondering. Het zijn gestolen stenen, dat lijkt me duidelijk; en dit is gewoon een verhaal dat ze hebben verzonnen om de plotselinge toestroom op de markt te verklaren. Er doen altijd allerlei verhalen de ronde in de buurt van de Rialto en ze zijn zelden waar,' hij wendde zijn blik af, 'dat weet jij net zo goed als ik.'

'Misschien.' Misschien ook niet. Was Ambrose ook in de kamer geweest toen Prospero over de diamant had verteld? Carew kon het zich niet herinneren. Wat hij zich wel heel goed herinnerde was wat er zich ongeveer een uur later had afgespeeld bij Zuanne Memmo. De blauwe diamant was maar al te echt geweest. Kon Ambrose met zijn schijnbaar onbegrensde vermogen om informatie te vergaren, op te zuigen uit de goot, iets hebben gehoord over hun clandestiene bezoek aan de ridotto? Zijn nieuwsgierigheid was geprikkeld. 'En de Blauwe diamant? Is dat ook zomaar een verhaal uit de Rialto?' probeerde hij, terwijl hij zijn best deed om niet al te geïnteresseerd te lijken.

'Daar ben ik tamelijk zeker van,' zei Ambrose ferm. 'Hoewel ik weet dat Pindar er anders over denkt. Hij lijkt wel bezeten. Het laatste wat we willen is dat hij gelooft dat dit juweel – als het al bestaat – op de een of andere manier met Celia Lamprey is verbonden, hoe zwak dat verband ook is.' Ambrose keek Carew sluw aan, alsof hij probeerde zijn reactie te peilen.

Er was een korte stilte terwijl Carew zijn woorden op zich liet inwerken.

'Dus u weet ervan?'

'Of ik weet van Celia Lamprey?' Toen hij het gezicht van Carew zag, grinnikte Ambrose tevreden. Mijn beste kerel, ik kende haar al als klein meisje; ik kende haar vader, de kapitein, ook – mogen hun zielen rusten in vrede. Alle kooplieden in Londen weten van de schipbreuk. Er is een grote hoeveelheid geld verloren gegaan toen de *Celia* zonk. Maar als Pindar denkt dat deze haremdame Celia Lamprey zou kunnen zijn, houdt hij zichzelf voor de gek.' Ambrose keek Carew weer lang aan met die typische, ongenaakbare uitdrukking. 'Ze zeggen dat jij haar hebt gezien, John. Is dat waar?'

'Ja, ik heb haar gezien,' zei Carew, en hij voegde eraan toe: 'Dat denk ik tenminste.'

'Dus je bent er niet zeker van.'

'Ja, ik weet het wel zeker. Natuurlijk weet ik het zeker. Althans...' en voor het eerst aarzelde hij, '... op dat moment wist ik het zeker.'

'Hoe lang is het nu geleden?'

'Vier jaar, het lijkt langer, weet je, door al dat... al dat gedoe.' Carew keek weg. Maar het was waar dat de herinnering iedere keer dat hij bovenkwam vager werd, tot ze oploste als maanlicht op water. 'Ik was samen met Tom Dallam,' hoorde hij zichzelf zeggen.

'De orgelbouwer?'

'Ja,' knikte Carew.

Tom Dallam! Hij had in geen jaren aan hem gedacht. Carew herinnerde zich die dag dat hij met Tom naar het paleis was gegaan. Ze waren naar een kleine, met marmer geplaveide binnenhof gegaan, waar Dallam een orgel aan het bouwen was – een geschenk voor de sultan van de kooplieden van de Levant Compagnie. De bewakers hadden met gebaren duidelijk gemaakt dat ze naar een punt in de muur moesten gaan waar een klein rooster zat. Ze hadden door het gat gekeken en een tweede geheime binnenhof gezien waarin ongeveer dertig concubines van de Grote Turk een balspel aan het doen waren; hij herinnerde zich dat de bewaker stampvoette toen hij vond dat ze genoeg hadden gezien.

'Maar ik stond als aan de grond genageld, want ik had een meisje gezien.' Carew aarzelde. 'Een meisje dat anders was dan de anderen.'

Hij zag het nu weer duidelijk voor zich. Ze zat een beetje afgescheiden van de anderen en was rijk gekleed. Juwelen, misschien parels, om haar hals. Bleke huid en mooi, roodachtig gouden haar. Tom Dallam rukte aan zijn arm en smeekte hem op te schieten. Maar hij was als verlamd, want op dat moment besefte hij wie ze was. Carew wreef zich in de ogen. Hij herinnerde zich de hapering in zijn eigen stem. *'God sta ons bij, het is Celia, Celia Lamprey! We dachten allemaal dat ze dood was.'*

'Ik wist dat zij het was. Ik zou haar overal hebben herkend...'

'Wel, wel, dat is allemaal heel mooi, maar als je het mij vraagt lijken alle vrouwen in harembroek op elkaar.' Ambrose, die zwijgend had zitten luisteren, giechelde met een vreemde, hoge klank. 'Wat een toestand! Pindars dode verloofde die opduikt in het kippenhok van de sultan!' Hij leek het hele verhaal uiterst vermakelijk te vinden. 'Ik neem aan dat het niet in je is opgekomen om die informatie voor je te houden? Maar het maakt nu niet meer uit,' zuchtte hij, 'het kwaad is geschied.'

Hij ging rechtop zitten, plotseling weer ernstig. 'Er was nog een reden om jou mee te nemen en nu zie ik dat ik de juiste man voor de klus heb. Iemand die goed is in rondsluipen. Pindar zegt dat je de weg daar goed kent.' Hij knikte in de richting van het kloostereiland, dat steeds dichterbij kwam.

'Dat ik de weg daar ken?' Carew boog de vingers van zijn hand naar achteren tot de knokkels kraakten. 'Ik geloof niet dat ik u begrijp, mijnheer?'

'O, ik weet alles over je seksuele avontuurtjes,' zei Ambrose gladjes, 'maar je hoeft je geen zorgen te maken, het interesseert me hoegenaamd niets. Een huis vol vrouwen, aan hun lot overgelaten – ketters en katholieken op een hoop...' Zijn stem stierf weg. 'Dan kun je dat soort dingen verwachten. Ik bemoei me er niet mee. Je bent te jong, maar ik herinner me nog de opheffing van de kloosters onder koning Henry. Dat was een goede zaak. Als je mijn dienaar was, zou ik je natuurlijk met de zweep geven,' ging hij vrolijk verder, 'maar gelukkig ben je niet mijn dienaar. Dus vertel eens, John,' Ambrose liet zijn vingers door het water glijden, 'waarom doet híj dat niet?'

'Wat? Me met de zweep geven?'

Ambrose glimlachte hem welwillend toe. 'Juist.'

Carew keek Ambrose even aan. Het gesprek had een onver-wachte wending genomen en hij wist niet zeker of hem dat wel beviel.

'Een dienaar die niet dient,' ging Ambrose mijmerend verder. 'Een kok die niet kookt. Alle voorrechten van een nar. En dat is nog maar het begin.' Hij staarde Carew aan. 'Het is net als het op-sluiten van een hele groep vrouwen in een klooster, pervers. Per-vers.' Hij beklemtoonde alle lettergrepen. 'Nou, kom op man,' zei hij nu ongeduldig, 'heb je je tong verloren?'

Als Carew al van zins was geweest om nog meer vertrouwelijk-heden met Ambrose uit te wisselen, dan kon na deze woorden zelfs de dreiging van hellevuur en eeuwige verdoemenis hem daar niet meer toe bewegen.

'Ik zou het niet weten, Mr. Ambrose,' zei Carew langzaam. Hij beantwoordde de strakke blik van Ambrose. 'Maar ik vermoed dat u me dat gaat vertellen.'

Maar Ambrose leek plotseling zijn belangstelling te verliezen. 'Ach, het komt wel,' zei hij mild. 'Ik kom er wel achter. Ik kom er altijd achter, weet je.' Hij nam zijn tulband af en krabde er pein-zend zijn enorme neus mee. 'Wat vaststaat is dat je meester ten prooi is gevallen aan melancholie. En we moeten hem eruit trek-ken voordat hij zich nog verder in het verderf stort.'

Ze waren nu bijna bij het eiland. Ambrose snoof de lucht op. 'Ze zeggen dat er deze zomer een nieuwe plaag zal uitbreken en, mijn god, het wordt er zeker warm genoeg voor. Maar dan ben jij al vertrokken, is het niet? Dat heb ik tenminste gehoord?'

'Ik vertrek met het eerste koopvaardijschip dat me mee wil ne-men.' Deze informatie wilde Carew nog wel aan Ambrose kwijt.

'Dus je hebt echt genoeg van Pindar? Weet je het zeker?'

Toen Carew niet antwoordde, voegde hij er tamelijk vriendelijk aan toe: 'Misschien vertelt hij je niet altijd wat er echt aan de hand is, John, maar de waarheid is dat hijzelf ook het zicht op de reali-teit kwijt is.'

18

Eindelijk kwamen ze aan bij het eiland. Zoals hem was opgedragen meerde de bootsman niet af bij de hoofdingang, maar voer hij naar een tweede *riva d'aqua* aan de tuinzijde, die direct toegang gaf tot het atelier van Suor Veronica.

Tot nu toe was Carew ervan overtuigd geweest dat deze tweede aanlegplaats door niemand meer werd gebruikt en had hij er vrijelijk van gebruikgemaakt voor zijn escapades van de afgelopen weken, maar nu begreep hij dat de klanten van Suor Veronica hier aanlegden als ze haar werkplaats bezochten, zodat ze het hoofdgebouw van het klooster niet hoefden te betreden. Hij had de werkplaats al vaak van buiten gezien; het was een oud gebouw, veel ouder dan het modernere deel van het klooster, met hoge muren. Maar nu liep hij achter Ambrose aan een koele, met boeken omzoomde ruimte in. Door een raam sijpelde licht van de lagune naar binnen.

De non, die door Ambrose Suor Veronica werd genoemd, kwam naar hen toe. Ze had een met verf besmeurde doek in haar handen waarmee ze blijkbaar gemorst pigment van de vloer had geveegd; op haar vingers en de zoom van haar habijt waren karmozijnrode vlekken te zien.

'Goedemorgen, zuster, ik hoop dat u zich niet heeft gesneden,' zei Ambrose nadat hij haar had begroet.

'Nee, nee, het is niets, alleen maar wat gemorste verf – alstublieft, alstublieft.' Ze bette zonder veel effect haar habijt en leek bijna geërgerd over het feit dat hij het ongelukje ter sprake had gebracht. 'Kom alstublieft binnen, Signor Jones, ik was net uw tekeningen aan het verzamelen.' Ze leidde Ambrose naar het midden van de ruimte.

Carew leunde tegen de deurpost en volgde de non, die van hem wegliep, met zijn blik. Waarom, vroeg hij zich terloops af, hadden nonnen altijd zo'n eigenaardige aantrekkingskracht? Jong, niet zo jong, dik, dun, klein, lang... het deed er niet toe. Zijn belangstelling werd toch weer gewekt, ondanks zijn eerdere gevoelens van afkeer en verveling.

Carew probeerde zich voor te stellen hoe Suor Veronica echt was. Ze mocht dan een briljante schilderes zijn, zoals Ambrose beweerde, maar nee, hij zag niets wat zijn verbeelding prikkelde. Onder de hoofdkap en het habijt ging een vrouw schuil die niet oud maar ook niet bijzonder jong was. Ja, ze was slank, maar waarschijnlijk voelde ze zonder haar korset als een zak oude botten. Haar gezicht was vriendelijk en intelligent, maar te lang... een paardenhoofd.

Hij werd in zijn overpeinzingen gestoord door een plotselinge scherpe pijn in zijn ribben. Toen hij opkeek zag hij Ambrose, die boven hem op de galerij stond en met de teen van zijn laars in zijn ribbenkast porde.

'Sta daar niet te staren, man. Het duurt niet lang. Ga je ergens anders nuttig maken.'

Carew kwam langzaam in beweging. 'U zegt het maar, mijnheer.' Hij boog overdreven eerbiedig. 'Ik ga wel bij de boot wachten, goed, mijnheer?'

'Hij mag wel even in de tuin kijken,' riep Veronica. Terwijl ze dat zei, klonk ergens in het klooster, dat op dit middaguur een slaperige indruk maakte, zacht, helder klokgebeier.

'Nou, als u het heel zeker weet.' Ambrose fronste zijn voorhoofd.

'Ik zou niet willen dat mijn dienaar hier...' Hij keek Carew veelbetekenend aan, '... zich schuldig maakte aan onbetamelijk gedrag.'

'Natuurlijk, natuurlijk. Hij zal niemand lastigvallen. Dat was de klok voor het *pranzo*, mijn zusters zijn allemaal in de refter. Suora! Waar ben je, suora!' riep ze naar een tot nu toe onzichtbaar gebleven persoon. 'Vreemd, een minuut geleden was ze nog hier,' mompelde Veronica tegen zichzelf, en toen: 'O nee, daar is ze... waarom verstop je je daar, suora? Je moet naar de refter met de anderen,' zei de non monter, 'kom naar beneden, je hoeft niet verlegen te zijn.' Ze wendde zich tot Carew en wees naar de non die nu langzaam de wenteltrap afdaalde.

'Ga maar, jongeman, zolang je maar niets plukt, dat is alles.' Ze schonk Carew een gelukzalige glimlach. 'Suor Annetta wijst je de weg.'

Carew liep achter de tweede non aan de kamer uit. Ze was heel voorzichtig van de ladder afgedaald, maar was toen zo snel langs hem geglipt dat hij nauwelijks een glimp van haar gezicht had opgevangen.

'Wacht even, zuster, niet zo snel.'

Maar de non liep met ferme pas door en bleef hem steeds een paar stappen voor, haar hoofd zedig gebogen, haar handen in haar mouwen gestoken.

'Ik bijt heus niet...' Carew moest bijna rennen om haar bij te houden. Het leek wel of deze non nog meer van haar stuk was door hun komst dan de schilderes.

'Hoe zei je dat je heette? Benadetta, toch?' Ze keek half over haar schouder, maar zei nog steeds niets.

'Nou ja,' Carew zuchtte, 'niet erg godvruchtig van u, zuster Benadetta, om een gast van het klooster te negeren.'

Carew vermaakte zich een tijdje met het bestuderen van haar achterkant. Ze was jong, in ieder geval veel jonger dan die andere. Een slanke taille, maar toch een goed achterwerk, en een vreemde, golvende tred die haar billen goed deed uitkomen. Deze vrouw deed niet aan versterving, zoveel was duidelijk.

Hij voelde zich plotseling weer energiek. Die onbestemde onvrede die hij in de gondel had gevoeld, de vastbeslotenheid om voorgoed met deze riskante avontuurtjes te stoppen, was opgegaan in het niets, als ochtendnevel boven de lagune, en Carew rook dat er een nieuw avontuur in de lucht hing.

Ze waren langs het herbarium naar de medicinale tuin gelopen, waar keurig gesnoeide buxushagen in symmetrische vormen van elkaar aftakten. De jonge non stopte abrupt en keerde zich, met een hand boven haar ogen tegen de middagzon, half naar hem toe.

'Dit is de tuin,' zei ze, en haar stem klonk verrassend warm en laag. 'Als het pranzo is afgelopen, zal de klok opnieuw luiden, en dan kunt u maar beter maken dat u wegkomt – wat Suor Veronica ook zegt.'

De manier waarop ze dit zei, gaf Carew de indruk dat de schilderes om de een of andere reden niet gebonden was aan de regels van het klooster. Hij had het gevoel dat hij hier helemaal niet mocht zijn, en dat gevoel werd met de seconde sterker. Maar wat kon het hem schelen? Hij was hier als dienaar van Ambrose, dus die mocht dit keer de schuld op zich nemen. Carew wachtte tot ze verder zou praten. De meeste nonnen met wie hij in contact was gekomen, waren maar al te blij geweest dat ze een excuus hadden om met een buitenstaander te praten – maar deze blijkbaar niet. Toen ze langs hem wilde lopen, ging hij voor haar staan.

'Niet zo snel! Blijf toch even, alsjeblieft.' Carew koos een andere tactiek en zette zijn tederste stem op. 'Wilt u me niet vertellen...' hij zocht naar een smoes om haar aan de praat te houden en uiteindelijk viel zijn blik op een van de bloembedden, '...wat dit voor planten zijn?'

'U vertellen wat dit voor planten zijn?' Nu klonk de stem van de non niet laag en warm. En ze vervolgde: 'Denk maar niet dat je spelletje bij mij werkt!'

Misschien was Carew even van zijn stuk door deze plotselinge verandering in haar houding, maar hij herstelde zich snel. En bijna op hetzelfde moment kwam een herinnering in hem boven. 'Wacht eens zuster, wij hebben elkaar al een keer gesproken, is het niet?'

Toen ze geen antwoord gaf, strekte hij zijn arm uit om haar hand voor haar ogen weg te trekken, maar ze draaide hem de rug toe.

'Je mag niets aanraken, weet je nog?' Ze klonk buiten adem, alsof ze een stuk had gerend en het spreken haar moeite kostte.

'Ho!'

Carew keek naar haar en merkte nu op wat hij al meteen had moeten zien: dat het meisje bang voor hem was. Onverwachts verscheen voor zijn geestesoog het beeld van een konijn dat hij als jongen ooit in een strik had gevangen. Het dier had roerloos voor hem gezeten, alsof het tam was, en pas na een tijdje had hij gezien dat de kleine ribbenkast van het diertje rees en daalde, alsof zijn hart ieder moment van angst uit elkaar kon barsten.

Hij keek om zich heen; aan de ene kant lag de tuin met de muur die aan de lagune grensde, aan de andere zijde een vleugel van het klooster. Met zijn ervaren blik bestudeerde hij de ramen, om te zien of ze werden bespioneerd, maar voor zover hij kon zien, was er niemand.

Het meisje moet zijn blik hebben gevolgd, want ze zei snel: 'Onze eerwaarde abdis woont daar, dus ik zou maar niet proberen mij aan te raken, capito?' Opnieuw leek ze naar lucht te happen, alsof het spreken haar pijn deed.

Nu wist hij het zeker. 'Ja, ik ken jou!' Zelfs voor hem leek het een ongelooflijk toeval. 'Jij bent degene die in haar nachtjapon door de tuin rende.' Degene die ik bijna heb gewurgd, dacht hij, degene aan wie ik aanbood haar ter plekke te nemen, omdat ik haar bang wilde maken. Jezus, geen wonder...

Ze staarde naar de grond, maar nog steeds kon hij haar gezicht niet zien. En toen richtte ze haar blik omhoog, alsof ze op zoek was naar een gezicht achter een van de ramen. Was het waar, wat ze had gezegd over de abdis?

Hij zag haar nu van opzij. Een lange lok donker haar was uit haar strakke hoofdkap ontsnapt. Hij zag haar scherpe, hoge neus, de iets uitstaande neusvleugels, de kleine moedervlek op haar rechterjukbeen, als een schoonheidsvlek. Plotseling was het heel belangrijk dat ze niet wegging, nog niet. Hij had het gevoel dat hij iets tegen haar moest zeggen, hoewel hij niet precies wist wat. De zon brandde aan de hemel en de hitte sneed als een lemmet in zijn rug, zijn nek en zijn onbedekte hoofd. De tuin om hem heen trilde van de warmte en de kleuren van de bloemen liepen in elkaar over en vormden een dromerig waas. Om hem heen hing de stilte die zo kenmerkend was voor zomerse middagen in warme gebieden, alsof de tuin zijn adem inhield. Carew probeerde zich te herinneren hoe ze er die ene ochtend uit had gezien, maar ontdekte dat hij geen specifieke herinneringen had. Alleen dat ze klein en kwetsbaar had aangevoeld toen hij haar in zijn armen had.

Op dat moment draaide ze zich eindelijk naar hem om en keken ze elkaar in de ogen.

'Benadetta...' hoorde hij zichzelf zeggen.

Maar ze schudde haar hoofd. 'Nee,' zei ze bits, 'Annetta, ik heet Annetta.'

En Carew stond, misschien wel voor het eerst in zijn leven, met zijn mond vol tanden.

Het volgende ogenblik liep ze langs hem heen en hij, stomme ezel die hij was, stapte opzij en deed niets om haar tegen te houden, ook al streek de rug van haar hand zachtjes langs zijn handpalm – of had hij het zich ingebeeld – en kromde ze haar vingers om ze in de zijne te haken.

Carew volgde haar met zijn blik. Weer die vreemde golvende tred. Waar had hij die tred eerder gezien? Hij leek op een vreemde manier vertrouwd, hoewel hij geen idee had waarom.

Maar het volgende moment was dat allemaal vergeten omdat hij zag dat ze iets had laten vallen op het pad. Hij knielde om het op te pakken. het was een klein, roze fluwelen beursje, gestikt met zilverdraad. Een exacte replica, tenzij hij zich heel erg vergiste, van het zakje waarin de grote diamant, de blauwe diamant van de sultan, werd bewaard in de ridotto van Zuanne Memmo.

19

Die zomer trokken de vrouwen naar het noorden, door de schroeiende hitte. Ze stopten in de dorpen en gehuchten onderweg om op kermissen en feesten hun acrobatenkunsten te vertonen. Zoals gewoonlijk reisden ze in de warmste maanden vooral 's nachts om de ergste zon te mijden. Als hun route hen naar de kustlijn voerde, vonden ze af en toe een boot die bereid was hen een stukje langs de kust te vervoeren, met paarden, wagen en al. Maryam morde over de prijs, maar nu het op het land zo heet was dat je een ei kon koken door het op de rotsen te leggen, lonkte de zee met zijn koele bries onweerstaanbaar.

Het was een mooie aanblik, zoals ze over de dorpspleinen paradeerden om hun voorstelling aan te kondigen met een vreemde kakofonie van cimbalen, trommels, tamboerijnen en rietfluiten. Een van hen, Ilkai, wier stem nog luider was dan de bulderende bariton van Maryam, liep voorop en prees als een ware stadsomroeper de groep aan: 'De vrouwen van Salonika, de beroemdste acrobaten ter wereld, geliefd bij pasja's, viziers, zelfs bij de sultan, de Grote Turk zelf. Slechts één avond...'

De andere vrouwen, zes in totaal, volgden haar dansend en springend, gekleed in felgekleurde jasjes en hun benen gehuld in wijde lappen, die waren samengebonden bij de knie, zodat ze deden denken aan de pofbroeken die mannen droegen. Daarachter liep Maryam – de krachtpatser van Salonika – met een rode bandana om haar hoofd en een leren riem om haar vormeloze wambuis. Af en toe droeg Maryam de twee dochtertjes van Elena, Nana en Leya, op haar schouders, op andere momenten renden de twee meisjes voor haar uit en maakten ze allerlei capriolen. Ze liepen op hun handen, maakten salto's achterover en kromden zich in vreemde krabachtige vormen. Maryam zelf trok dan een lorrie voort waarop een eigenaardige verzameling voorwerpen was uitgestald: potten en pannen, houtblokken, een paar kanonskogels, de rekwisieten van haar optreden. Helemaal achteraan liep Elena, haar zachte gelaat was met wit krijt omgetoverd tot een treurig masker en ze droeg een gestreept, kleurrijk kostuum, bezaaid met pailletten, die glinsterden als ze bewoog – een magisch wezen overdekt met zilvergrijze rijp.

De meeste dorpen ontvingen hen met open armen. De betovering en de sensatie van hun exotische verschijning wogen zwaarder dan hun dubieuze status als buitenstaanders. Maar soms keerden de priesters zich tegen hen en werden de mensen bang. Dan luidden ze de klokken van de kerk, gooiden met stenen of stuurden hun honden op hen af, zodat de vrouwen niet anders restte dan in de brandende zon doorlopen naar het volgende dorp.

Tegen de verwachtingen in leken de zeemeermin en haar kind te herstellen. Maryam wist niet hoe de jonge vrouw heette, dus gaf ze haar de naam Thessala, naar de zee waaruit ze gekomen was. Maar op de een of andere manier paste die naam niet echt bij haar. Net zoals ze zich niet leek thuis te voelen in de kleding die ze haar hadden gegeven en in het hoekje waar ze sliep. De andere vrouwen, die dit mysterieuze zeewezen, deze gebroken nimf van wie ze niets goeds verwachtten, van begin af aan niet hadden vertrouwd, verwezen meestal simpelweg naar haar met 'zij' of 'haar'.

Nog verzwakt van de bevalling lag de zeemeermin met haar baby in een provisorisch hokje achter in de wagen en ze leek niet van plan daarvandaan te komen. Haar wonden op haar polsen en enkels, genazen langzaam, maar gelukkig had ze geen koorts, want dat zou ze zeer waarschijnlijk niet hebben overleefd. Hoewel ze hadden ontdekt dat de verwondingen aan haar benen oud waren en de botten weer aan elkaar waren gegroeid, ging niemand ervan uit dat ze ooit weer zou kunnen lopen.

De vrouw sprak niet, zelfs niet tegen de baby, en blijkbaar wist ze niet goed wat ze met haar kind aan moest. Het enige wat ze deed was het in doeken wikkelen en het tegen zich aan leggen. Al snel werd duidelijk dat ze geen melk had, althans zo weinig dat haar baby niet groeide, en als Maryam een van de paarden van Signor Bocelli niet had kunnen ruilen voor een melkgeit, zou het kind niet in leven zijn gebleven. Elena beproefde alle talen die ze kende op de vrouw – Venetiaans, Spaans, Grieks, zelfs de taal van de Ottomanen – maar zonder succes. De zeemeermin staarde haar alleen maar niet-begrijpend aan, met haar vreemde, lege ogen.

'Is ze doof? Doofstom misschien?' vroeg Maryam. 'Of misschien is ze gewoon zwakzinnig.'

'Nee,' Elena fronste haar wenkbrauwen, 'dat geloof ik niet. Volgens mij is daar helemaal geen sprake van. Ze is eerder... Ik weet het niet.' Ze had 'een spook' willen zeggen, maar dat leek haar niet verstandig, dus in plaats daarvan zei ze: 'Het is net alsof ze er gewoon niet is.'

Het was een maanloze nacht en het was te donker om te reizen, dus hadden de vrouwen hun tenten – kleine, ronde, felgekleurde paviljoens, die leken op de exemplaren die de nomaden gebruiken – in een halve cirkel gezet, in de beschutting van de paar bomen die ze hadden kunnen vinden.

Nadat de twee kleine meisjes waren gaan slapen, lagen Maryam en Elena samen buiten onder de sterren, hun handen net tegen elkaar, hun pinken in elkaar gestrengeld, luisterend naar de vertrouwde geluiden van de vrouwenstemmen uit de tenten.

'Weet je het zeker?'

'Ja, ik weet het zeker. En het is niet waar dat ze niet kan spreken. Ik heb haar horen praten, een paar dagen geleden, één woord maar.'

'Wat zei ze?'

'Eén woord: "No!"'

'Is dat alles?' Maryam staarde in het duister. '"No," dat helpt ons niet veel verder. Dat zou van alles kunnen zijn: Italiaans, Spaans, Frans...' Ze haalde haar schouders op. 'Waar zei ze trouwens "no" tegen?'

'Herinner je je dat fluwelen beursje nog, dat ze tussen haar kleding had verstopt en dat ze steeds open en dicht doet?'

'Ja, ik weet wat je bedoelt.'

'Nou, een van mijn meisjes, Nana, had het op de een of andere manier te pakken gekregen en zat ermee te spelen. Toen Thessala doorhad wat er was gebeurd, raakte ze erg van streek. Ze duwde zich op een elleboog omhoog en riep 'No!' – op die manier. Nana hoorde het ook. Als zij er niet bij was geweest, had ik misschien gedacht dat ik het me had ingebeeld.'

Even lagen de vrouwen zwijgend naast elkaar. Vanaf een heuvel in de verte klonken het geblaf van een hondershond en het zachte getingel van schapenbelletjes.

'Waar kan ze vandaan zijn gekomen?' Hoe vaak hadden ze in de afgelopen weken dit gesprek al gevoerd?

'Hoe is ze in dat spookdorp terechtgekomen? Dat zou ik willen weten.'

'Ze is geen boerenmeid, dat is zeker. Heb je haar handen bekeken? En die huid, zo blank. Ze heeft in haar hele leven geen dag gewerkt, in ieder geval niet op het land.'

'Dus ze is een dame?'

'Een dame? Panayia mou! Nu niet meer, arm kind.' Elena klonk verdrietig. 'En dat zal ze waarschijnlijk ook nooit meer worden.'

'Die Bocelli vertelde me dat de vissers haar in hun netten uit het water hadden getrokken.'

'En jij denkt dat hij de waarheid vertelt?' In het donker draaide Elena haar gezicht naar Maryam.

'Ik denk dat mannen als Bocelli de waarheid nog niet zouden

zien als ze hen een loei in de coglioni zou geven.' Maryam lachte minachtend. 'Ik vermoed dat iemand haar daar ergens heeft achtergelaten toen ze op het punt stond te bevallen. En Bocelli vond haar... denk ik...' Maar hoe meer ze erover nadacht hoe onwaarschijnlijker het verhaal klonk.

'Wat wreed! Hoe kan iemand zoiets doen? Denk je eens in wat ze moet hebben doorgemaakt, helemaal alleen, niet één vriend om haar te helpen.' Elena schudde het hoofd. 'Maar wanneer verscheen Bocelli op het toneel? En waarom wilde hij zo graag van haar af? Dat begrijp ik niet. Twéé paarden, Maryam!' Twee weken nadien klonk er nog steeds verbazing in Elena's stem. 'Het is meer dan de sultan zelf ons gaf toen we in het Huis van Geluk speelden.'

'Hij heeft ons rijkelijk beloond, dat is waar, die man is een dwaas.' Maar op het moment dat ze het zei, voelde Maryam een steek van onrust.

Had hij ze niet té rijkelijk beloond? Het was niet de eerste keer dat die gedachte door haar hoofd schoot. In de dorpen waren vreemde dingen gebeurd sinds de zeemeermin bij hen was. Eerst kon ze haar vinger er niet op leggen, het was iets wat in de lucht hing, als een windvlaag, een stofhoos die door een verlaten straat waaide; maar opeens, een paar avonden geleden, hadden ze bij de toegang tot het kamp voedsel gevonden dat daar was achtergelaten: een mandje eieren, wat fruit, kleine ongerezen broodjes, oliven die nog aan de tak zaten. Alles was zorgvuldig uitgespreid op een bedje van bladeren. Verbeeldde ze het zich of was het voedsel niet zozeer een geschenk als wel een offergave? Misschien was Bocelli helemaal niet zo'n dwaas. Maryam voelde in de zak van haar leren wambuis. Haar sterke vingers sloten zich om het amulet van de zeemeermin dat hij haar had laten zien in het verlaten dorp. Ze wist dat ze Elena en de anderen moest vertellen wat Bocelli had gezegd, maar nu niet...

In deze streek heeft men altijd geloofd dat zeemeerminnen geluk brengen. Deze amuletten zijn bijna overal langs de kust te vinden. Het verbaast me dat je ze niet eerder bent tegengekomen. Ze rook bijna weer zijn naar uien stinkende adem. *Maar een echte zeemeermin...*

Niemand weet wat we met haar aan moeten. Ze durven zelfs niet bij haar in de buurt te komen. Ze hadden haar allang gedood als ze niet dachten dat ze daarmee nog grotere rampspoed over zichzelf afriepen. Het zag ernaaruit dat ze alle geluk ter wereld nodig hadden om heelhuids Venetië te bereiken.

Elena keek naar de hemel. Doordat er geen maanlicht was, gloeiden de sterren zo fel en waren het er zoveel dat ze er duizelig van werd en het gevoel kreeg dat ze ernaartoe werd gezogen. Dit was het moment waar ze zo tegenop had gezien, maar ze wist dat ze niet langer kon zwijgen.

Ze sloot haar ogen. 'Maryam?'

'Ja?'

Elena besloot het erop te wagen. 'De anderen denken dat ze ongeluk brengt.'

'Ongeluk?' vroeg Maryam met een ruzieachtige klank in haar stem die Elena negeerde.

'Ze lopen met een boog om haar en het kind heen. Heb je dat dan niet gemerkt?'

'Hmm.' bromde Maryam alleen maar.

'En alsof dat nog niet erg genoeg is... we hebben ook bijna geen werk. De dorpen lijken...' Elena zocht naar de juiste woorden. 'Nou ja, de mensen gedragen zich vreemd, ik kan het niet uitleggen.'

Dus Elena had het ook gemerkt, dacht Maryam. 'Ze zijn arm, dat is alles,' zei ze kortaf. 'Het is mijn fout, we hadden niet hiernaartoe moeten gaan.'

'Luister, ze moet op de een of andere manier voor haar onderhoud betalen. Ik weet dat je dit niet wilt horen, maar...'

'Waarom zou je het dan zeggen?' Maryams stem klonk nu zo kil dat Elena ineenkromp, maar ze wist dat ze moest zeggen wat ze op haar hart had.

'De anderen zeggen dat ze een last voor ons is, zij en het kind.'

'En jij? Wat zeg jij?' Toen Elena geen antwoord gaf, voegde ze eraan toe: 'Ze hebben ons betaald om haar mee te nemen. Goed betaald, dat zei je zelf.'

'Ze kan niet werken, waarschijnlijk nooit meer. We hebben niet genoeg te eten...'

'Maar ze eet niet meer dan een vogeltje!'

'... en we kunnen het paard of de geit niet opeten,' ging Elena geduldig verder. 'Maar als je nou eens zou overwegen...'

'Wat overwegen?'

Elena deed haar ogen weer open en dwong zichzelf verder te gaan.

'We hebben het hier vaker over gehad.'

'Haar tentoonstellen? Nee! Hoor je?'

'Luister, ik weet dat je je eigen redenen hebt...'

'Redenen? Ja, ik heb mijn redenen. En juist jij, Elena, zou moeten weten waarom. Je bent geen haar beter dan die miezerige wurm Bocelli.'

Er viel een stilte, maar na een tijdje voelde Maryam dat Elena's dunne, benige hand in haar eigen vereelte handpalm gleed en daar bleef liggen tot Maryams vingers zich ontspanden en Elena's hand omsloten.

'Het hoeft niet zo te gaan als... als...' Elena vond het moeilijk om de woorden uit te spreken, '...als het toen ging.'

'Denk je?'

Maryam staarde met een holle blik naar de sterrenhemel. Zelfs nu nog, na al die jaren samen, stond ze versteld over de onschuld waarmee Elena de wereld bekeek. 'Ze hebben haar benen gebroken, als je dat nog niet had gezien, Elena.' Ze schudde het hoofd alsof ze een gedachte probeerde te verdrijven. Toen trok ze haar hand los uit die van Elena en liet ze haar vingers over haar blote onderarmen glijden; ze voelde de bekende littekens die haar armen misvormden. Ze waren dik en rood, zo groot als kogels. 'Je hebt geen idee wat mannen kunnen doen.'

Die nacht kon Maryam niet slapen. Er wervelden zoveel gedachten door haar hoofd, tollend en tollend als derwisjen, dat ze dacht dat ze gek werd.

Als leider van een groep vrouwen was ze er wel aan gewend om het volle gewicht van hun kwetsbaarheid op haar schouders te dragen. Het was een tweede natuur om altijd op haar hoede te zijn, om te raden wat de mensen om hen heen dachten, om hier een blik, daar een gebaar te interpreteren, om te protesteren, te sussen, om onmiddellijk het sein te geven dat ze hun biezen moesten pakken als de sfeer omsloeg. Sinds de oprichting van de groep, nu zeven jaar geleden, hadden ze zich moeten verdedigen, omdat het als een grote schande werd gezien dat ze geen man bij zich hadden die over hen waakte en ze in het gareel hield. Maar nooit eerder had ze zo'n sterk voorgevoel van onheil gehad.

Vanaf het moment dat ze Messina hadden verlaten, had Maryam het gevoel dat er voortdurend gevaar dreigde. Kwam dat gewoon doordat het platteland altijd gevaarlijker was dan de stad? De mensen norser, bijgeloviger, eerder geneigd om zich tegen hen te keren. Maryam wist maar al te goed wat de gevolgen konden zijn van een misrekening. Ze lag te woelen onder haar deken.

In de donkere heuvels achter hen was de herdershond nog aan het blaffen. In hun eigen kamp heerste nu stilte; Elena was eindelijk naast haar in slaap gevallen. Ook dat maakte haar onrustig, want het gebeurde maar zelden dat ze in slaap vielen zonder dat hun meningsverschillen waren uitgesproken. Ze hoorde het geluid van het paard dat uit zijn voederzak at en het geritsel van de geit aan zijn paal. Meestal vond ze deze geluiden geruststellend, maar deze nacht niet. Ze stond op en zette haar logge lichaam moeizaam in beweging, waarbij ze probeerde de pijn in haar gewrichten, die tegenwoordig bijna constant was, en het verdoofde gevoel in haar vingers te negeren.

Onder haar provisorische luifel achter in de wagen lag Thessala, de zeemeermin, te slapen, met haar kind naast zich. In haar hand had ze het fluwelen beursje, haar vingers er stevig omheen geklemd, alsof het een talisman was. Het kind lag zo stil en zo rustig dat Maryam eerst dacht dat het ook sliep; ze wilde zich net afwenden toen ze iets zag glinsteren en zag dat de baby zijn ogen open had en naar de sterrenhemel staarde.

Plotseling blies het paard dat in de buurt stond zacht door zijn neus en Maryam zag dat de baby verwonderd zijn hoofd in de richting van het geluid draaide en het voorhoofd fronste, alsof dit het eerste geluid in het hele universum was. Door de beweging kwamen de doeken waarin het kind gewikkeld was los en zijn onderlijfje werd zichtbaar: de twee beentjes waren samengegroeid en twee volmaakte voeten wezen naar buiten. Maryam strekte haar vinger uit en voelde dat het kind zijn knuistje eromheen sloot – de aanraking was zo teer als spinrag. Maryam voelde haar hart samentrekken.

Had ze er goed aan gedaan om ze mee te nemen? Waarschijnlijk niet. Maryam zuchtte. Maar hoe had ze in die situatie kunnen weigeren? Toch drukte de vrees voor wat hun misschien te wachten stond zwaar op haar ziel.

Hoe groot was de kans dat het kind in leven zou blijven? Niet groot, dat was zeker, en misschien was dat ook maar beter. Feit was dat de zeemeerminbaby een fortuin waard was. Elena wist dat, iedereen wist dat.

Onder het draaiende firmament staarden de reuzin en de baby elkaar aan. Een minder sterke vrouw zou op dat moment misschien tot God en tot Onze Lieve Vrouwe en alle gezegende heiligen hebben gebeden om bescherming, maar Maryam had in haar leven geleerd niet te veel te vertrouwen op het gebed. God was, net als de man, een beul op afstand, ver buiten het bereik van vrouwen als zij.

20

Toen Maryam eindelijk in slaap viel, keerde de vaste droom terug. Ze was vijftien en werd meegevoerd naar de berenkuil. Achter een palissade van puntige stokken hoorde ze honden grommen...

Twee jaar eerder, toen ze al de lengte en het gewicht van een stevige jongeman had bereikt, hadden haar ouders hun mismaakte dochter maar al te graag verkocht aan de eerste die aanbood hen van haar te verlossen. De man, een handelsreiziger uit het zuiden, wiens naam ze nooit te weten was gekomen, beweerde dat hij haar als echtgenote wilde, maar al snel begreep Maryam dat hij heel andere plannen had.

Zodra de nieuwigheid van het paren met een kindbruid die zo groot was als een prijsvechter eraf was, leende de handelaar haar uit aan alle vrienden, buurmannen of voorbijgangers die er maar voor wilden betalen. En zo begon, althans voor haar hoeder, een relatief gemakkelijk leven. Hij hield op met zijn handeltje in kermisspeeltjes en snuisterijen en kocht in plaats daarvan een tent, die hij neerzette op de kermissen en markten waar ze langskwamen.

De tent was niet veel meer dan een scherm met een strozak waarop Maryam zijn klanten ontving. Toen dit leven zich een paar jaar had voortgesleept, werd de handelsreiziger, die er niet jonger op werd, op een ochtend wakker met een intens verlangen om terug te keren naar zijn echte vrouw en kinderen ergens in de Peloponnesos. Maryam had geen nut meer voor hem en hij zou haar zonder pardon aan haar lot over hebben gelaten als zijn laatste klant niet toevallig de leider was van een reizende acrobatengroep. Toen deze groep de volgende dag het stadje verliet, hoorde Maryam dat zij mee moest. Ze was opnieuw verkocht.

De vijftienjarige Maryam was nu al een paar koppen groter dan toen ze dertien was en torende zelfs boven de langste mannen uit. Ze had een tonronde borstkas, onderarmen als hammen, handen en voeten zo groot als greppelploegen. Ze leek wel een stier en had een bijpassend, donker uiterlijk: zwart haar, zwarte ogen, zwart dons op haar bovenlip, alsof ze een jongen was.

Op het moment dat de leider van de troep haar zag, wist hij dat hij zijn geld snel zou terugverdienen. Hij zou haar tentoonstellen als een gedrocht – de dochter van de Minotaurus, zo zouden ze haar noemen – en hij zette haar onmiddellijk aan het werk, in de wetenschap dat het nu niet alleen de mannen waren die zouden betalen.

De volgende paar jaar waren, voor zover mogelijk, een nog grotere kwelling dan de eerste twee. Net als de handelsreiziger volgde de acrobatengroep – een familie uit Genua, Grissani genaamd – een vaste route. Het verschil was dat de kermissen groter waren, de afstanden langer en dat Maryam nu in plaats van een tent een kooi had. Het was een echte kooi met ijzeren tralies, die nog steeds de sporen vertoonde – de geur en zelfs de gedroogde uitwerpselen – van de pas gestorven dansende beer van de groep. Iedere dag zat ze urenlang in de kooi met twee koeienhoorns op haar hoofd, terwijl de mensen een paar cent betaalden om even te kunnen lachen en stenen en rottend fruit naar haar te gooien of haar te prikken met stokken.

Ze wist niet hoe lang het had geduurd voordat ze waren aangekomen in dat bergachtige gebied waar ze noch Grieks noch de taal van hun Ottomaanse opperheren spraken, maar een keliger dialect dat Maryam niet meteen kon verstaan. Het door dennenbomen omringde stadje was arm en veel kleiner dan hun gewoonlijke bestemmingen. De vrouwen hielden zich nogal op de achtergrond, de kinderen waren zo verlegen dat ze alleen maar vanachter de ramen naar hen durfden te staren.

Zoals gewoonlijk sloeg de troep zijn kamp op aan de rand van de stad, tegen het bos aan. Die middag verzamelde zich een flinke menigte om de acrobatische toeren te bewonderen, maar toen de mannen Maryam achter de tralies zagen zitten, werden ze boos. Maryam zag dat zo nu en dan een van hen de leider van de groep geld aanbood, maar dat hij ze eerst resoluut afwimpelde. Het sprankje hoop dat ze zichzelf gunde werd sterker toen Signor Grissani bij zonsopkomst, een paar uur eerder dan normaal, bij de kooi verscheen.

'Wat is er aan de hand? Wat gebeurt er?'

'Daar kom je snel genoeg achter.' Hij haalde de sleutel van de riem aan zijn middel en opende de kooi.

'Hebben ze u betaald om me vrij te laten?'

Nu nog steeds, al die jaren later, moest Maryam bij de gedachte aan die opmerking bijna huilen uit medelijden voor haar jonge, onschuldige zelf. Had ze dan helemaal niets geleerd over de aard van mannen?

'Jou vrij laten?' Signor Grissani, die plotseling erg geïnteresseerd leek in zijn sleutels, hield zijn hoofd omlaag. Toen hij eindelijk opkeek, had hij zo'n bedroefde blik in zijn ogen, dat ze zich moest bedwingen om haar armen niet om zijn hals te slaan.

'Dus het is waar! O, dank u wel, dank u, signore...' Maryam had zolang over dit moment gedroomd, het moment van haar verlossing, ze had er zo naar verlangd, er zo vurig op gehoopt, ieder wakend uur dat ze in die ellendige berenkooi had doorgebracht, dat ze bijna verlamd was van vreugde.

Op dat moment kwam de vrouw van Signor Grissani, een vrouw met harde ogen en een pezig acrobatenlichaam, naar hem toe gerend.

'Sergio, is het waar?' Ook zij leek geschokt. 'Dat kun je niet doen.

Sergio, je kunt haar niet aan hen meegeven.'

'Ze redt zich wel,' antwoordde Grissani nors.

'Denk je dat echt? Ze is misschien groot, maar ze is nog maar een meisje, een kind.'

Maryam herinnerde zich nog hoe verbaasd ze was geweest over de emotie in de stem van de vrouw, deze vrouw die haar iedere broodkorst die ze aan haar hadden moeten afstaan, iedere lepel waterige soep had misgund.

'Ik red me wel, signora, heus.' Maryam had bijna medelijden met haar. Ze wist niet hoe ze het in haar eentje moest redden, maar het zou haar lukken, hoe dan ook.

'Hou je kop, gestoorde huilebalk, ik heb het niet tegen jou.' De signora keek haar nijdig aan. 'Sergio! Ben je gek geworden? Hoor je wel wat ik zeg?' schreeuwde ze tegen hem, terwijl ze aan zijn mouw trok. 'De honden scheuren haar aan stukken...'

'Maar signora...' De opgewekte woorden die in haar opborrelden bleven steken in haar keel. 'Hónden?'

Ze werd plotseling duizelig, alsof al het bloed plotseling uit haar hoofd werd weggezogen. Ze klemde zich vast aan de tralies om haar evenwicht te hervinden. 'Welke honden?' herhaalde ze zwakjes, maar niemand hoorde haar.

'Ze scheuren haar aan stukken,' gilde de vrouw. Ze haalde nu uit naar haar man en probeerde hem met gebalde vuisten op het hoofd te slaan. 'En wat moeten we dan?'

Maryam stond buiten de berenkooi op hen neer te kijken, een treurig, halfdood wezen gekleed in een smerige leren wambuis en een broek. De koeienhoorns gleden voor haar ogen. Het gevoel dat haar overspoelde toen ze besefte dat de mannen die ze had gezien het helemaal niet goed met haar voor hadden, leek nog het meest op vermoeidheid. De stad, waar ze een paar seconden geleden haar vrijheid dacht te hebben hervonden, maakte nu een sinistere indruk. De straten met hun keitjes waren donker en kil, de verwaarloosde huizen, met hun rottende strodaken, stonden te dicht op elkaar. Van de bergen daarachter daalden mistflarden neer, die zich als geesten door de dennenbossen kronkelden.

Op dat moment wist Maryam dat ze haar zouden doden.

'Basta! We hebben geen keus, capito?' Signor Grissani, die lijkbleek zag, gaf zijn vrouw een harde duw. 'En jij,' hij wees met zijn kin naar Maryam, 'kom mee.' Ze zag dat hij een stok in zijn handen had, van het soort dat boeren gebruikten om hun vee te hoeden.

'Waar gaan we naartoe?' vroeg ze, vervuld van angst. Maar hij antwoordde niet en duwde haar alleen maar met de stok in de richting van de stad. Zijn handen beefden. Waarom was ze op dat moment niet gevlucht, de duisternis van de bossen in gerend toen het nog kon?

Waarom niet, waarom niet?

Maar al die jaren in slavernij – als kind, als vrouw, als gedrocht – hadden hun tol geëist en die gedachte kwam op dat moment niet eens in haar op. Met gebogen hoofd volgde ze hem, mak als een schaap.

Ze liep door de straat alsof ze op een gevangenenkar stond, zo verdoofd van angst dat ze nauwelijks zag waar ze naartoe ging. De vrouwen sloegen haar zwijgend gade vanuit hun deuropeningen en door de kiertjes van de luiken voor de ramen. Als Maryam haar grote, zware hoofd, nog steeds getooid met de koeienhoorns, naar hen omdraaide, deinsden ze verschrikt terug en trokken ze hun kinderen naar zich toe alsof ze ieder moment kon bijten. *Denken ze echt dat ik een monster ben?* En toen ze hun gezichten zag, wist ze diep in haar ziel dat ze dat inderdaad dachten. Zij was het monster dat hun schapen opat en hun kinderen stal. Zij was het wezen dat in het donkere hart van hun diepste wouden leefde; die zich schuilhield op de verlaten bergtoppen, in grotten die vol lagen met botten. Zij was het monster waarover hun grootvaders op winteravonden verhalen hadden verteld bij het vuur, dat ze alleen maar in hun nachtmerries hadden gezien.

Tegen de tijd dat ze de berenkuil bereikten was het bijna donker. Om de rand was een palissade van scherpe stokken geplaatst en de mannen met hun harde, gesloten gezichten stonden te wachten. Ze kon de honden horen grommen.

Signor Grissani gaf het doodsbange meisje een duw.

'Je redt je wel,' zei hij nors.

De mannen die haar kwamen halen, dromden nu om hen heen. Maryam keerde zich naar hem toe en keek hem smekend aan, maar het hielp niets. Om haar heen alleen maar herrie en verwarring, een kakofonie van blaffende honden, schreeuwende mannen, maar plotseling, op een moment dat er even geen beweging was doordat alle lichamen tegen elkaar duwden, voelde ze dat een hand iets kouds en hards in de hare stopte. Een mes.

En toen, voordat ze het wist, was ze in de kuil en hadden ze de honden losgelaten. Het waren er drie. De eerste kwam recht op haar af. Hij was niet groot, maar zwaar en log, van het soort dat ze voor hondengevechten gebruikten. Door een waas van angst zag ze hem opspringen naar haar keel, alsof hij springveren onder zijn poten had. Maar ze was zo groot dat hij niet eens tot haar bovenlichaam kwam. Ze tilde haar arm op om zich te verdedigen en voelde hoe de tanden van het dier haar huid doorboorden. Onmiddellijk gaf ze hem zo'n harde klap, dat hij losliet en jankend aan de andere kant van de kuil op de grond viel.

Voordat ze van de aanval bekomen was, stortten de andere twee honden zich ook op haar. Ze probeerde ze met haar vuisten van zich af te slaan, net als met de eerste hond, maar de kracht waarmee de twee dieren haar raakten, bracht haar uit evenwicht waardoor ze het mes liet vallen. Voordat ze het kon oppakken viel de eerste hond haar weer aan. Dit keer sprong hij niet omhoog, maar had hij het gemunt op haar benen. Hij maakte kleine sprongetjes naar voren en hapte naar haar enkels. Ze rende door de kuil en probeerde het dier weg te schoppen, dankbaar dat dit deel van haar lichaam in ieder geval beschermd was door haar zware leren laarzen. Ondertussen was ze zich bewust van de mannen die stonden te joelen en te schreeuwen.

Een brandende pijn, eerst in haar bil en toen in haar dij, vertelde haar dat de andere twee honden haar van achteren hadden aangevallen. Ze draaide om haar as maar de twee dieren lieten niet los. Met haar vuisten probeerde ze de dieren te raken, maar door de lastige hoek kwamen haar klappen niet hard genoeg aan. Haar handen schampten langs hun koppen en dus zocht ze in een moment van inspiratie met haar vingers de zwakke plekken van de eerste hond, zijn oren en ogen. Haar duim vond uiteindelijk een oog en zonder nadenken duwde ze zo hard als ze kon. Een vreemd gevoel, alsof een druif uit een harde schil barstte, vertelde haar dat ze doel had getroffen. Piepend liet de hond zich vallen. Hij plofte op de vloer en rende jankend en hinkend naar de barricade. Uit een van zijn ogen spoot bloed.

Er waren nog maar twee honden over, maar Maryam begon moe te worden. De bijna bovenmenselijke kracht die door haar heen was gestroomd aan het begin van het gevecht leek weg te ebben. Haar bil en dij en de wonden op haar armen bloedden hevig.

Nu ze bloed hadden geproefd wierpen de twee resterende honden zich in blinde razernij op haar. Met een kreet slaagde Maryam erin een van de dieren van zich af te schudden, maar de hond merkte dat zijn prooi zwakker werd en gaf niet op. Hij besprong haar van achteren. Maryams knieën konden het gewicht niet dragen en ze viel pijnlijk met haar knieën op de harde grond. Ze herinnerde zich dat ze dacht: dit is het einde, nu maken ze me dood. Het was bijna een opluchting. Ook de joelende menigte voelde dat het einde nabij was. Heel ver weg, over het gebonk van haar eigen hart heen, hoorde Maryam hun geschreeuw. Hun gezichten waren onzichtbaar, maar in haar hoofd zag ze de van haat vervulde ogen, de verweerde, strakgespannen huid van hun wangen, de open monden, de zwarte stompjes en de rondvliegende spuugbelletjes.

Haar ledematen voelden nu zwaar, alsof ze niet meer bij haar hoorden; het kostte moeite om ze te bewegen. Maar op de een of andere manier, ze wist niet hoe, moest ze erin zijn geslaagd om een van de honden een klap te geven, want de kleinste van de twee kroop weg en probeerde een van zijn poten te likken.

Er was nu nog maar één hond over: de grootste en agressiefste van de twee. In een laatste, wanhopige poging om zich het vege lijf te redden, probeerde ze overeind te komen, maar ze was te traag en te zwak. De hond sprong. Als een gevelde boom, stortte Maryam weer op de grond. Ze lag te happen naar adem en beschermde haar hoofd met haar armen. Ze was zich niet meer bewust van de pijn, alleen nog maar van het geluid van het dier dat naderbij kwam om voor het laatst toe te slaan, de stinkende warmte van zijn adem op haar gezicht, de metalen smaak van haar eigen bloed op haar lippen.

En toen voelde ze het. Iets hards en kouds onder haar wang. Het mes. De kaken van de hond klemden zich om haar onderarm, maar op de een of andere manier wist ze haar andere arm los te trekken. Haar vingers sloten zich om het heft en met een laatste opwelling van energie, stootte ze blind het lemmet naar voren, in de richting van de hond. Plotseling was het stil. Het dier wankelde en viel bijna geruisloos tegen haar schouder, waar het lag te stuiptrekken met het mes in zijn luchtpijp.

21

In het volgende dorp gebeurde het weer. Ze hadden hun kamp op-
geslagen aan de rand van een olijfbosje net buiten het plaatsje.

Ilkai's zus, Yoanna, had het gevonden. Ze was opgestaan toen
de zon opkwam en was bijna gestruikeld over het voedsel dat op
de grond was uitgestald: de vruchten, de ongerezen broodjes, vijf
verse eieren, een aardewerken kruik vol olijfolie. Yoanna was meteen naar Maryam gerend om het haar te vertellen.

En inderdaad, daar lagen de gaven, net als die andere keren,
mooi gerangschikt op een bedje van pas geplukte bladeren.

Het beviel Maryam niet. Iemand moest in het donker over het
paadje naar hun kamp zijn geslopen; iemand moest vlakbij hebben rondgesnuffeld terwijl ze lagen te slapen. Ze vond het verontrustend dat vreemden zo dichtbij konden komen zonder dat
iemand van hen het merkte.

Maar Yoanna was dolgelukkig met de vondst, net als haar zus
Ilkai. Ze renden naar de anderen, die slaperig hun tent uit kwamen, maar al gauw verwikkeld raakten in een felle discussie over
de verdeling van het voedsel. Alleen Elena, die het tafereel gadesloeg vanachter het dunne gordijn van mousseline dat haar tent
afschermde, wist wat Maryam dacht.

Ze nam het brood aan dat hun was toebedeeld, besprenkelde het met olie uit de kruik en ging naast Maryam in de schaduw van een boom zitten. Het was nog vroeg en onder de oude olijfbomen, waar het zonlicht in vlekken doorheen viel, was het heerlijk koel. In het stadje onder hen kraaide een haan en de zee glinsterde tussen de witgepleisterde huizen door.

'Waarom ben je zo bedrukt, Maryam?' zei Elena vriendelijk. 'Was het die droom weer? Ik hoorde je vannacht schreeuwen.'

Toen Maryam geen antwoord gaf, brak ze het broodje in tweeën en gaf ze de ene helft zwijgend aan Maryam, samen met een handvol olijven. Elena draaide haar hoofd om naar het uitzicht te kijken. Het fonkelende blauw van de zee, het stralende wit van de huizen; het deed bijna pijn aan haar ogen. In de verte, aan de andere kant van de stad, klonk het getingel van een kudde geiten die naar een weide werd geleid en op zee verscheen een bootje aan de horizon met witte zeilen die opbolden in de wind.

Elena probeerde het nog een keer: 'Deze mensen zijn arm, waarom denk je dat ze ons voedsel geven?'

Maar die ochtend ergerde Maryam zich alleen maar aan Elena's vragen. Ze stond op en liep zonder een woord te zeggen de heuvel af, in de richting van het stadje. Elena keek haar gelaten na. Ze was gewend aan de buien van Maryam en het was toch een zinloze vraag geweest: wat maakte het uit waarom ze deze geschenken voor hen neerlegden? Gastvrijheid is in deze zuidelijke landen een stevige traditie, meer zat er vast niet achter. Elena had te veel honger om zich er druk over te maken. Ze beet met een zucht in het brood. De olie was bitter, een beetje groenig – de beste kwaliteit. De olijven waren zoet, hun vruchtvlees dik. Dit zou een goede dag worden. Elena glimlachte in zichzelf terwijl ze at.

Hun geluk keerde ten goede, dat voelde ze in haar botten.

Plotseling hoorde ze het zachte getingel van klokjes. Alleen kwam het nu niet van de andere kant van de stad, maar van veel dichterbij. Ze keek om zich heen. Eerst dacht ze dat het een geit moest zijn die was afgedwaald van de rest van de kudde, maar toen realiseerde ze zich dat het een heel ander geluid was, zachter en lichter dan het geluid dat ze eerder had gehoord.

Ze liep dieper het bosje in, in de richting van het geluid, en verbaasde zich erover dat het zo snel zo donker werd. Wat ze had aangezien voor een klein groepje olijfbomen, bleek een dicht bos te zijn.

Sommige bomen zagen er heel oud uit. Groen en zilvergrijs korstmos hing als spinnenwebben aan de stammen. Elena baande zich moeizaam een weg door het gebladerte, haar voeten zonken weg in de dikke, penetrant geurende humus van dode planten en ze struikelde over verborgen wortels en ranken. Buiten was het al flink opgewarmd, maar hier streek koele lucht langs haar huid. Achter zich hoorde ze de stemmen van de vrouwen in het kamp en als ze goed keek, zag ze hen nog net tussen de bomen door. Daar waren haar dochtertjes, Nana en Leya. In hun felgekleurde jurkjes zagen ze eruit als vlinders, vlammend geel en vlammend rood. Elena had al bijna besloten om terug te gaan, toen ze het geluid weer hoorde: de kleine klokjes. Het was nu dichtbij, heel dichtbij.

Bijna tegen haar wil liep Elena verder. De bomen stonden hier nog dichter op elkaar, zo dicht dat er nauwelijks zonlicht doordrong tot dit deel van het woud. Het was nu niet gewoon koel meer, het was echt koud.

Elena rilde en aarzelde. Ze hoorde een geluid: een stok die brak onder een voet. Haar hart klopte in haar keel. Ze draaide zich om en verwachtte Maryam te zien of een van de andere vrouwen, die haar achterna was gelopen – maar er was niemand.

Of toch?

Elena zag plotseling iets glimmen vanuit haar ooghoek. Maar toen ze zag wat het was, begon ze bijna hardop te lachen. Panayia mou! Heilige Moeder Gods, wat ben je toch een dwaas! Ze drukte een hand tegen haar bonzende borstkas en sprak zichzelf bestraffend toe om haar schrikachtigheid. Het glimmende ding was niets anders dan een straal zonlicht die op dat moment door het bladerdak brak. Vlak boven de grond dansten stofjes in het licht, als diamantslijpsel. Die ene zonnestraal in het donkere woud was het mooiste wat Elena ooit had gezien.

En toen zag ze het altaar.

Het was niet veel meer dan een rotsblok op een kleine open plek, maar ze wist meteen wat het was. Zelfs van die afstand zag ze dat iemand het gesteente grof had bewerkt. Behoedzaam deed ze twee stappen naar voren. Nu zag ze de vorm van een halvemaan en van een hand, en een derde vorm, een plant of bloem met drie stelen. Wat het ook voor altaar was, ze had de indruk dat het heel oud was, ongetwijfeld allang vergeten door de bewoners van het stadje.

Elena sloeg snel een kruisje.

Rondom de rots groeide dik, groen mos en gras, dus ze vermoedde dat hij op een bron stond. Haar nieuwsgierigheid was geprikkeld en ze liep ernaartoe, langzaam en op haar tenen, al wist ze niet precies waarom. En inderdaad borrelde vanuit een diepe scheur een stroompje water op. Toevallig viel een zonnestraal op het rotsblok en het stroompje, dat glinsterde als kristal. Kleine regenboogjes dansten tussen het mos en verspreidden hun kleuren – rood, violet, indigo, oranje.

Een paar seconden kon Elena alleen maar staren. Ze was zo betoverd dat ze eerst niet merkte hoe stil het was geworden in het bos, oorverdovend stil. Geen dier bewoog, geen vogel zong. Het drong niet tot haar door dat de stemmen van de vrouwen in het kamp niet meer te horen waren en omdat ze niet achteromkeek, realiseerde ze zich ook niet dat haar dochters uit het zicht waren verdwenen.

Het enige waarvan Elena zich bewust was, was een plotselinge, verschrikkelijke dorst. Haar mond was droog, haar keel voelde rauw. Ze moest van dat water drinken, het moest! Maar nog steeds durfde ze niet te dicht bij het rotsblok te komen. Panayia mou! Ze sprak zichzelf weer streng toe. *Er is niets aan de hand, doe niet zo dom...* Ze liep naar het poeltje dat zich onder aan het rotsblok had gevormd: het was een klein poeltje, niet groter dan een mannenhand, maar gevuld met het zuiverste, helderste water dat ze ooit had gezien. Elena doopte haar gekromde hand in het water en dronk. Het water was zo koud dat het pijn deed aan haar tanden. En de smaak. Nooit eerder had ze zulk water geproefd. Ze dronk en dronk, tot haar lippen verdoofd waren van de kou. En toen hoorde ze het weer. Onmiskenbaar. Het zachte geluid van klokjes.

Maar dit keer kwam het van achter haar.

Elena keek over haar schouder en haar blik viel op iets glanzends: iets zilverkleurigs dat aan een tak hing. Ze liep ernaartoe om het beter te bekijken. Het was een amulet. Elena wist dat ze het maar beter niet kon aanraken, maar ze bestudeerde het zorgvuldig: het had de vorm van een zeemeermin met een dubbele staart. Aan de staart hing een bosje klokjes.

En weer klonk het getingel. En nog een keer, en nog een keer. In de korte tijd die ze in het woud had doorgebracht, was de zonnestraal al iets verschoven en nu bescheen hij de boom met het amulet. Elena zag dat er niet één amulet was, maar een heleboel, die glinsterden in het waterige zonlicht. Allemaal hadden ze de vorm van een zeemeermin met een dubbele staart. Ze waren met gekleurd draad aan de takken gehangen. Sommige zwommen op hun rug, anderen bliezen op een hoorn. Hoewel de meeste vrouwelijk waren, met lang haar dat achter hen aan golfde, waren er ook een paar mannelijke exemplaren, met kleine kroontjes op hun hoofd. In alle gevallen hingen er klokjes onder aan het amulet. Hoewel het volkomen windstil was in het bos, wiegden en draaiden ze aan hun draden alsof ze leefden.

Het vage onbehagen dat Elena had gevoeld, werd nu sterker. Ze mocht hier niet zijn, dat wist ze zeker. Dit oude bos was een heilige plaats. Instinctief sloeg ze weer een kruisje. Ze keek nerveus over haar schouder omdat ze dacht dat ze achter een boom een zacht geluid had gehoord, een soort kuchje. Was er dan toch iemand? Wat zouden ze doen als ze haar hier aantroffen? Ze had van de bron gedronken! De stilte die zo vredig had geleken beklemde haar nu. Ze had de indruk dat er iemand naar haar keek. Er waren ogen, overal ogen, dat wist ze nu zeker, die door de struiken naar haar keken...

Ze begon te rennen.

22

'Zo ja.'

'Voorzichtig met haar hoofd.'

'Neem jij de kleintjes mee.'

'Zo ja, voorzichtig aan. Nee niet daar, hierheen, ja, dat is beter.'

Toen Elena bijkwam, lag ze in de schaduw van de kleine luifel van hun tent.

'Wat is er gebeurd?' Maryam zat over haar heen gebogen, met een verbeten uitdrukking op haar gezicht. 'Heeft iemand geprobeerd je kwaad te doen?'

Eerst kon Elena niets zeggen en herinnerde ze zich niets van wat er was gebeurd. Toen zag ze de kleine zilveren amuletten weer voor zich, de zeemeermannen en zeemeerminnen die aan hun gekleurde draadjes rondtolden in het benauwde bos. Ze werd weer overmand door diezelfde angst, dat gevoel dat ze door onzichtbare ogen werd aangestaard. Bevend greep ze Maryams hand.

'Vertel het me maar.' Alle kleur was weggetrokken uit Maryams gewoonlijk gebronsde en verweerde gezicht. Ze hield Elena's hand stevig vast. 'Hebben ze je aangeraakt?'

'Nee, nee, zo was het helemaal niet.' Toen ze Maryams ongeruste gezicht zag, glimlachte Elena zwakjes. 'Het was donker. Ik heb mezelf bang gemaakt, dat is alles.'

'Bossen.' Maryam keek nerveus over haar schouder. 'Ik heb er nooit van gehouden.'

'Maar Maryam, we kunnen hier niet blijven, we moeten hier meteen weg.' Toen Elena haar vertelde wat ze in het bos had gezien, schrok Maryam. Ze stak haar hand in een van haar zakken en haalde het zilveren amulet tevoorschijn dat Bocelli haar had gegeven.

'Heb je iets gezien wat hierop leek.'

Elena nam het zilveren zeemeerminnetje aan, hield het figuurtje voorzichtig vast met haar lange vingers. Ze zei niets.

'Sorry, ik had het je eerder moeten vertellen.' Maryam keek haar bezorgd aan, maar Elena was niet bang, alleen maar nieuwsgierig.

'Wat betekent dit?'

'Ik weet het niet. Bocelli heeft me er niet veel over verteld. Alleen maar dat de mensen in deze streken geloven dat zeemeerminnen magische krachten hebben. Hij zei dat je langs de hele kust dit soort amuletten tegenkomt.'

'Maar waarom wilden ze dan van haar af?' Elena's hersenen draaiden meteen op volle toeren. 'Waarom wilden ze haar niet houden?' Ze fronste haar voorhoofd. 'Die man heeft ons een fortuin gegeven – twee paarden – om haar mee te nemen... het klopt niet.'

Elena had gelijk. Het klopte niet. Maryam dacht terug aan de vuile stal waar Bocelli haar de moeder en het kind had laten zien. Waarom had ze zich door Bocelli laten overreden. Kwam het doordat de situatie haar zo sterk deed denken aan de jaren die ze in de berenkooi van Grissani had doorgebracht? Misschien. Het deed er nu niet meer toe. Feit was dat ze hun een heleboel problemen had bezorgd, zoveel was duidelijk.

'Is dat de reden waarom ze ons geschenken brengen? Vanwege het kind?'

'Ik weet het niet, ik weet niets meer dan jij. Een geluksamulet is één ding, een echte zeemeermin is iets heel anders. Zoiets zei Bocelli ook. Hij wist dat ze bang waren.' Ze pakte het amulet terug van Elena en hield het zo vast dat de klokjes klingelden in de wind.

'Maar hoe wéten ze het? De mensen hier, bedoel ik. Niemand heeft het kind gezien, behalve wij.'

Maryam haalde weer haar schouders op en zweeg. Ze bestudeerde haar nagels en keek vervolgens naar het plaatsje aan de kust die onder hen lag.

'Maryam?' Elena ging langzaam rechtop zitten. 'Wat is er? Is er nog meer aan de hand?'

'Ja...' Maryam aarzelde. 'Ik geloof dat ik...'

'Wat?'

'Ik geloof dat ik hem heb gezien.'

'Wie?'

'Bocelli.'

'Heb je die Bocelli weer gezien?' Elena knipperde van verbazing met haar zandkleurige wimpers. 'Waar?'

'In het vorige dorp, toen ik brood ging kopen. Ik wist het niet zeker. Ik dacht dat ik het me inbeeldde. Maar vandaag, toen ik daarnet in het stadje was, zag ik hem weer. Ik kwam terug om het je te vertellen.' Het klonk niet overtuigend. 'En toen trof ik je zo aan. Ik wilde je alles vertellen, echt waar.'

'Weer die Bocelli!' zei Elena verbijsterd. 'De man uit Messina. Wat doet hij nou hier?'

Na een korte stilte zei Maryam: 'Ik geloof dat hij ons volgt.'

'Ons volgt?' Elena lachte bijna. 'Maar waarom? Wat wil hij dan van ons?'

'Ik geloof niet dat het hem om ons gaat.'

Ze vonden de zeemeerminmoeder achter in de wagen. Maryam had een afdakje gemaakt van een klein stuk zeildoek dat ze op een strand had gevonden. De jonge vrouw lag eronder, doodstil, met de baby naast zich.

Elena sprak hen zoals altijd zachtjes toe op een zangerige toon, alsof het wilde dieren waren die gekalmeerd moesten worden. Ze had water en een doek meegenomen, en terwijl Maryam de moeder meenam naar een plaats waar ze haar wasritueel kon uitvoeren, maakte Elena de luier van de baby los en begon ze het kind te wassen.

Toen Maryam terugkwam, wist ze meteen dat er iets mis was. 'Wat is er aan de hand. Is de baby ziek?'

Elena zei niets en bleef naar het kind op haar knie staren. 'Nee, niet ziek,' zei ze uiteindelijk op haar kalme manier. 'Maar... het is ook niet helemaal gezond. Kijk dan, nog zo klein, net een pasgeborene.' Ze pakte het kind op en hield het in haar handpalmen. 'Niet zwaarder dan een blaadje,' zei ze, terwijl ze verdrietig haar hoofd schudde. 'Ik vrees voor zijn leven, Maryam. Het groeit niet.'

Ze keken een paar seconden naar de baby.

'Het huilt niet.' Elena sprak zachtjes, zodat de moeder haar niet zou horen.

'Waarom niet?'

'Ik denk... ik denk dat ze te zwak is om te huilen?'

Het kleine ribbenkastje rees en daalde snel, alsof het kind moeite had om adem te halen.

'Denk je... is het een jongen of een meisje?' Maryam schaamde zich bijna om de vraag te stellen.

Elena keek naar de plaats waar twee benen hadden moeten zitten, maar waar nu één ledemaat zat, met twee kleine voeten, volmaakt gevormd, maar bij de enkel aan elkaar vastgegroeid en naar buiten gedraaid als het uiteinde van een vissenstaart.

'Geen van beide,' zei Elena met medelijden in haar stem. 'Of allebei. Hoe dan ook...' Maar haar woorden bleven steken in haar keel en ze schudde verdrietig het hoofd. 'Nou ja, we zullen wel zien. Kom, laten we maar doen wat we van plan waren.'

Ze liep naar de moeder toe, die onder de boom zat waar Maryam haar naartoe had gebracht om van de zon te genieten. De grond was stenig, maar rook naar geurige kruiden, munt en wilde tijm. Een bewerkte marmeren zuil van een oude tempel lag op zijn zij in het struikgewas. Elena ging erop zitten, haalde haar kam uit haar zak en begon het haar van de vrouw te kammen.

'Dat vindt ze prettig,' zei Elena zachtjes. 'Dit vind je prettig, hè?'

'Ik dacht dat we zouden proberen haar aan het praten te krijgen, niet dat we urenlang haar haar zouden borstelen.'

'Geduld, Maryam, wacht maar af.'

En ze had gelijk. Na een tijdje leek Thessala te ontspannen; ze sloot haar ogen en wendde haar gezicht naar de zon. Er stond nu een zacht briesje en op het water beneden hen verschenen kleine witte golfjes. Haar haar woei om haar gezicht, glanzend als rood goud. Al snel stopte Elena met kammen en pakte ze de hand van het meisje.

'Thessala!' riep ze om haar aandacht te trekken. Ze schudde aan haar arm. 'Thessala?'

Het meisje wendde haar blik af van de horizon en keek Elena aan. Haar ogen waren zo blauw als de zee in de verte.

'Hoe heet je? Je moet een naam hebben gehad voordat je bij ons kwam. *Pos se lene?*' zei ze, terwijl ze weer aan haar arm schudde, nu iets minder zachtjes. '*Onoma?*'

'Wat doet het ertoe hoe ze heet?' zei Maryam geërgerd. 'Ze hoort je niet. Ze hoort niets. Het lijkt wel of ze slaapt.' Ze stak haar hand weer in haar zak. 'Misschien moeten we ze gewoon weer in zee gooien; dan zijn we er vanaf. Hier, kijk eens of we haar hiermee wakker kunnen maken.'

Elena nam het amulet aan en hield het voor de ogen van de vrouw.

'Kijk!' Ze liet het heen en weer slingeren zodat het zilver het zonlicht opving en de kleine klokjes tingelden. 'Dit is voor jou, voor je baby.'

Ze legde de zilveren talisman in de handpalm van de zeemeermin en vouwde haar vingers eromheen, maar het meisje leek het niet op te merken. Het amulet gleed uit haar slappe hand op de grond.

'Het werkt niet – waarom zouden we nog moeite doen. Ze is zwakzinnig, klaar uit.' Maryam pakte een steen op en gooide hem ongeduldig de heuvel af. 'En waarschijnlijk is ze dat altijd geweest.'

Maar Elena liet zich niet zo gemakkelijk ontmoedigen. 'Kijk.' Ze pakte het amulet weer op en hield het tussen haar vingers. 'Kijk,

Thessala. Zo zie je het...' Ze bewoog haar hand heen en weer en deed hem dicht met het amulet erin. 'En zo, ha!' ze deed haar hand snel weer open, 'is-ie weg!' Het amulet was verdwenen. 'En nu, kijk nou eens wat we hier hebben?' Glimlachend boog ze zich voorover en haalde ze het amulet tevoorschijn vanachter het oor van het meisje.

'Je verdoet je tijd.' Maryam pakte nog een steen en gooide hem hoog in de lucht, waarna hij kletterend de heuvel af stuiterde naar de zee. 'Ze zal ons niets vertellen, geloof me...'

'Maryam...'

'Niet over Bocelli, niet over wat dan ook.'

'Maryam!'

Toen ze de scherpe klank in Elena's stem hoorde, draaide ze zich om.

'Zag je dat?'

'Wat?'

'Het meisje. Het lijkt wel of ze reageert.'

En het was waar. Maryam zag meteen dat er iets aan haar gezichtsuitdrukking was veranderd.

'Wat gebeurde er?' Maryam knielde naast hen neer op de rotsige grond. 'Wat deed je?'

'Niets, ik zweer het.' Elena ging op haar hurken zitten. 'Gewoon een van mijn trucjes'

'Nog eens, nog eens, snel.'

Elena herhaalde de truc. Ze pakte het amulet, liet het zeemeerminnetje tussen haar vingers door zwemmen, zo snel en zo behendig dat het echt op een zilveren vis leek. En toen ze zeker wist dat ze de aandacht van het meisje had, liet ze het verdwijnen en weer verschijnen, een keer, twee keer, drie keer, van achter haar hoofd, vanuit Maryams laars, vanuit een scheur in de boom achter hen.

'Het zijn haar ogen, kijk dan naar haar ogen...'

Er vond een enorme transformatie plaats op het gezicht van het meisje. Alsof een nevel of een sluier werd opgelicht. Alsof de persoon binnenin langzaam wakker werd na een lange slaap.

'Snel, waar is het water, geef haar iets te drinken.'

Maryam reikte het meisje haar leren veldfles aan, maar ze duwde hem weg en legde haar hand voorzichtig op Elena's arm. Ze keek hen beiden aan met een wazige, verwonderde blik, alsof ze hen voor het eerst zag. Haar lippen bewogen nauwelijks merkbaar.

'Panayia mou! Ik geloof dat ze iets probeert te zeggen.'

De lippen van het meisje bewogen weer, maar ze maakte geen geluid. Ze knipperde een paar keer snel met haar ogen, bracht haar hand naar haar keel met dezelfde verwonderde blik. Elena kwam dichterbij, legde haar oor tegen de mond van het meisje. En dit keer hoorde ze iets, één woord maar, een beetje hees maar duidelijk.

'...naam...'

'Ik geloof dat ze "naam" zei. Wil je ons je naam vertellen?'

Het meisje knikte.

'Ja?' Elena glimlachte haar uitnodigend toe. '*Onoma?* Vertel maar. Hoe heet je? Hoe – heet – je?'

En toen, na wat voor Elena en Maryam een eeuwigheid leek, klonk er uit haar mond zacht gefluister, dat zo snel vervloog op de zeebries dat het leek of het er nooit was geweest.

'Ik heet...' het meisje fluisterde in de wind, 'ik heet... Celia Lamprey.'

Deel twee

23

Er doen allerlei verhalen de ronde over hoe het is om te verdrinken.

Dat je je hele leven aan je voorbij ziet trekken terwijl je wegglijdt in het niets, of in de volgende wereld.

Maar nu, nu het allemaal voorbij was, wist Celia Lamprey dat het helemaal niet zo was. Het enige wat overbleef, het enige waar je je aan vast kon klampen, waren piepkleine flintertjes, een paar losse steentjes van een mozaïek: chaotisch, kabbelend, afschuwelijk. Iets wat klonk als de echo van haar eigen stem die schreeuwde: 'Niet zo, niet op deze manier, niet de zak.' De gedempte stemmen van de mannen: 'Kom, jongens, schiet op. Hoe eerder we klaar zijn met deze klus, hoe eerder we naar huis kunnen.' Het geraas van het water in haar oren...

Toen, plotseling, een versnelling, alsof ze omhoogschoot om adem te halen, tollend vanuit de donkere diepte, hoger en hoger, fonkelend en duizelingwekkend en buitelend, als zonlicht door zeeschuim.

Alsof ze werd gedoopt.

Als een wedergeboorte.

24

Ze zat onder een boom op een warme rots aan zee.

De lucht was warm en rook naar kruiden. De hemel boven hun hoofd had de kleur van gentianen; onder hen de diepblauwe zee. Een omgevallen zuil. Iemand had net iets gezegd. De woorden dreven nog op de zoutige bries.

Mijn naam is Celia Lamprey.

Pas na een paar minuten realiseerde ze zich dat het haar eigen stem was die sprak.

Twee vrouwen zaten naar haar te kijken. Althans, ze dacht dat het allebei vrouwen waren. Een van hen was langer dan alle mannen die ze ooit had gezien en zo breed als een prijsvechter; de andere was bleek en fijn gebouwd, met een lang, droevig gezicht. Ze keken haar ongerust aan.

'Mijn naam is Celia Lamprey.' Toen ze de woorden de tweede keer uitsprak proefde ze het zout op haar lippen.

De twee vrouwen keken elkaar aan alsof zich een wonder had voltrokken. Celia keek van de een naar de ander. Ze was niet bang, alleen maar nieuwsgierig.

'Ken ik u, *kadin?*' zei ze, en het was zo vreemd om haar eigen stem weer te horen dat ze bijna in lachen uitbarstte.

'Christos!' De vrouw met het droevige gezicht sloeg snel een kruisje met een stomverbaasde uitdrukking op haar gezicht. 'Christos!' herhaalde ze, alsof ze niet wist wat ze moest zeggen; en toen, met een stem die niet veel luider was dan gefluister: 'Ze... ze is wakker, snel geef haar wat water, Maryam.'

'Waarom?' Celia keek hen weer aan en fronste haar voorhoofd, want langzamerhand drong tot haar door dat ze geen idee had hoe ze boven op deze klip was terechtgekomen. 'Heb ik... heb ik geslapen?'

'Heb je geslapen?' echode de vrouw. Ze keek weer naar haar reusachtige vriendin en legde een hand voor haar mond, maar Celia zag nog net dat haar lippen trilden. 'Panayia mou!' zei ze met verstikte stem. 'Bij de gezegende maagd!'

Met haar ogen vol tranen zette de vrouw een veldfles aan Celia's mond. Ze bracht haar hand naar Celia's gezicht, alsof ze haar wang wilde aaien, maar aarzelde en trok hem weer terug.

'Maar ik ken je wel,' zei Celia, want ze wist het nu zeker. Ze pakte het kleine zilveren amulet met de klokjes op en hield het in haar hand: een steentje uit het mozaïek! 'Ja, nu weet ik het weer.' Ze begon heel snel te spreken, de woorden stroomden uit haar mond als water uit een bron. 'Jullie waren die acrobaten die die dag naar de harem kwamen, de vrouwen van Salonika – jullie traden op voor de sultan en zijn moeder, de walidé – jullie hadden twee kleine meisjes bij jullie, vooral die herinner ik me nog goed, alle kadin waren vertederd door de meisjes. Jullie haalden bloemen vanachter de oren van de toeschouwers vandaan, en die lieten jullie dan weer verdwijnen – net zoals je nu net deed met deze amulet.' Ze stopte abrupt, alsof haar gedachtegang werd onderbroken.

Opnieuw viel er een verbijsterde stilte.

'Ja! Lieve hemel!' Elena en Maryam wisselden weer een blik.

'Dus, jij was een dame... in de keizerlijke harem?' Het was Maryam die sprak.

Celia keek haar somber aan. 'Ja, ik bedoel, nee. Ik weet het niet. Het moet wel.' Ze keek de anderen verward aan. 'Was ik dat?'

Het verbaasde hen allemaal hoe gemakkelijk het bleek te zijn om vervoer voor de hele groep te regelen op een kleine kits, het schip waarvan ze eerder die ochtend de zeilen hadden gezien. De kapitein, die naar de haven was gekomen om vers water te halen, zei dat ze langs de kust van Dalmatië noordwaarts zouden varen.

Er waren geen offergaven meer geweest en ook Bocelli was niet meer gesignaleerd – Maryam begon weer te denken dat ze zich die keer had ingebeeld dat ze hem zag – maar toch waren ze allemaal opgelucht toen ze de streek verlieten.

Het meisje – Celia, zoals ze haar nu moesten noemen – volgde Elena met haar blik. Ze was doodsbang voor de bootsmannen, maar zolang een van de andere vrouwen bij haar was, was ze tevreden en kalm, alsof hun aanwezigheid haar geruststelde. Ze leek te berusten in het feit dat haar benen verminkt waren en dat de baby een afwijking had. Alleen als Elena te ver van haar verwijderd was, werd ze onrustig, alsof Elena, net als het geborduurde beursje dat ze altijd bij zich droeg, een dun draadje was dat haar verbond met haar onbekende verleden.

Alleen Maryam maakte zich zorgen. Het was duidelijk dat Celia een dame was, daar had ze nooit aan getwijfeld. Nagels die nooit in de aarde hadden gewroet, een teint die zo delicaat was dat de getaande vrouwen van de troep het bijna griezelig vonden. Maar een vrouw uit de keizerlijke harem? Dat was moeilijk te bevatten. Welk avontuur, welke schande had haar hier gebracht? Maryam voelde zich rustelozer dan ooit, alsof ze een dief was, alsof Celia een gestolen schat was.

Elena ging naast Maryam tegen de bazaanmast zitten.

'Ze maakt een gelukkige indruk, vind je niet? Ze weet nog hoe ze heet. Ze herinnert zich ons zelfs nog,' zei Elena. 'Maar verder... niets. Zelfs niet dat ding dat ze steeds maar zoekt in haar zak.'

'En het kind? Maryam dacht terug aan die avond waarop ze in de ogen van de baby had gestaard. 'Hoe zit het met het kind?'

En deze ene keer wist Elena niet wat ze moest zeggen. Ze haalde haar schouders op.

Zowel Maryam als Elena had goed gekeken hoe Celia met de

baby omging; ze voedde hem, maakte hem schoon, maar met dezelfde onverschilligheid als eerst. Er was niets veranderd. Ze pakte hem nooit op en zong nooit voor hem; ze leek geen vreugde aan hem te beleven, maar hij stoorde haar ook niet. Het was alsof ze er helemaal niets bij voelde.

'Geen moederliefde.' Maryam schudde het hoofd. 'Weet je zeker dat het kind van haar is?'

'Ja, dat weet ik zeker. Elena die zelf kinderen had en die Celia had onderzocht en verschoond toen Maryam haar naar het kamp had gebracht, knikte. 'Ze heeft een paar scheurtjes in haar geheime delen en haar menstruatie is nu heel zwaar... ja, ik weet het zeker.'

'Ik vind het zo tegennatuurlijk.' Met gefronst voorhoofd pulkte Maryam aan een gaatje in haar leren buis.

'Het komt wel eens voor.' Elena trok een van haar dochtertjes naar zich toe en kuste haar vurig. 'Maar weet je, Maryam, met zo'n kind...' ze keek even naar haar vriendin en wendde haar blik snel weer af, 'nou ja, het zou de loop van de natuur kunnen zijn.'

'Hoe bedoel je, de loop van de natuur?'

'Maryam,' Elena zuchtte, 'de kans dat het kind blijft leven is klein. Dat weet jij net zo goed als ik. Het wordt met de dag zwakker. Je moet het accepteren.'

'Ik dacht... ik dacht dat het nu misschien anders was, dat is alles.'

'Dat ze zich weer dingen herinnert, maakt voor het kind niets uit.' Elena haalde haar schouders op. 'Toch moeten we doen wat we kunnen om haar te helpen.' Ze gaf de tegenstribbelende Nana een kus en zette haar met tegenzin weer op de grond. Het lot van de jonge vrouw leek nog gruwelijker dan eerst, alsof ze op de diepste oceaan dobberde, zonder iets in de buurt wat haar aan het leven zou kunnen ankeren.

'Misschien.' Maryam bewoog onrustig heen en weer. 'Misschien niet. Misschien zou het beter zijn als ze het zich niet herinnerde, heb je daar wel eens aan gedacht?'

Ze dacht aan haar eigen verleden: de dingen die ze had gezien, de mensen die haar zoveel kwaad hadden gedaan. Ze zou er alles voor over hebben om het zich niet meer te herinneren. Bovendien wist ze diep vanbinnen dat deze vrouw het slachtoffer was geweest van gruwelijk geweld. Haar benen, de baby... Als ze daaraan dacht voelde het of haar keel werd dichtgeknepen. Als ik Bocelli ooit weer zie, dacht ze, wring ik het uit hem, dat smerige onderkruipsel. Ik zweer het, op het leven van Nana en Leya. Al is het het laatste wat ik doe.

Ik zweer het op mijn eigen leven.

Celia werd met een schreeuw wakker. Haar hart bonsde in haar keel.

In haar droom kwam iemand naar haar toe, een man wiens gezicht ze niet kon zien. Ze probeerde voor hem te vluchten, maar het lukte niet; ze probeerde te schreeuwen maar er kwam geen geluid. Ze had het gevoel dat ze werd geplet, alsof er iets zwaars op haar drukte en ze bijna geen adem meer kon halen, laat staan bewegen. En opeens een scherpe, hevige pijn tussen haar benen, het gevoel alsof een klauw of een haak van metaal of been, of misschien een nagel van een mens, haar vlees kapotscheurde, haar openwrikte. Haar wang schuurde langs ruwe, houten planken, onder haar rug lag iets hards, iets wat leek op een opgerold touw, en ze rook de stank van iets wat ze vaag herkende, iets doods en bedorvens, misschien een vis? – 'Kom op, jongens, opschieten' – en dan nog iets, iets wat ze niet kon zien, een hard stuk vlees of een hard bot dat onhandig tegen de bovenkant van haar dijen stootte – 'Kom op jongens, opschieten, hoe sneller we de klus hebben geklaard, hoe eerder we thuis zijn' –, steeds woester, porrend en wroetend, op zoek naar haar geheime delen, die nu kapot en bloederig waren, maar het ding miste steeds zijn doel, tot het eindelijk – de beweging stokte even, niet langer dan een hartslag – vond wat het zocht. Het vreemde happen naar adem, de geur van vis op haar oor, op haar wang, zelfs op haar lippen, en ze besefte met afschuw dat hij met zijn tong haar gezicht likte, de kant van haar gezicht die niet werd platgedrukt tegen de bodem van de boot, *dus dit is het, o God,* hij stootte in haar, genadeloos, *o, God, de pijn, de pijn. Help me, God, help me,* weer zijn adem in haar oor, dit keer als een snik, ver naar binnen, dieper en dieper, en het gevoel dat als dit nog langer doorging, als er nog meer waren, ze simpelweg in tweeën zou splijten...

Celia ging rechtop zitten, haar hemd doordrenkt met zweet. Het duurde even voordat ze zag waar ze was. Het was nacht en ze lag met de andere vrouwen op een rij op het dek van het schip. Ze waren in een kleine baai voor anker gegaan. De steile helling die afliep tot aan het water, was volledig begroeid met parapludennen. Zelfs op het dek was de nachtlucht nog drukkend warm. De krekels, die overdag langs de kustlijn zo nadrukkelijk aanwezig waren geweest, zwegen nu, maar overal om haar heen hoorde ze zachte geluiden: het gekraak van hout, het geschraap en gekreun van de ankerketting; het geritsel van een nachtdier in het woud. Het licht van de volle maan was zo fel dat ze het rood zag van Maryams bandana, die aan een spijker in de bazaanmast hing.

Terwijl ze uit alle macht probeerde de schimmen van de droom te verdrijven, hoorde ze plotseling iets spartelen in het water. Ze trok zichzelf naar de zijkant van de boot en keek over de rand. Aan de zeezijde, waar het maanlicht het water zilver kleurde, zag ze twee dolfijnen die samen aan het springen waren.

Ze bleef er een tijdje naar kijken, als in trance. En plotseling keerde dat gevoel terug, het ruisen, het buitelen, het tollen, en daar was het: een nieuw stukje van het mozaïek.

Het was een warme zomernacht, net als nu, en ze zouden gaan kijken naar de spelende dolfijnen in de Zee van Marmara. Ze zaten in een bootje – nee, in een vloot van kleine bootjes – allemaal verlicht, als vuurvliegjes. De lucht rook naar rozen. Er was muziek en er klonken lachende stemmen. Voor hen uit voer de boot van de walidé, de achtersteven was gedecoreerd met edelstenen, glanzend marmer, paarlemoer, zeepaardtandjes en goud. Gulbahar was er, en Turhan en Fatma. En natuurlijk Ayshe... Celia's hart maakte een sprongetje. Ayshe!

Maar Ayshe had toch nog een andere naam?

Ayshe. Annetta.

Annetta. Ayshe...

Maar het had geen zin. Net zo plotseling als het was begonnen, hield het ruisen op. Het mooie visioen verdween als een droom. Hoe harder ze probeerde het vast te houden, hoe sneller het vervaagde. Ze was terug op de krakende boot, haar haar en kleren stijf van het zeezout en om haar heen de raspende ademhaling van de acrobates.

De baby in zijn kleine bundeltje lompen bewoog even. Hij maakte een geluidje, een zacht gemiauw dat eerder deed denken aan een jong katje dan aan een kind.

Niet wakker worden, alsjeblieft nog niet wakker worden. Ze pakte het bundeltje op en hield het onhandig in haar armen, niet tegen haar borst, bij haar hart, zoals moeders gewoonlijk doen. Ze hoopte dat de beweging het kind weer in slaap zou sussen – nog even.

Ze keek naar de maanverlichte zee, naar het kleine haventje, naar de dennen die tot aan de rand van het water groeiden. Geen zuchtje wind. Ze keek naar de baby en naar het water. En toen weer naar de baby.

Het kind leek tot rust te zijn gekomen. Ze legde het bundeltje neer, maar nu aan haar andere kant, dicht bij de rand van het dek. Iets te dicht bij de rand. Ze keek om zich heen. Het enige wat ze kon zien waren de zwarte vormen van de vrouwen die op een rij lagen te slapen. Niemand bewoog.

In haar eentje in het maanlicht had Celia het eenzame gevoel dat zij en de baby de enige twee levende wezens waren in Gods universum. Ze werd overmand door zo'n intens gevoel van eenzaamheid, dat het haar bijna te veel werd. Onder haar klotste de zee zachtjes tegen de zijkant van de boot.

Met moeite sleepte ze zich dichter naar de rand en ze keek naar beneden. Onder het zilveren oppervlak was het water diep en zwart. Het in doeken gewikkelde kind lag gevaarlijk dicht bij de rand. Onder de doeken was de vorm van zijn ene ledemaat, de visachtige staart, nog net herkenbaar. Celia stak haar hand uit om hem naar zich toe te trekken, naar de veiligheid – en even aarzelde ze.

Niemand zou het zien, niemand zou het kind horen vallen. Ik geef hem tenslotte alleen maar terug, dacht ze, terug aan de diepzee. Ze zag het voor zich: een klein wezentje dat vrij rondzwom, over de maanverlichte zeeën sprong als een dolfijn.

Tegen zonsopkomst werd Maryam wakker. De plek waar Celia gewoonlijk sliep was leeg en toen ze rondkeek zag ze dat het meisje zichzelf op de een of andere manier naar de voorplecht van de boot had gesleept. Zoals zo vaak lag het kleine geborduurde beursje geopend op haar schoot. Met krakende botten stond Maryam op en ze ging naast haar zitten.

'Waar ben je toch steeds naar op zoek?' fluisterde ze. 'Ben je iets kwijt?'

Celia keek op met een verloren blik. 'Ik weet het niet. Althans – ik denk dat hier iets in zat, iets wat ik moest bewaken; iets kostbaars. Maar er zit nu niets meer in. Weet jij wat erin zat?'

Maryam schudde het hoofd. Ze pakte het zakje op. In haar enorme handen zag het er heel klein uit, als iets van een kind of een pop.

'Je had dit bij je toen we je vonden,' ze keerde het beursje binnenstebuiten en onderzocht de zwarte, zijden voering, 'maar er zat niets in, behalve een gewone steen. Weet je nog waar het vandaan kwam?'

'Het beursje?' Celia glimlachte. 'Maar natuurlijk, alle haremvrouwen hadden er een, alle cariye en zelfs de walidé. We droegen er altijd een aan onze riem en stopten ons dagelijks loon erin...' Ze stopte plotseling, alsof ze verbaasd was dat ze zich zoiets onbeduidends herinnerde.

'Dus er zat geld in?' raadde Maryam. 'Misschien een paar aspers.'

'Misschien.'

Celia keek haar aan. Ze vroeg zich af of ze Maryam moest vertellen over de spelende dolfijnen in het maanlicht en de herinneringen die dat schouwspel had opgeroepen, maar eigenlijk was ze nog steeds een beetje bang voor deze reuzin in haar grove leren wambuis, die zo groot was en zo weinig zei.

De zon verrees nu boven de horizon en de anderen op de boot kwamen langzaam in beweging. In het vale licht kon ze Maryams gezicht beter zien. Zonder haar gebruikelijke bandana hing haar zwarte haar slap voor haar vettige gezicht en op haar bovenlip stonden donkere haartjes. Maryam was bijna glorieus in haar lelijkheid. Hoe zou het zijn om als gedrocht door het leven te gaan, dacht Celia?

Vlak naast hen op het dek klonk een zacht geluid. Toen Celia niet reageerde, keek Maryam haar aan. 'Mag ik?' Celia knikte en keek toe terwijl Maryam het kind oppakte. Wat een surrealistisch gezicht: die reusachtige vrouw met dat piepkleine kind. Maryam hield het bundeltje zo onhandig vast dat Celia dacht dat ze het zou laten vallen; ze had het niet in haar armen maar in haar handpalmen. Met haar brede gezicht vol littekens keek ze zo teder naar het kind in haar armen dat Celia zich plotseling schaamde. De baby maakte weer een geluidje, een broos armpje kwam los uit de doek die hem omwikkelde en zwaaide doelloos door de lucht. Maryam stak haar vinger uit en leek haar adem in te houden toen de kleine vingers van het kind ernaartoe fladderden en zich eromheen sloten.

'Kijk!' Ze zuchtte. 'Zijn handje...' Haar gezicht leek te gloeien in het zachte ochtendlicht en zag er even bijna mooi uit, 'als een fladderende mot.'

'Zijn?' Celia fronste haar voorhoofd.

'Maar natuurlijk.' Maryam, die haar ogen niet van de baby af kon houden, knikte. 'Het is toch een jongen?'

Terwijl ze sprak viel een hoekje van de doek waarin de baby was gewikkeld naar beneden, waardoor het onderlichaam zichtbaar werd. Instinctief wendde Celia haar blik af.

'Ik... ik weet het niet,' mompelde ze, 'het is moeilijk te zeggen.'

Maryam ving haar blik op.

'Je hoeft je niet te schamen.'

'Schamen? Ik schaam me niet.'

'Waarom bloos je dan?'

En het was waar, het bloed was Celia naar het hoofd gestegen. *Ik voel niet alleen maar schaamte*, wilde ze zeggen, *het is walging. Ik krijg kippenvel als ik hem zie... En hoewel ik weet dat God me erom zal vervloeken, gaat er geen dag voorbij zonder dat ik me afvraag wat er zou gebeuren als ik hem zou teruggeven aan de oceaan...* Maar ze had zo'n brok in haar keel dat ze geen woord kon uitbrengen.

Maryam merkte niets van de gedachten die door Celia's hoofd spookten.

'Mijn ouders schaamden zich altijd voor mij.' Er klonk geen bitterheid in haar stem. 'Ik ben altijd groot geweest. Ze meenden dat ik een foutje van de natuur was,' ze haalde haar schouders op, 'en dat was ik geloof ik ook. Toen ik elf was, was ik langer dan mijn eigen vader – en hij was lang – en bijna net zo sterk. Ze probeerden me te verbergen voor de buren in het dorp. Ik mocht niet met de andere kinderen spelen...' Ze schudde langzaam het hoofd. 'Maar dit kleintje hier,' met tedere bewegingen vouwde ze de doek weer om de vissenstaart, 'voor hem zal niemand zich schamen.'

Het kind draaide zijn hoofd van links naar rechts en maakte weer dat miauwende geluid.

'Hij heeft honger,' zei Maryam.

'Hij eet niets.' Celia keek bedroefd naar het kind.

'Laat mij het eens proberen.'

Maryam liep weg en kwam terug met een beker melk. Ze nam de baby weer over, hield het in de kromming van haar elleboog, doopte haar wijsvinger in het vocht en voedde hem met eindeloos geduld, druppel voor druppel.

'Kijk.' Maryam straalde. 'Hij eet!'

Celia keek naar de baby die in Maryams reusachtige armen lag. Hij was zo klein en zwak, zijn huid nog rood en gerimpeld, alsof hij pas geboren was, en op dat moment wist ze wat Elena al die tijd al had geweten.

'Ik vind het heel erg voor je,' zei ze, en de woorden waren eruit voordat ze het wist, 'maar ik geloof dat het te laat is...'

'Te laat? Het is nooit te laat. Kijk dan.' Maryam doopte haar vinger weer in de melk en hield hem tegen de lippen van het stervende kind. 'Hij eet. Wacht maar, hij wordt wel sterker.' Ze keek liefdevol op hem neer. 'We gaan naar de stad, naar Venetië. Daar hebben ze dokters, in het *ospedale*. Dat heeft een van de bootsmannen me verteld, wacht maar af. Ik zal voor hem zorgen, altijd.'

Ik zweer het.

Op mijn leven.

25

Pas een paar uur voor zonsondergang kwam Carew eindelijk aan bij Constanza's palazzo.

Hij was van het klooster vertrokken met de boot van Ambrose. Bij de Rialto-brug hadden ze afscheid genomen en daarvandaan was hij gaan lopen. Na de frisse lucht en de wind van de lagune, leken de smalle steegjes van de stad nog lawaaiiger en drukker dan die ochtend. Zelfs op dit uur was de hitte, die weerkaatste tegen de afbladderende, gepleisterde muren, verstikkend. Onder de ramen hing wasgoed te drogen en hij rook de stank van het water in de kanalen en de geur van gebakken vis, het avondmaal van de bedienden van een of ander groot huishouden. Twee kinderen renden langs hem heen. Ze joegen op een hond met ringvormige broden, *simit*, in hun handen.

Het was een lange wandeling. Anders dan Pindar, die overal met de boot naartoe ging, was Carew gewend aan de steegjes van de stad. Hij kende ze op zijn duimpje: de bruggetjes en de doodlopende calli met hun vervaalde roze en gele verf, de *sottopassagi* en de verborgen binnenhofjes, en altijd de stank van de zwarte kanalen. Maar nu was zelfs hij de weg kwijt.

In zijn hand had hij het roze beursje dat de non had laten vallen. Sinds hij van het eiland was vertrokken, speelde steeds dezelfde vraag door zijn hoofd: was het echt identiek aan het zakje waar de diamant in had gezeten, of verbeeldde hij het zich maar? Het was zo donker geweest in de ridotto, die alleen was verlicht door een paar kaarsen en ze hadden de diamant maar een paar tellen gezien. Maar als het net zo'n zakje was, hoe had de non dat dan in godsnaam in handen gekregen? Kon het zijn – Carew streek vol ongeloof met een hand door zijn haar –, kon het zijn dat zij toch de dame uit de harem was?

Er was nog iets aan haar wat hem dwarszat. Ze had iets vertrouwds waar hij de vinger niet op kon leggen. Wat was het? Hij kon het zich niet herinneren, hoe hij ook zijn best deed.

Uiteindelijk stond hij voor de poort waarnaar hij op zoek was: de achteringang van het palazzo van Constanza. Toen Carew zijn hand ophief om aan te kloppen, zag hij tot zijn verrassing dat de ijzeren poort op een kiertje stond. Hij duwde hem voorzichtig verder open en ging naar binnen.

Het kleine binnenplaatsje was rommeliger dan in zijn herinnering. Het hout voor de keukenvuren, normaal zo keurig opgestapeld, lag nu kriskras door elkaar op de plek waar het was afgeleverd. Tegen de muren lagen kapotte meubels en er groeide onkruid tussen de tegels van het plaatsje en op de stenen trap die naar de piano nobile leidde. De bakstenen muren waren overwoekerd met klimop, en er hingen zelfs uitlopers over de rand in de smalle calle erachter.

Midden op het binnenplaatsje stond een oude stenen put waar een vrouw, met de rug naar hem toe, bezig was een houten emmer met water omhoog te trekken. Ze droeg hoge steltschoenen, zodat haar gewone schoenen niet vies zouden worden en had haar buitenrokken opgetrokken. Het duurde even voordat hij haar herkende.

'Constanza...?'

De vrouw draaide zich om en toen ze hem zag, bracht ze haar hand naar haar voorhoofd.

'Ik ben het maar...'

'John Carew!' Ze staarde hem aan alsof hij een vreemde was. 'Je maakte me aan het schrikken.'

Zonder iets te zeggen pakte Carew de zware emmer uit haar handen en liep ermee naar de keukens. Constanza volgde hem langzaam.

Ook de keukens zagen er verwaarloosd uit; de tegelvloer was vettig en op een kast stonden vieze borden en glazen. Het vuur was allang geleden gedoofd. Hij zag meteen dat hier allang niemand had gekookt.

'*Senti...*' Constanza wilde iets zeggen, maar Carew onderbrak haar.

'Zoals ik zei, ik ben het maar. Je hoeft niets uit te leggen.'

'Normaal komt er niemand via die ingang binnen, behalve de bedienden. Mijn bezoekers gebruiken altijd de ingang aan het kanaal...' zei ze nerveus.

'Waar zijn ze?' Hij keek naar haar bezorgde gezicht. 'Je bedienden, bedoel ik.'

'Wie zal het zeggen.' Constanza maakte haar rokken los. 'Herinner je je mijn dienstmeid Tullia nog? Zij komt nog wel eens, maar vandaag niet. En de rest,' ze haalde haar schouders op, 'heb ik al in geen maanden meer gezien.'

Carew kon zich niet herinneren haar ooit eerder in daglicht te hebben gezien, of zelfs maar buiten haar schitterende kamer met uitzicht op het kanaal, waar ze, als de met juwelen behangen feniks van haar jeugd, haar bezoekers ontving.

In het daglicht zag Constanza er anders uit; haar gezicht was ouder, rondom haar ogen zaten rimpels, de huid van haar nek begon sporen van ouderdom te vertonen. Hij vermoedde dat ze zich bewust alleen bij kaarslicht liet zien. De meeste mannen die ze kende, de mannen van wie ze afhankelijk was voor haar inkomen, waren waarschijnlijk weinig vergevingsgezind.

Niets is zo betreurenswaardig en afstotelijk als een oude hoer, vind je niet? De grove taal van Francesco weerklonk in zijn oren. En toch leek het bijna heiligschennis om haar zoiets alledaags te zien doen als zoeken naar brood en kaas in haar eigen keuken.

Eenmaal boven, gezeten in de schemering van haar prachtige kamer, leek Constanza zich meer op haar gemak te voelen. Met het grote overdekte bed in het midden en het kleine tafeltje met het Turkse kleedje deed de ruimte Carew denken aan een lege, galmende kerk.

Overdag waren linnen schermen neergelaten voor de balkonramen om de verschroeiende hitte buiten te houden, maar nu trok Constanza ze omhoog in de hoop dat de avondbries verkoeling zou brengen.

'*Che caldo!*' Ze probeerde zonder veel succes haar hals en slapen droog te deppen met een zakdoek. 'Madonna, wat een hitte. Heb je het gehoord? Ze zeggen dat de pest deze zomer terugkeert.'

Het plafond weerkaatste de rimpelingen van het water. Constanza staarde een poosje naar het kanaal, met haar rug naar Carew gekeerd. Haar donkere haar hing als een dik touw op haar rug. Ze droeg hetzelfde mouwloze Ottomaanse gewaad – pauwblauw en goud – waarin Carew haar de laatste keer had gezien.

Ze liet haar voorhoofd tegen een van de koele stenen pilaren rusten. 'Komt hij, denk je?'

Carew keek naar haar en glimlachte. 'Dat heb je me al eens gevraagd, weet je nog?'

'Dat is waar.' Constanza's ogen waren gesloten. 'Maar wat is nu je antwoord, John Carew?'

Eerst zei Carew niets, en toen aarzelend: 'Ik had gehoopt dat jij me dat kon vertellen.'

'Aha, dus jij bent ook naar hem op zoek? Dus we moeten weer eens wachten op Paul Pindar, net als de vorige keer.' Constanza zuchtte zachtjes. 'Beste vriend, je hebt geen idee hoe moe ik ben.'

Ze frunnikte verstrooid aan de gouden schakelketting met het rode juweel om haar hals.

'Het is waar dat hij hier nog een paar keer is geweest na die keer dat je die Ambrose had laten komen, maar daarna heb ik hem niet meer gezien, als dat is wat je wilde vragen.' Er viel een stilte waarna ze er, nog steeds met haar rug naar hem toe, aan toevoegde: 'Hij is nog steeds verliefd op haar, hè?'

'Verliefd?'

'Op dat meisje, Celia Lamprey.'

'Hoe kun je nou verliefd zijn op iemand die dood is?' Carews stem klonk scherper dan bedoeld. 'Dat kan ik me niet voorstellen.'

'Hoe weet je dat ze dood is?'

'Dood voor hem.' Carews ogen waren steenkoud. 'Dat is hetzelfde.'

'Gesproken als een ware filosoof.' Constanza draaide zich om en keek hem aan. Ze had zichzelf gedwongen haar somberheid van zich af te zetten en glimlachte nu weer vrolijk. 'Bravo, John Carew! Toe, neem nog wat wijn voordat je gaat.'

Ze liep naar de tafel aan het voeteneind van het enorme bed, waarop ze brood, kaas en een kruik wijn had gezet. Haar voetstappen klonken hol op de kale vloer.

'En jij, John?' Ze reikte hem een van de glazen met de lange stelen aan. 'Vertel eens,' ze keek hem aan, plotseling ernstig, 'ben je ooit verliefd geweest?' Maar toen ze zijn uitdrukking zag begon ze te lachen. 'O, ik weet alles over je nachtelijke uitstapjes, je bezoekjes aan de klooster... Maar van mij heb je niets te vrezen.' Ze schonk hem haar slaperige, katachtige glimlach. 'Het enige wat ik kan zeggen, is dat ik medelijden heb met het meisje dat ooit verliefd op je wordt, John Carew.'

Carew reageerde niet. Hij liep naar de tafel. Tussen de papieren en pennen, de inktsteen en het mes om de pennen mee te scherpen, lag het pak tarotkaarten waarmee Constanza de vorige keer had gespeeld, de kaarten waarmee ze de toekomst voorspelde. Hij keek naar de raadselachtige afbeeldingen: de Magiër, de Maan, de Dwaas, de Gehangene – dat zou hij waarschijnlijk zelf worden als hij nog langer hier bleef. Om verdere vragen te vermijden pakte hij een van de vellen op die door Constanza waren volgeschreven.

'Vindt Paul het goed als je zíjn papieren leest?' Met één opgetrokken wenkbrauw strekte Constanza haar hand uit om het vel terug te pakken.

'Ik wist niet dat je gedichten schreef,' zei hij, terwijl hij haar het vel teruggaf.

'Een van mijn beschermheren vraagt erom. Om gedichten en om de kaarten, natuurlijk. Deze is voor een feest dat hij morgen geeft in zijn tuinen op La Giudecca.' Ze liet haar blik even op het papier met de verzen rusten en legde het vervolgens voorzichtig terzijde.

Carew keek steeds weer naar de tarotkaarten op de tafel, die net als de vorige keer verspreid lagen op het Turkse kleedje. Constanza volgde zijn blik. 'Weet je nog dat ik de vorige keer je toekomst probeerde te voorspellen? Er was iets wat ik niet begreep...' Constanza ging aan het tafeltje zitten, coupeerde de kaarten, schudde ze, herhaalde deze handelingen een paar keer en spreidde ze uit in de vorm van een waaier. 'Hier, kies er maar een.'

Haar gewoonlijke speelsheid had plotseling iets koortsachtigs, alsof ze een rol speelde.

'Zoals ik al zei, Constanza, ik weet precies hoe mijn toekomst eruitziet,' begon Carew, maar om haar een plezier te doen pakte hij toch een kaart, die hij zonder hem te bekijken aan haar gaf. 'En ik zal er ook een voor jou pakken, als je wilt. Hier...' Hij pakte een tweede kaart en legde hem gesloten op tafel, naast de eerste. Ze keek hem even aan en richtte haar blik daarna weer op de dichte kaarten.

'Wil je niet weten wat je hebt getrokken?'

'Nee, ik ben hier niet gekomen om mijn toekomst te laten voorspellen.' Carew balde zijn vuist en liet zijn knokkels knakken. 'Ik wilde eigenlijk alleen maar een boodschap achterlaten. Voor Pindar.'

'Nou, zoals je kunt zien is hij er niet.' Constanza bestudeerde de kaarten met intense concentratie, alsof ze ze niet durfde aan te raken.

Carew pakte een van de messen die aan zijn riem hingen en sneed een stukje van de kaas die op het bord lag. Hij wist dat hij nu moest spreken, dat hij moest zeggen wat hij op zijn hart had – anders was het te laat. Bedachtzaam stopte hij het stukje kaas in zijn mond.

'Pindar heeft de diamant gezien waarover je me vertelde. We hebben hem allebei gezien.'

Ze verstijfde. 'De blauwe diamant?'

'Juist.'

Hij zag de bijzondere steen weer voor zich. Blauw ijs. Blauw vuur. Een object van een andere wereld.

'Hebben jullie hem gezien? Dus de verhalen zijn waar...' Constanza leunde achterover in haar stoel. 'En waar heb je hem gezien? Of nee, vertel het me maar niet...'

'Bij die man wiens naam je noemde. Memmo, zo heette hij toch?'

'Zuanne? Zuanne Memmo?' Constanza bracht haar hand naar de rode spinel om haar hals.

'Er was ook iemand anders. Francesco. Een vriend van Memmo, geloof ik. Ik mocht hem niet erg.'

'Francesco?' Constanza werd bleek. 'Francesco Contarini?' Ze zag eruit alsof de naam haar verstikte.

'Blijkbaar ken je hem?'

'O ja, ik ken hem. En Paul ook. Dit is erger dan ik dacht. Hij heeft het slecht met hem voor, Carew, let op mijn woorden.'

Plotseling kwam er een andere gedachte in haar op. 'Maar ze hebben hem er toch niet om laten...'

'Spelen? Nee, nog niet.'

'Godzijdank.' Constanza, die half was opgestaan, liet zich weer in haar stoel zakken. 'Godzijdank! Francesco en Zuanne! O mijn god, waarom heb ik hem niet tegengehouden?'

'Maar vergis je niet, dat gaat wel gebeuren,' zei Carew verbitterd, 'zodra hij kan bewijzen dat hij geld heeft om in te zetten.'

'Gelukkig, dan hebben we nog tijd.'

'Waarvoor?'

'Om hem tegen te houden, natuurlijk.'

'Hem tegenhouden?' Carew keek haar aan alsof ze haar verstand had verloren. 'Niemand kan hem nu nog tegenhouden.'

Carew vertelde haar in het kort over het gesprek tussen Paul en Prospero Mendoza in het getto. Over de vrouw die juwelen verkocht en van wie werd gezegd dat ze ooit in de keizerlijke harem woonde, over de mysterieuze man uit Constantinopel die de diamant had verloren met kaarten en die vervolgens was verdwenen.

'En denkt Paul dat deze twee op de een of andere manier met elkaar verbonden zijn?' vroeg Constanza niet begrijpend. 'Ik snap niet hoe.'

'Hij weet het niet zeker – niemand weet het zeker – maar het kan bijna geen toeval zijn. En er is nog iets wat je moet weten.' Carew vertelde haar over de inscriptie. 'Prospero zegt dat de blauwe diamant van de sultan anders is dan andere edelstenen, dat hij magische krachten heeft. Pindar was de enige die de inscriptie kon lezen en daaruit heeft hij geconcludeerd dat de diamant hem op de een of andere manier naar Celia zal leiden, of naar nieuws over haar.'

Constanza zweeg een poosje.

'Je zegt dat die man uit Constantinopel is verdwenen. En hoe zit het met de dame uit de harem?'

'Schijnbaar heeft deze dame besloten haar geïsoleerde leven voort te zetten en haar toevlucht te zoeken in een van onze kloosters. Dat was wat ik via jou aan hem had willen vertellen. Kijk.' Carew stak zijn hand in zijn hemd en haalde het beursje van de non tevoorschijn. 'Ik denk dat ik haar heb gevonden.'

'Maar je zegt dat je niet met haar hebt gesproken?'

Het beursje lag in Constanza's handpalm – roze fluweel geborduurd met zilverdraad, in Ottomaanse stijl. Ze bestudeerde het zorgvuldig. Het had een trekkoord waarmee het kon worden afgesloten, een zwarte zijden voering en lange veters waarmee het aan een gordel om het middel kon worden bevestigd. De stof was heel stijf, alsof hij was gevoerd met een ander materiaal, papier of perkament.

'Nee, niet echt.'

'Hoe bedoel je, niet echt? Weet je wel hoe ze heet?'

Carew keek naar de vloer.

Annetta. Hij wist haar naam weer. Annetta. Maar op de een of andere manier kon hij zich er niet toe zetten om hem hardop uit te spreken. Het enige wat hij zich kon herinneren was het moment in de tuin, dat zich al zo vaak had herhaald in zijn hoofd: het gevoel dat hij haar voor het eerst zag, de lok donker haar en de moedervlek op haar jukbeen, de stap die hij opzij zette om haar langs te laten – wat had hem bezield? – en hoe hij haar zag weglopen en uit het zicht verdwijnen, voorgoed.

Constanza onderbrak zijn mijmeringen. 'John, luister je wel? Ik zei dat je dan wel erg weinig informatie hebt. Hoe weet je zo zeker dat zij het is?'

'Ik wist het niet zeker – niet meteen.' Hij pakte het beursje van haar aan, hield het onder zijn neus en rook er voorzichtig aan. Wat hoopte hij? Dat hij nog iets van haar zou ruiken, een parfum, wat dan ook? Maar nee, er was niets.

'Ik weet tamelijk zeker dat dit beursje identiek is aan het beursje waar de diamant van Memmo in zat.'

'Is dat alles? Er kunnen wel honderden van dit soort beursjes zijn.'

'Er is nog iets, hoewel ik op dat moment niet wist wat het was.' Carew aarzelde. 'Haar manier van lopen.'

'Haar manier van lopen?' Constanza staarde hem aan alsof hij gek was geworden. 'En hoe loopt ze dan precies?'

'Nou, toen ik in Constantinopel was zag ik een keer een paar vrouwen in de keizerlijke harem. Door een gat in de muur.' Hij zag Constanza's blik. 'Ik weet het... het is een lang verhaal.'

'Madonna!' Constanza leunde achterover in haar stoel. 'Toen was je dus als een monachino,' zei ze lachend, maar toen ze het gezicht van Carew zag, werd ze weer serieus. 'Dus die haremvrouwen hadden een bepaalde manier van lopen, is dat wat je me wilt vertellen?'

'Ja, een golvende tred, iets in de manier waarop ze hun heupen bewegen, moeilijk te beschrijven, maar heel typisch. Ik wist dat die tred me ergens aan deed denken maar pas toen ik weer hier was, herinnerde ik het me.'

Het was even stil.

'Daar hebben we niet veel aan, vind je wel?' zei Constanza.

'Nee, maar als we hem vertellen wat ik tot nu toe heb ontdekt, kunnen we misschien wat tijdrekken. Dat geeft ons ruimte om te proberen hem van deze nieuwe waanzin af te brengen.'

'Denk je echt dat hij om die diamant wil spelen?'

Carew keek haar aan. 'Ik weet dat je hem hebt zien kaarten.'

Constanza kon niet anders dan knikken.

'Hij lijkt wel door de duivel bezeten. Het is een ziekte. Hij stopt niet voordat hij alles wat hij bezit heeft ingezet,' zei Carew langzaam. 'En dan zet hij alles wat hij níét bezit in. Als hij nog niet bankroet is, dan gebeurt dat dit keer, geloof me.'

Constanza stond op en liep naar het raam, alsof ze niet wist wat ze met zichzelf aan moest.

'Het is allemaal mijn fout,' zei ze verslagen. 'Ik had het er die avond niet bij moeten laten zitten.'

'Dan had hij wel van iemand anders over de diamant en het gokspel gehoord.'

'Maar je begrijpt het niet.' Ze draaide zich naar hem om. 'Er is iets wat ik hem had moeten vertellen. Was ik maar alerter geweest.'

'Wat had je dan kunnen vertellen?'

'Nou...'

'Wat?'

'Iets wat ik van een van mijn beschermheren heb gehoord, diegene die van poëzie houdt, en ook van kaartspelen – primero, bessano, alle biedspelen. Ik hoor wel eens wat. Als mannen... hoe zal ik het zeggen... een beetje loom zijn,' ze glimlachte fijntjes, 'flappen ze er soms dingen uit die ze anders voor zich houden. Het enige wat ik weet is dat deze heer nooit met dat spel zou meedoen, ook al gaat het om de kostbare blauwe diamant. Zuanne heeft niet zo'n beste reputatie, weet je. Een tijd geleden werd er iemand vermoord in zijn ridotto. En wat Francesco betreft, ha!' Ze zwaaide met haar handen in de lucht. 'Die is nog erger.'

'Waarom wil die man niet meer spelen?'

'Te veel buitenlanders.'

'Te veel buitenlanders?' Carew staarde haar aan. 'Wat bedoel je daarmee?'

'Buitenlanders zijn gemakkelijk te beduvelen.'

'Wil je zeggen dat het doorgestoken kaart is?'

'Nee, dat geloof ik niet.' Constanza fronste haar voorhoofd. 'Dat zou te opzichtig zijn. Er zijn te veel mensen die ervan weten, en te veel toeschouwers. Maar let op mijn woorden, er wordt wel vals gespeeld.'

Carew liet deze informatie even op zich inwerken. Hij keek omlaag naar zijn handen, die bedekt waren met zilveren littekens en oude brandwonden.

'Als we hem dat vertellen, zal hij zichzelf wijsmaken dat het een list is om te voorkomen dat hij gaat spelen,' zei hij uiteindelijk. 'Hij heeft zijn zinnen op die diamant gezet, Constanza. Ik ken hem en ik weet dat niets hem nu nog kan tegenhouden.'

Constanza keek hem bedroefd aan. *Carissimo Carew.* Ze deed geen poging meer om hem op andere gedachten te brengen. 'Wat ga je dan doen?'

Nu was Carew degene die naar het raam liep. Hoe lang was het al geleden, die eindeloze nacht waarin ze samen op Ambrose Jones hadden gewacht? Ach, zijn poging om Pindar zo beschaamd te maken dat hij zou ophouden met die gokwaanzin, was mislukt. Hij wist niet welke boosaardige krachten aan het werk waren. Misschien had hij Constanza toch zijn toekomst moeten laten voorspellen. Plotseling voelde hij zich uitgeput, dodelijk vermoeid tot in zijn botten. Hij was niet van plan geweest om het aan Constanza te vertellen, maar besloot dat nu toch te doen.

'Eind deze week vertrekt er een koopvaardijschip naar Engeland.'

'Ga je weg?'

'Ja.'

'Je kunt hem niet achterlaten, niet nu.'

'Je begrijpt het niet, hij heeft me bevolen om te vertrekken.' Carew keek in het zwarte water onder hem. 'Bovendien kan ik niets meer voor hem doen, ik heb alles gedaan wat ik kan.'

'Maar je moet terug naar het klooster. Er is nog tijd. Probeer die non nu echt te spreken te krijgen en erachter te komen wat ze weet.'

Carew draaide zich niet om. 'Dat kan ik niet,' zei hij.

'Wat?'

'Je hebt me wel gehoord, ik kan niet terug.'

'Waarom niet?'

Hij gaf niet meteen antwoord.

'Dus je bent bang?' zei ze spottend. 'Zo ken ik je niet, John Carew. Ik weet dat de straffen voor mannen die zich aan nonnen vergrijpen hoog zijn, maar ik zou denken...'

'Bang?' Carew keerde zich boos naar haar om. 'Natuurlijk ben ik niet bang. Maar... nou ja, het is ingewikkeld,' mompelde hij. 'Waarom vraag je het niet aan Ambrose? Hij kent een van de nonnen daar. Hij had haar ernaar zullen vragen toen we er vandaag waren.' In een flits realiseerde hij zich dat hij volledig was vergeten aan Ambrose te vragen of de schilderes iets wist.

'Ambrose Jones?' Constanza staarde hem aan. 'Die pompeuze, opgeblazen, laffe...' ze zocht naar woorden om uitdrukking te geven aan haar diepe minachting, '...baviaan! Denk je echt dat Signor Jones te vertrouwen is?'

'Luister, ik mag hem net zo min als jij, maar hij blijkt voor de Levant Compagnie te werken; hij verzamelt informatie voor ze.' Iedere keer dat hij daar aan dacht, voelde Carew de pijn van de vernedering. 'Hij en Pindar kenden elkaar al heel lang. Het is in zijn eigen belang om Paul te helpen.'

'Zijn eigen belang? Weet je dat zeker? Wat zijn precies de belangen van Signor Ambrose?' zei Constanza droog. 'Jij vertrouwt hem misschien, maar ik niet. Geloof me, ik ken dat soort mannen. Ze worden gedreven door maar één ding: *avarizia*. Hebzucht. Voor wie denk je dat hij nog meer verzamelt? Wát verzamelt hij nog meer? Dat zijn de vragen die je je moet stellen. Hij werkt vast niet alleen voor de Levant Compagnie, of voor Pauls oude vriend, de koopman, dat is zeker. Nee, nee, nee, er moet een andere manier zijn.' Ze greep Carew bij de arm en schudde hem heen en weer. Hij had haar nog nooit zo geagiteerd gezien. 'Je moet terug, John. Je moet terug naar het eiland om met haar te praten.'

Carew trok zijn arm los, maar toen hij niet meteen antwoord gaf, wist ze dat hij niet zou weigeren.

'Beloof me alleen dat je niet over de muren klimt.' Haar stem was weer zachter geworden. 'Ik smeek je, John Carew, gebruik dit keer de voordeur.'

'De voordeur?' Carew glimlachte even. 'Ik? Met mijn ruime ervaring in het over muren klimmen?' Op Constanza's gezicht verscheen weer een zorgelijke blik. 'Constanza, ik vind wel een manier. Maar ondertussen...'

'Ondertussen zal ik ook nog wat vragen stellen als ik vandaag naar La Giudecca ga.'

'En als je iets te weten komt, wat dan ook...'

'Dan laat ik het je weten.'

Constanza keek Carew na. Zijn voeten maakten geen geluid op de kale houten vloerplanken. Toen ze alleen in de lege kamer stond, voelde ze zich even eenzaam. Ze schonk wat wijn in en keek naar de tarotkaarten die nog steeds gesloten op tafel lagen. Een voor hem, een voor haar. Ze strekte haar hand uit om ze op te pakken.

En voor het eerst aarzelde ze. Voor het eerst voelde ze een zuchtje angst over haar ruggengraat trekken.

Ze vermande zich. Doe niet zo dom! Het is toch maar een spel, een spel voor kinderen.

Snel, zonder zich de tijd te gunnen om te bedenken welke kaart van wie was, draaide ze ze om. En daar lagen ze, precies zoals ze had gevreesd: dezelfde kaarten als de vorige keer.

Onmiskenbaar.

De Geliefden.

De Dood.

Maar welke geliefden? En wiens dood?

Met een lichte huivering veegde Constanza de kaarten bijeen.

26

De non die de volgende dag tegen Annetta zei dat ze naar de gastenkamer moest komen was niet de vaste poortwachtster.

'U hebt een bezoeker, suora.'

Annetta keek verbaasd op van de penselen die ze aan het schoonmaken was in de werkplaats van Suor Veronica. Ze herkende Suor Caterina onmiddellijk als lid van die groep die ze bij zichzelf altijd de 'contesse' noemde, vrouwen van adel die zich helemaal niet geroepen voelden tot een leven van meditatie. Suor Bonifacia, de abdis, hoorde erbij, zoals Annette kortgeleden had ontdekt, Suor Purificacion ook, en zo waren er nog minstens vijf. Gezien de faam en schoonheid van de medicinale tuin, de relatieve coulance – sommigen zouden zeggen laksheid – waarmee Suor Bonifacia het klooster leidde en de vele vrijstellingen die het klooster genoot op reglementair gebied vanwege de functionele tuin, was dit klooster favoriet bij de adellijke Venetiaanse families.

Toen Annetta net terug was in het klooster, kwam Suor Caterina, met haar glanzende haar en rijke kleding, op haar over als een echte edelvrouwe. Annetta was diep onder de indruk geweest. Zoals alle nonnen uit hoge families, sprak Caterina de andere adellijke dames – onder wie een van haar tantes en een paar nichten

- aan met *'signora'*, 'vrouwe', in plaats van het gebruikelijke *'suora'*, 'zuster'. Net als zij piekerde Caterina er niet over haar kleren uit de gemeenschappelijke kledingkast te halen, zoals de kloosterregels voorschreven. Alles wat ze droeg had ze zelf meegebracht in haar cassone: zijde, kant en linnen van de hoogste kwaliteit, als de uitzet van een bruid, prachtig gestikt en versierd met monogrammen.

Maar het was niet alleen de kwaliteit van haar gewaden die de meeste indruk had gemaakt op Annetta, het was de manier waarop ze de kleding droeg. Tegen alle kledingregels van hun orde in, droeg Caterina haar zwarte hoofdkap ver naar achteren, waardoor haar blonde haar zichtbaar was en aan weerszijden van haar gezicht een klein krulletje naar buiten stak. Ze droeg hoge steltschoenen en een lijfje dat zo laag sloot dat het de rondingen van haar kleine borsten benadrukte. Om haar middel droeg ze een gouden ketting waaraan een robijnrood en smaragdgroen crucifix hing.

Van alle koorzusters was Caterina degene die wat leeftijd betreft het dichtst bij Annetta stond. In de eerste dagen na haar terugkeer had Annetta de misstap begaan om niet alleen haar voorbeeld te volgen (het kant, de steltschoenen, de zijden kousen met het pikante gouden randje - dat alles was gekopieerd van Suor Caterina), maar zelfs te proberen vriendschap met haar te sluiten. Haar toenaderingspogingen werden meedogenloos afgewimpeld. De contesse hadden meteen duidelijk gemaakt dat ze Annetta nog steeds beschouwden als een voormalige conversa, niet veel hoger in aanzien dan een bediende, als een parvenu die nooit op gelijke voet zou komen te staan met de koorzusters, laat staan met hen. En zelfs Annetta's enorme bruidsschat - met drieduizend dukaten de grootste die het klooster ooit had ontvangen - kon daar niets aan veranderen. Annetta had geleerd op haar hoede te zijn voor die lome blikken waarachter een trots en kwaadaardig temperament schuilging.

Nu stond Suor Caterina onzeker in de deuropening van de werkplaats van Suor Veronica.

'Je hebt bezoek, suora,' zei ze.

Ze hield de rokken van haar gewaad nuffig tussen twee vingers vanwege het stof op de vloer. In de andere hand had ze een klein, kanten zakdoekje, dat ze tegen haar neus drukte om de verflucht tegen te houden. Uit de nieuwsgierigheid waarmee ze rondkeek in Veronica's werkplaats leidde Annetta af dat ze zelden of nooit erg ver was doorgedrongen in de medicinale tuin. Annetta had haar een paar keer een avondwandelingetje zien maken onder de leilinden, arm in arm met een van haar nichten, maar voor zover ze zich kon herinneren had ze haar nooit het herbarium of de werkplaats van Suor Veronica zien binnengaan.

'Je hebt bezoek, suora,' herhaalde ze, 'in de gastenkamer.' En in reactie op de vragende blik van Annetta voegde ze eraan toe: 'Hij zegt dat hij een boodschap voor je heeft van iemand die Prospero Mendoza heet.'

Hoewel ze een halve kop kleiner was dan Annetta, wist Caterina altijd de indruk te wekken dat ze op je neerkeek. De onderrokken van met kant afgezette zijde onder haar zwarte habijt, sleepten met een zacht, fluisterend geluid over de tegels. Zelfs in deze hitte ziet ze er onberispelijk uit, koel als een briesje uit de lagune, dacht Annetta.

Terwijl ze achter Caterina aan liep, vroeg Annetta zich af wat er was gebeurd met de vaste poortwachtster Chiara. Meestal vonden de contesse zichzelf te goed voor dit soort alledaagse klusjes en ze waren heel inventief in hun pogingen om zich eraan te onttrekken. Buiten de verplichte uren in de kapel brachten ze de tijd vooral door met bezoekjes aan elkaars cel, waar ze de vruchten en zoetigheden aten die dagelijks werden afgeleverd door hun familieleden op het vasteland. Ze hadden geen belangstelling voor de tuin en keken nogal neer op hun hardwerkende zusters, zoals Veronica en Annunciata, met hun ruwe tuiniershanden en hun met verf bespatte habijten. Ze stonden erom bekend dat ze het, die paar keer dat ze verplicht waren om deel te nemen aan het gewone kloosterleven, niet erg nauw namen met de regels.

Annetta moest zich haasten om Caterina bij te houden.

Ze had geen flauw idee wie Prospero Mendoza was, maar ze wist instinctief dat ze dat niet moest toegeven – nog niet in ieder geval. Dit klooster was misschien minder strikt dan andere als het ging om het ontvangen van bezoek, maar Annetta wist zeker dat de vaste poortwachtster, Suor Chiara, het bezoek nooit zou goedkeuren. Dat op zich was al genoeg om Annetta's belangstelling te wekken. Ze sloeg vroom haar ogen neer zodat Caterina haar uitdrukking niet zou zien.

'Waar is Suor Chiara?'

'Ze is ziek. Ze heeft koorts,' antwoordde Caterina kortaf. 'Onze eerwaarde abdis ook. Wist je dat nog niet?'

Ze liepen verder.

'En die Prospero Mendoza, wat wil die?'

'Hoe moet ik dat weten?' zei Caterina op verveelde toon. 'Is hij niet die juwelenhandelaar uit het getto?' De blik die ze Annetta toewierp voelde aan als een koude plens water.

'Jij hebt toch een paar van je juwelen verkocht, meen ik? Voor je bruidsschat?' De steek onder water trof doel. Annetta boog haar hoofd en liep zwijgend verder.

Een juwelenhandelaar? Ze had een bang voorgevoel. Waarom zou een juwelenhandelaar haar willen spreken? Als Suor Caterina had gehoopt haar gedachten te kunnen lezen, kwam ze bedrogen uit. Annetta zorgde er wel voor dat haar gezicht niets verraadde.

Maar Suor Caterina had gelijk. Annetta had ooit een aanzienlijke hoeveelheid juwelen bezeten. Een deel daarvan had ze van de walidé zelf gekregen, die altijd gul was jegens haar naaste bedienden. Maar de meeste had ze gekregen als onderdeel van haar bruidsschat na de dood van de walidé, toen ze als vrije vrouw had besloten om terug te keren naar haar geboortestad Venetië. Ze wist niet dat algemeen bekend was dat ze die juwelen had verkocht.

Met behulp van een geschikte tussenpersoon, die was gevonden door de aartsbisschop van Torcello, waren al haar juwelen verkocht om geld in te zamelen voor de bruidsschat waarmee ze zich toegang verschafte tot het klooster. Annetta had nooit gerouwd om het verlies van de juwelen zelf. Hoezeer ze ook gesteld was op mooie dingen, ze had nooit veel om de juwelen gegeven en ze had altijd een hekel gehad aan de haremmeisjes die erover kibbelden en roddelden, en hun zuurverdiende loon uitgaven aan fonkelende prullen. Voor deze vrouwen waren die sieraden niets meer dan – wat eigenlijk? – troost, misschien. Voor Annetta, die had geleerd hoe de walidé te werk ging, hadden de spinellen, topazen, turkooizen en parels een andere waarde. Ze was ze gaan beschouwen als instrumenten om een doel te bereiken, als een van die vele subtiele valuta's die in de harem konden worden geruild tegen invloed en macht.

Er was maar één juweel dat haar belangstelling had gewekt: de diamant van de walidé, de blauwe diamant. Maar dat was lang geleden en ze verwachtte niet dat ze hem ooit nog zou zien. Ze had hem geruild voor de hoogste prijs: een mensenleven. Maar hoe kon het dat een gewone Venetiaanse juwelier daarvan op de hoogte was? Dat leek zo onwaarschijnlijk dat Annetta die gedachte meteen verwierp.

Wat zou Prospero Mendoza van haar willen?

Gelukkig leek Suor Caterina geen antwoord op haar vraag te verwachten. Het was nog lang geen twaalf uur en toch was het al verzengend heet. Met haar lange rokken nog steeds tussen haar vingers zag Suor Caterina er net zo fris uit als een lelieblad in een van de vijvers van de medicinale tuin. Ze zweefde over de donkere tegels van de gang.

Ze liepen langs het herbarium, met zijn eigenaardige geur van gedroogde kruiden en bloemen, en namen de kortste weg, via het binnenplaatsje van de keuken. Door een zijpoortje zag Annetta de kruidentuin. Een stapel scharlakenrood-oranje pompoenen zo groot als wagenwielen lag tegen een muur, en op de drempel zat Dikke Anna zoals gewoonlijk erwten te doppen. Uit de keukens kwam de geur van gebakken uien en vlees.

Door een zijdeurtje liepen ze de nonnenkamer in. Annetta's ogen waren nog zo verblind door het zonlicht dat ze eerst niets anders zag dan het donkere silhouet van de man die achter het rooster op haar wachtte.

'Die vervelende kerel wil je per se persoonlijk spreken,' hoorde Annetta Caterina achter haar zeggen. 'Nou, toe dan,' ze voelde een ongeduldige hand in haar onderrug, 'maar zorg er wel voor dat hij er niet de hele dag over doet.'

Langzaam liep Annetta naar het rooster toe. Na de hitte van de tuin voelde de lucht heel koel aan. Een paar seconden zwegen ze allebei. Ze kon zijn gezicht niet goed zien, omdat haar ogen nog niet gewend waren aan de plotselinge duisternis, maar ze voelde dat zijn blik op haar was gericht. Zijn hele lichaam was gespannen en ze wist dat hij zich afvroeg of ze hem zou verraden. Als ze hem wilde ontmaskeren, was dit het ideale moment. Dit was de indringer die ze in de tuin had gezien, de monachino, de nonnenverleider – degene die zo onfatsoenlijk haastig was vertrokken dat zijn schoen was achtergebleven in een bloembed. Het was algemeen bekend dat het verleiden van een non, of de poging daartoe, streng werd bestraft; ze hoefde maar een kik te geven om zijn leven te verwoesten.

En toch, en toch... iets in haar deed haar aarzelen.

'Suora? Is er iets?' vroeg Caterina. In afwezigheid van Suor Chiara deed zij dienst als Annetta's chaperonne en ze was achter in de nonnenkamer gaan zitten. Annetta deed haar mond open, maar in plaats van een beschuldigende kreet, hoorde ze haar eigen uiterst kalme stem zeggen: 'Maak je geen zorgen, suora – ik bedoel Signora Caterina – ik kom.'

En toch aarzelde ze nog. Langzaam maakte zijn gezicht zich los uit de duisternis. Hij zag bleek en de ogen die eerder van steen hadden geleken, hadden hun hardheid verloren. Ze hield zijn blik vast en realiseerde zich op dat moment dat ze hem nu voor het eerst echt aankeek. Tot nu toe had ze hem alleen maar vaag of indirect gezien: door de verrekijker, in de schemerige kloostergangen, als weerspiegeling in het water. Ook gisteren, toen hij achter haar aan was gelopen door de tuin en had geprobeerd met haar te praten, had ze haar blik afgewend en haar best gedaan om hem niet aan te kijken. Maar nu stond hij voor haar neus en keek ze hem recht aan.

Uiteindelijk dacht ze weer aan Suor Caterina die achter haar zat te wachten, en ze wist dat een van hen iets moest zeggen.

'Hebt u een boodschap voor mij?' Haar stem klonk luider dan ze had gewild en weergalmde over de stenen vloer.

'Ja, vrouwe,' begon hij, 'een boodschap van mijn meester, ehh... Prospero Mendoza.'

Ze wisten allebei dat hij loog.

Met gedempte stem, zodat Caterina haar niet kon horen, zei ze: 'Denk je echt dat ik dat geloof? Jij hoort bij die man, de Engelse collectioneur van Suor Veronica, en die heeft niets te maken met ene Prospero Mendoza, althans die naam werd niet één keer genoemd.' Ze zweeg even. 'Wie is hij eigenlijk?'

Net zo zacht als Annetta antwoordde hij snel: 'Prospero Mendoza is een juwelenhandelaar. Het spijt me, maar dat was het beste wat ik zo snel kon verzinnen.'

Dus Caterina had toch gelijk. Haar hart sloeg over.

'Het beste wat je kon verzinnen...? Dat begrijp ik niet. Niemand heeft je gevraagd om hier te komen.' Ze deed een stap naar achteren. 'Wie ben je? Wat wil je?'

'Kom wat dichterbij, dan zal ik het je vertellen.'

'Waarom zou ik je vertrouwen? Als je iets te zeggen hebt, kan dat ook zo.'

'Zoals je wilt.' Hij wierp snel een blik op de non die tegen de achtermuur zat, en zag dat ze hen in de gaten hield. 'Ik heet Carew. John Carew.' Zijn stem was aangenamer dan in haar herinnering. 'En jij bent... Annetta,' voegde hij er fluisterend aan toe.

'Ik weet hoe ik heet.'

Annetta voelde weer dezelfde woede opkomen als die eerste keer. Dacht hij echt dat hij haar net zo gemakkelijk kon krijgen als die ander? Dit was zo beledigend dat ze zin kreeg om weer naar hem te spugen, maar dat zou ze niet doen; ze zou zich inhouden. Er waren andere, effectievere manieren om wraak te nemen. Ze kon nog steeds haar mond opendoen en hem ontmaskeren als de monachino. Maar om de een of andere reden – was het nieuwsgierigheid? – aarzelde ze nog steeds. Hoe had hij het in zijn hoofd gehaald om zo'n groot risico te nemen? Het ging nu niet om een simpele verleidingspoging; het ging om iets heel anders.

'Nou, John Carew,' zei ze kil, terwijl ze zijn blik volgde en over haar schouder naar Suor Caterina keek die haar nagels aan het bestuderen was, 'wees een brave jongen en vertel wat je op je hart hebt. Dan kun je snel weer gaan.' Ze sprak op de toon die ze de contesse altijd hoorde gebruiken als ze tegen een bediende spraken.

Even leek hij van zijn stuk gebracht. Hij deed een stap naar achteren en keek naar de grond. Maar Annetta's gevoel van triomf duurde niet lang.

'Goed dan, vrouwe,' antwoordde hij. En op luidere toon, zodat de weinig oplettende Caterina het kon horen: 'Mijn meester heeft me gestuurd om te zeggen dat hij denkt dat hij iets heeft wat aan u toebehoort...'

'Wat is dat voor onzin? Ik heb nog nooit van je meester gehoord. Het is onmogelijk dat hij iets bezit wat voor mij van waarde is.'

Er volgde een stilte.

'Weet u dat zeker?'

'Heel zeker.' En toen weer fluisterend: 'En denk maar niet dat ik niet doorheb dat dit een van je stomme trucs is.'

'Dus dan wil je dit zeker niet hebben?'

Hij stak zijn hand in zijn hemd en haalde het roze geborduurde beursje eruit.

Annetta staarde ernaar en sprong op hem af.

'*Ladro!*' Ze stak haar hand door de tralies en probeerde het van hem af te pakken. 'Dief! Hoe kom je daaraan? Geef hier!'

Maar Carew was te snel voor haar. Op het laatste moment trok hij het beursje weg en treiterend liet hij het net buiten haar bereik aan het koordje bungelen.

'Suora?' Suor Caterina werd door het rumoer ruw uit haar dagdromen gewekt. 'Is alles in orde?' vroeg ze.

Toen ze haar stem hoorden zwegen ze onmiddellijk.

'Ja, signora, alles is in orde,' riep Annetta over haar schouder naar de non die half was opgestaan van het bankje waar ze al die tijd had gezeten.

'Waarom duurt het trouwens zo lang. Vervelende kerel.' Vanonder haar zwarte hoofdkap tuurde Suor Caterina met een verveelde blik naar hen. Ze leek te aarzelen, niet wetend wat te doen.

'Het is... het is een ingewikkelde kwestie.' Plotseling vond Annetta het uiterst belangrijk dat Caterina op ruime afstand bleef. 'Het gaat over mijn bruidsschat. U had gelijk, signora. Alstublieft, we zijn bijna klaar.'

'Goed dan,' Caterina's natuurlijke loomheid kreeg haar weer in de greep en ze ging zitten, 'maar, suora,' haar iele, klagende stem leek van ver te komen, 'zeg die kerel dat hij moet opschieten, ik kan hier niet de hele dag blijven zitten.'

Carew reikte Annetta door de tralies het beursje aan.

'U hebt het laten vallen,' lichtte hij toe, 'die dag in de tuin. U rende weg voordat ik het kon teruggeven.'

Annetta pakte het aan. Eerst zei ze niets. Hij keek toe terwijl ze met haar hand over het stijve borduurwerk streek, de stof vouwde tussen haar vingers en het bij haar oor hield, alsof ze iets probeerde te horen.

'Ik heb er niets uit gehaald.' Hij keek naar haar gezicht. 'Het was leeg toen ik het vond.'

'Leeg?' Annetta's vingers trilden zo hevig dat ze het trekkoordje nauwelijks los kon maken. 'Dan heb je niet goed gekeken.' Ze keek hem verbouwereerd aan. 'Heb je enig idee hoe lang ik hiernaar heb gezocht? Ik heb het hele klooster ondersteboven gekeerd.'

Ze pulkte aan het stiksel en trok de zijden voering gedeeltelijk los. Ze stak haar wijsvinger en duim in het gat dat was ontstaan en haalde een opgevouwen papiertje tevoorschijn dat ze aan hem liet zien.

'Een stukje papier?'

'Nee, geen stukje papier. Een gedicht.'

'Een gedicht?' *Al dat gedoe om een velletje met een paar verzen er-*

op! Hij zag vage letters in een handschrift zo klein, dat het leek of het was geschreven door geesten. Maar hij durfde niets te zeggen wat haar woede zou kunnen wekken. Hij wist dat hij niet veel tijd had. Hij moest doen waarvoor hij was gekomen, zijn vragen stellen, en dan vertrekken. Het was riskant om zo naar het klooster terug te keren, op klaarlichte dag en met zo'n doorzichtig voorwendsel. Hij kon ieder moment worden herkend door de andere non. Maar op de een of andere manier kon hij zich er niet toe zetten.

Hij zocht naar iets om te zeggen – wat dan ook, zo lang het haar maar wat langer hier hield.

'Heb je... heb je het zelf geschreven?'

Haar neusvleugels verwijdden zich een klein beetje.

'Nee.'

Er volgde een stilte. Carew voelde zich een dwaas en pijnigde opnieuw zijn hersenen. 'Mag ik het lezen?'

Ze gaf geen antwoord, hield alleen maar het papiertje even tegen haar lippen. Carew zag hoe ze het voorzichtig terugstopte op de geheime plaats in de voering. Hij kon niet ophouden naar haar te staren. Naar de lijn van haar keel, het kleine moedervlekje op haar wang, haar ogen die, zo zag hij nu, een vreemde vorm hadden, lang en bijna amandelvormig.

'Wat er ook op staat, het is je duidelijk heel dierbaar.'

'Het is geschreven door iemand die ik gekend heb, iemand die ik nooit meer zal zien. Ze heeft me gevraagd het voor haar te bewaren.'

'Was ze ook een non?'

'Mijn vriendin, een non?' ze lachte honend. 'Ik hoop het niet.' Ze keek steeds schuin naar hem als ze tegen hem praatte. 'Ik moest het aan degene geven voor wie ze het heeft geschreven. Haar geliefde...' Ze zei het op een toon alsof het godslasterlijke woorden waren die ze nu voor het eerst durfde uit te spreken.

'Maar je hebt het nog steeds zelf?'

'Ja, ik heb het nog. Hij woont hier ver vandaan. En ik, nou ja...' Als een soort verklaring legde Annetta haar hand tegen de ijzeren tralies die hen scheidden. En voordat hij wist wat hij deed, strekte Carew zijn hand naar haar uit. Ze voelde hoe zijn vingers de hare omsloten, voelde de aanraking van zijn huid. Hoorde haar eigen scherpe inademing.

Ze stonden oog in oog, zonder iets te zeggen. Annetta wist dat ze haar hand moest wegtrekken, maar ze kon het niet. Hij keek haar met zo'n intense blik aan dat het leek of hij haar gezicht aanraakte, zijn vingers over haar wangen liet strijken, over haar haar, haar iets van elkaar geweken lippen.

'Hou op.'

'Wat?'

'Hou alsjeblieft op.'

Ze sloot haar ogen, maar toen ze ze weer opendeed zag ze dat hij nog steeds naar haar keek, naar haar lippen en de boog van haar keel, waar hij zowel begeerte als tederheid zag.

'Ik doe je geen kwaad, geloof me... dat zou ik nooit doen, voor geen goud.'

Hij stond nu zo dichtbij dat ze zijn adem kon horen en tegen haar wang kon voelen.

Op dat moment bewoog er iets achter in de nonnenkamer. Annetta schrok op, als door een wesp gestoken. Suor Caterina was weer opgestaan. Ze stond met haar rug naar hen toe en praatte met iemand achter de deur die ze niet kon zien.

'Ik moet gaan...'

Annetta keek over haar schouder naar de twee silhouetten in de schaduw. De aanwezigheid van de tweede non, het geluid van hun fluisterende stemmen, vulde haar plotseling met een gevoel van onheil.

'Ik moet gaan,' ze was nu wanhopig, 'ik moet gaan.'

'Nee, ga niet weg, nog niet.'

Dit was zijn kans, zijn laatste. Carew wist dat hij het niet meer voor zich uit kon schuiven.

'Ik wil je iets vragen.'

'Daar is geen tijd voor.' Ze had zich al van hem afgewend. 'Ga weg, alsjeblieft, ze mogen je hier niet zien.'

'Het gaat over een diamant,' zei hij. 'De blauwe diamant van de sultan.'

Dat was niet wat hij had willen zeggen, helemaal niet. Hij had haar alleen willen vragen of ze de dame uit de harem in Constantinopel was... Maar toen hij de naam van de diamant uitsprak draaide Annetta zich onmiddellijk naar hem om en staarde hem met wijd open ogen aan.

'Wat weet je over die diamant?' Ze greep met beide handen de ijzeren tralies. Haar knokkels werden wit.

Maar het was te laat. Hij had te lang gedraald; in de verte klonk het zwaarmoedige gebeier van de kerkklok.

'Suora.' Caterina liep nu naar hen toe en de stijve rokken van haar zijden petticoats gleden fluisterend over de stenen vloer. Toen Annetta zich niet omdraaide, herhaalde ze op scherpere toon: 'Suor Annetta! De klok voor de dienst luidt, hoor je hem niet?'

Maar Annetta hield nog steeds de tralies vast. Het leed geen twijfel dat ze van de blauwe diamant van de sultan wist. Maar wat wist ze en hoe was ze aan die kennis gekomen?

Machteloos keek Carew toe terwijl Suor Caterina Annetta wegvoerde.

27

Annetta was zo verdwaasd toen ze achter Suor Caterina aan de kamer uit liep, dat het even duurde voordat ze besefte dat het veel te vroeg was voor het middaggebed. Ze besefte ook pas na een tijdje dat de klok heel anders klonk dan de normale oproep. Het gebeier had een treurige klank en bleef doorgaan tot lang nadat de nonnen de kapel binnen waren gestroomd.

De kapel zelf was donker en er hing een penetrante geur. Gewoonlijk vond Annetta troost in de lange uren die ze hier doorbracht, maar nu niet. Alsof ze in trance was – niets ziend, niets horend – liep ze met de andere zwart geklede vrouwen door de deuren en nam ze haar vaste plaats in tussen de jongste koorzusters, tussen Francesca en Ursia.

De blauwe diamant! Het was onvoorstelbaar, onmogelijk.

Waarschijnlijk zag Francesca haar gespannen gezicht, want ze legde haar hand op haar arm en kneep er even in om haar te steunen.

'Dus je hebt het nieuws gehoord?'

'Nieuws?' Annetta staarde haar niet-begrijpend aan. Even was ze sprakeloos. 'Welk nieuws?'

'Over onze abdis, natuurlijk, ik nam aan dat je het wel had gehoord.' Ze keek Annetta bezorgd aan. 'Je ziet er niet goed uit, suora, zo bleek.'

Annetta moest moeite doen om zich te concentreren op wat Francesca zei. 'Wat is er met de abdis?'

'Weet je echt van niets? Ze is dood!' Francesca sloeg snel een kruisje. Onze dierbare abdis is dood. Ze is een halfuur geleden gestorven.'

'Suor Bonifacia?' Het leek wel of Annetta zelfs de eenvoudigste informatie niet kon verwerken. 'Dood? Dat kan niet! Ik heb een paar dagen geleden nog met haar gepraat.'

'Maar het is wel zo. Het was heel plotseling. *Poverina!* Een koortsaanval, zeggen ze. Suor Chiara heeft het ook.' Er klonk een snik in Francesca's stem en ze schudde bedroefd het hoofd. 'Die vrouw was een heilige! Moge haar gezegende ziel rusten in vrede.'

'Suor Bonifacia was oud,' fluisterde Ursia, die pragmatischer van aard was, terug. 'De vraag is wie nu onze abdis wordt.' Ze knikte in de richting van Suor Purificacion die al in gebed verzonken op haar knieën zat.

'Er moet natuurlijk over worden gestemd. Door het kapittel, zoals altijd.'

'Nou mijn stem krijgt ze niet.'

Het opgewonden gefluister van Francesca en Ursia werd nu aangevuld door een paar andere koorzusters. Annetta kon ze nauwelijks verstaan. Haar oren suisden. Ze moest zich voor het gefluister afsluiten, zodat ze kon nadenken. Op dit moment kon het Annetta geen moer schelen wie de nieuwe abdis van het klooster zou worden; ze kon zelfs geen traan laten om Suor Bonifacia. Ze knielde neer en legde haar gezicht in haar handen, alsof ze in gebed was.

Ze hoorde te bidden voor de ziel van de overleden abdis, maar haar brein was verlamd. Ze kon maar aan één ding denken. De blauwe diamant! Was dat waarvoor die man – John Carew – eigenlijk was gekomen? Wat wist hij ervan? Hadden ze haar in de gaten? Ze had zichzelf ervan overtuigd dat ze in het klooster veilig zou zijn, dat het nooit in iemands hoofd zou opkomen om haar hier te zoeken, maar nu... Annetta voelde de paniek toeslaan.

Eindelijk kwam de priester. Hij ging bij het altaar staan, leidde de nonnen in het gebed en vroeg ze om hun overleden zuster te gedenken. De nonnen rouwden om hun dode abdis; hun stemmen zwollen aan en ebden weer weg. Annetta deed haar best om haar gedachten weer op het heden te richten. Ze probeerde zich voor te stellen hoe Suor Bonifacia er op haar sterfbed uit zou zien. Probeerde zich dat gezicht voor te stellen, dat ook op haar hoge leeftijd nog mooi was, haar zilveren haar, uitgespreid over het kussen. Maar het enige wat ze zag was het lichaam van die andere dode vrouw, de walidé.

Ze herinnerde zich de doodsangst toen het halfgeopende oog van de walidé in het blauwgroene schemerlicht van de slaapkamer naar haar leek te staren en te knipperen. Herinnerde zich haar hand, hard en koud als de klauw van een vogel, die stevig de diamant omklemde, en hoe ze in haar wanhoop in het dode vlees had gebeten, erop had gekauwd om het te dwingen het juweel af te staan. En de gestolen diamant, die zo zwaar voelde als een steen toen ze hem eindelijk in haar buidel stak.

Maar dat bleek nog maar het begin te zijn.

28

Die nacht werd Annetta plotseling wakker omdat iemand aan haar schouder schudde.

'Gansje?' Ze schoot overeind en keek wild om zich heen. 'Ben jij dat?'

'Waarom noem je me gansje?' fluisterde een slaperige stem naast haar. 'Ik ben het Eufemia. Je praatte weer in je slaap.'

'Sorry, heb ik je wakker gemaakt?'

'Hej je weer over je vriendin Kaya gedroomd? Dat meisje aan wie ik je doe denken?'

Annetta zweeg een paar tellen.

'Ze heette niet Kaya.'

'Maar ik dacht dat je zei...'

'Ja, maar dat was niet haar echte naam.' Stilte. 'Haar echte naam was Celia Lamprey.'

'Dat klinkt buitenlands.'

Weer een stilte.

'Ja.'

'Hej je daarover gedroomd?'

'Ja.'

'Een goede droom dus?'

'Ik... het is...' Annetta aarzelde, '...het is een ingewikkelde droom.'

Met haar boerenintuïtie lag de kleine conversa doodstil te wachten tot ze verder zou gaan.

'Het is meer een herinnering dan een droom. Een herinnering aan de laatste keer dat ik haar zag,' zei Annetta uiteindelijk.

'Een erge herinnering?'

Annetta gaf geen antwoord. Ze lag op haar rug in het donker te staren, klaarwakker nu. Toen ze net wakker was, had ze even gedacht dat ze weer terug was op die andere plek. In plaats van de witgepleisterde muren van haar cel had ze, door een speling van het licht, weer de groene en rode tegels gezien van de kamer die ze had gedeeld met zes andere *kislar*. Alleen de Lieve Heer wist hoeveel moeite ze al die maanden had gedaan om ervoor te zorgen dat ze bij elkaar konden blijven. Maar op de een of andere manier was het gelukt.

En nu, in de stilte van haar cel, met geen enkele verlichting behalve de kaarsen in de gang, begon ze bijna ondanks zichzelf haar verhaal te vertellen.

'Celia en ik werden allebei gevangengenomen na de schipbreuk, dat heb ik je geloof ik al verteld. We wisten niet wat er van ons moest worden, maar wat er ook zou gebeuren, we waren vastbesloten om bij elkaar te blijven. Ik heb donker haar en een bruine huid, zoals je weet, maar Celia was een Engelse roos, zoals ze in dat land zeggen; ze had die lichte huid en het roodachtig gouden haar waar de Turken zo van houden. Ik sloeg mijn arm om haar heen, legde mijn wang zo tegen de hare.' Annetta boog zich naar Eufemia. *"Donker en licht samen, meesteres. Kijk, we zouden een tweeling kunnen zijn."*

En op de een of andere manier werkte het. We werden als paar gekocht door een slavenhandelaarster in Constantinopel. Zij was degene die onze namen veranderde van Annetta en Celia in Ayshe en Kaya. En zij was degene die ons op haar beurt verkocht aan de favoriete van de sultan, een dame die wij allemaal de haseki noemden en die ons aan de moeder van de sultan, de walidé, schonk. Wij brachten onze jaren in de harem door als persoonlijke slaven van de walidé.

In tegenstelling tot wat je misschien denkt, was het geen ongelukkige tijd,' ging Annetta verder, 'voor mij niet, in ieder geval. Integendeel. Daarvoor had ik hier gewoond, als conversa. Mijn familie had mij hiernaartoe gestuurd toen ik nog heel jong was. Ik vond het geen akelige manier van leven, maar het was niet gemakkelijk – jij weet beter dan wie ook hoe de converse worden behandeld, dat ze voor koorzusters niet veel meer zijn dan bedienden. Maar in de harem, ging het er heel anders aan toe. Daar was niemand geïnteresseerd in je afkomst. Het kon ze niets schelen of je naam in het Gouden Boek stond en of je grootvader lid was geweest van de Raad van Tien – alle kislar waren gelijk.

En ik kon me daar heel goed staande houden, al zeg ik het zelf.' Annetta glimlachte. 'Ik was misschien niet zo mooi als Celia, maar ik leerde snel. De walidé raakte aan me gehecht. Ik zag hoe ze in elkaar zat, begreep hoe ze alles wilde hebben en leerde anticiperen op al haar behoeften. En het duurde niet lang voordat ze mij uitkoos als een van haar vier belangrijkste dienstmaagden. Ik was eraan gewend om andere mensen te bedienen, maar wat was het daar anders! In de harem was het belangrijk werk. Ik kreeg prachtige kleding en zelfs juwelen om te dragen. Geloof me, alle andere meisjes zagen tegen me op. Iedereen had respect voor me, zelfs de oudere vrouwen – de opzichtster van de harem en de leidster van de meisjes –, omdat ik zo dicht bij de walidé stond en omdat ze naar me luisterde.

Maar voor Celia was het anders. Zij kon maar niet aan haar nieuwe leven wennen. Ze kon alleen maar denken aan het huis dat ze achter had gelaten, aan haar vader die bij de schipbreuk was omgekomen en aan de koopman die ze beminde en met wie ze zou trouwen. Madonna! Vooral aan hem.' Annetta fronste. 'Ze deed niets dan huilen en liep altijd met haar ziel onder haar arm. Voortdurend vroeg ze zich af of hij wist wat er van haar geworden was of dat hij dacht dat ze dood was, naar de bodem van de zee gezonken met haar kostbare bruidskisten.' Ze klakte ongeduldig met haar tong. 'Soms kon ik haar wel slaan. Ze kon hem maar niet uit haar hoofd zetten en droomde iedere nacht over hem. "Dan moet je maar niet meer slapen," zei ik tegen haar. "Vergeet je dromen. Vergeet alles, dom kind. Je hebt hier niets aan het verleden, begrepen? Denk aan de toekomst, gansje, dat is je enige redding."

Maar het hielp niet. Zelfs niet toen ze *gözde* werd.'

'Wat betekent dat?'

'Gözde betekent "in het oog". In het oog van de *padisjah*.'

'Je bedoelt dat de sultan...'

'Gemeenschap met haar wilde hebben,' viel Annetta haar op neutrale toon in de reden. 'Inderdaad. Lekkere, jonge culo voor een oude kerel, zei ik altijd,' voegde ze eraan toe. 'Die harem was niets anders dan een bordeel met maar één klant. Hoe dan ook, op een dag was Celia de uitverkorene.'

'En wat gebeurde er toen?'

'Nou, ik hoef je niet te vertellen dat ze er weinig voor voelde,' zei Annetta droogjes. 'Ik gaf haar een heel maandsalaris, zodat ze een van de oude haremvrouwen kon omkopen om haar te helpen bij de voorbereiding. Maar was ze dankbaar? O, nee, nee, nee. Ze drukte steeds haar handen tegen haar zij, alsof alleen de gedachte al pijn deed. "Kun jij niet gaan?" zei ze steeds. "Kun jíj niet in mijn plaats gaan?"'

Eufemia staarde Annetta gefascineerd aan.

'"Ben je gek?" zei ik tegen haar.' Annetta zat nu helemaal in het verhaal. '"Weet je niet wat dit betekent? Heb je niet gezien hoe iedereen naar je kijkt nu je gözde bent? Dit is onze enige kans, *carissima*, dus ik zou maar gaan als ik jou was, en een beetje mijn best doen."'

'En beviel ze de sultan?'

'Ja, maar niet genoeg. Twee keer was ze de uitverkorene, maar beide keren... kwam er iemand tussenbeide...' Annetta's stem stierf weg, alsof ze niet goed wist hoe ze verder moest.

'En?' Eufemia gaf haar een por om haar aan te sporen.

'Toen gebeurde er iets wat al onze hoop voorgoed de bodem in sloeg.'

'Wat? Wat dan?'

'Ze ontdekte dat die man, haar koopman, in Constantinopel was. Ze wist dat hij daar een paar jaar eerder met een Engelse afvaardiging naartoe was gegaan, vlak voordat zij aan haar noodlottige reis begon. Maar wat ze niet wist was dat de missie vertraging had opgelopen. De koopman had allang weer vertrokken moeten zijn, maar hij was nog steeds in de stad.' Annetta schudde verwonderd haar hoofd. 'Maar alsof dat nog niet bijzonder genoeg was, had hij op de een of andere manier ontdekt waar ze was – *Santissima Madonna!* –, dat ze helemaal niet was verdronken bij de schipbreuk, zoals iedereen dacht, maar in het paleis van de padisjah woonde, vlak onder zijn neus. Hij moet iedere dag de daken en boomtoppen boven haar hoofd hebben gezien vanuit die wijk aan de overzijde van de Bosporus waar de buitenlandse koopmannen woonden.'

'Maar hoe kwam ze erachter?' onderbrak Eufemia haar nieuwsgierig. 'Heeft hij haar een boodschap gestuurd?'

'Een boodschap? Dat zou waanzin zijn. Stel je voor, een boodschap van een man, een christen, nota bene, aan een van de vrouwen van de padisjah! Nee, daar was hij te slim voor. Hij moet hebben geweten dat als hij een boodschap zou sturen – mondeling dan wel op schrift –, deze zou worden onderschept. Dus stuurde hij een voorwerp, iets waarvan alleen zij kon weten dat het van hem afkomstig was.'

'En wat was dat?'

'Een vreemd instrument dat hij altijd bij zich had. Ik geloof dat ze het een compendium noemde. In de bodem zat een geheim vakje, dat zij kon openen en waarin hij een miniatuurportretje van haar had gestopt.' Annetta schudde opnieuw haar hoofd, verdrietig dit keer. 'Het zat er nog steeds in. Ik heb het met eigen ogen gezien.'

'Poverina!' Eufemia zuchtte. 'Arme meid!'

'Dat kun je wel zeggen.' Ook Annetta zuchtte. 'Al mijn waarschuwingen waren voor niets geweest. Nu had ze natuurlijk helemaal geen rust meer. Ze was zo geobsedeerd door hem dat ik echt vreesde dat ze zou wegkwijnen.

En toen maakte ze de grootste fout van haar leven. Ze liet het compendium zien aan de laatste die ze daarvoor had moeten uitkiezen: de walidé. Mijn god! Volgens mij heeft ze haar alles verteld.' Annetta drukte haar vuisten in haar ogen. 'Geloof me, dat was wel het allerdomste wat ze kon doen...'

'Was het echt zo erg? Wat kon die dame haar dan voor kwaad doen?'

'Wat de walidé voor kwaad kon doen?' Annetta liet haar handen zakken en staarde naar Eufemia; door de duisternis waren haar pupillen enorm. 'Je begrijpt er echt helemaal niets van, hè?'

'Later die dag kwamen Celia en ik elkaar toevallig tegen in de binnenhof. Alle anderen waren naar het prachtige geschenk gaan kijken dat de Engelse kooplieden die middag aan de sultan hadden gepresenteerd. Ik was heel ongerust! Ik wist dat de walidé haar bij zich had laten komen en dat ze een lang gesprek hadden gehad, maar ik wist toen niet waarover. We gingen naar haar vroegere kamer om te kunnen praten. Ze zag er vreemd uit, een beetje... rusteloos. Drukte steeds haar hand tegen haar zij, alsof ze daar pijn had. Toen wist ik dat er iets was gebeurd.

Eerst wilde ze het me niet vertellen. Arme Celia, ze kende me goed genoeg om te weten wat mijn reactie zou zijn.

"Ze zegt dat ik hem nog één keer mag zien, vanavond, bij de Vogelpoort."

"Wat?" zei ik, terwijl mijn hart in mijn keel bonkte. "Heeft ze dat gezegd?"

Maar ze hoorde me niet.

"Als ik hem nog één keer kan zien," zei ze steeds, "zijn gezicht kan zien, zijn stem kan horen, nog één keer, dan denk ik dat ik gelukkig kan zijn."

En toen liet ze me het compendium zien.

"Ze heeft me toestemming gegeven," zei ze alleen maar.

Alsof de walidé ooit een van de haremvrouwen zou toestaan om met een andere man te praten! Ze was zo goedgelovig, het arme kind. Ik wist dat het een val was. Dat zei ik haar ook, maar ze wilde niet luisteren.

"Ze stelt je op de proef, zie je dat niet?" Ik schreeuwde bijna.

"Om te zien hoe trouw je bent." Trouw was alles voor de walidé.

"Als je gaat, betekent dat dat je de proef niet hebt doorstaan."

"Maar dit is mijn kans," zei ze. "Mijn enige kans. Die kan ik niet laten schieten. De Vogelpoort, vanavond. Kijk ik heb de sleutel." Hij hing aan een ketting om haar nek en ze liet hem aan me zien.

"Ze zegt dat hij er zal zijn..."

Naderhand vroeg ik me vaak af of ze wist dat de walidé die avond een val voor haar had uitgezet. Maar ik heb nooit het antwoord op die vraag gevonden. Het enige wat ik wist, was dat ze nooit meer zou terugkomen als ze ging. Na alles wat we hadden moeten doormaken om maar bij elkaar te blijven! Op dat moment dacht ik echt dat ik gek werd. "Ga er niet heen, blijf hier, alsjeblieft." Ik huilde van angst voor wat er zou gaan gebeuren. "Alsjeblieft! Ik geloof niet dat ik het hier zonder jou kan volhouden..." Maar ze luisterde niet.

Het begon te schemeren. Boven ons hoofd was een klein stukje van de hemel te zien. Ik herinner me dat ik naar het zwakker wordende licht keek, naar de hemel die van roze naar grijs kleurde. Ik weet nog dat ik naar de vleermuizen keek die heen en weer schoten. We zaten lange tijd in de stille kamer, met onze armen om elkaar heen.

"Is het al tijd?" zei ik steeds. "Is het al tijd?"

En dan keek ze naar de lucht en zei: "Nee, we hebben nog even."

Ik geloof dat ze op dat moment gelukkig was...' Annetta's stem stokte, alsof ze de emoties haar te veel werden. 'Ik had het gevoel dat ik degene was die de dood tegemoet ging.

En toen was het tijd. Ik zie nog voor me hoe ze op de drempel stond. Ik herinner me dat ik vond dat ze op een vogel leek die op het punt stond uit te vliegen.

"Wees blij voor me, Annetta." Ze straalde.

En toen deed ze iets vreemds. Ze haalde een papiertje uit haar zak en gaf het aan mij.

"Dit is voor Paul," zei ze – zo heette haar koopman. "Beloof me dat je ervoor zorgt dat hij het krijgt."' Annetta zweeg abrupt, alsof het spreken haar moeite kostte.

'Ik heb het nog steeds.' Ze stak haar hand in haar zak en haalde het papiertje tevoorschijn. Ze vouwde het voorzichtig open en hield het in het vale ochtendlicht zodat Eufemia het kon zien. 'Het is een gedicht. Een liefdesbrief, zou je kunnen zeggen. Maar het is ook het antwoord op de vraag die ik me al die tijd heb gesteld. Ik denk dat Celia diep vanbinnen wel wist dat de walidé haar in de val liet lopen. Ze nam het gedicht niet mee omdat ze wist dat haar geliefde er niet zou zijn. Ze wist dat ze als ze de sleutel zou gebruiken, als ze maar één voet buiten de Vogelpoort zou zetten, niet Paul zou zien, maar de eunuchen, die met kromzwaarden klaar zouden staan om haar neer te sabelen.

Toen realiseerde ik me wat er aan de hand was, dat ze ten prooi was gevallen aan een soort waanzin. Ik keek op, maar ze was al verdwenen.

En ik wist dat ik haar moest tegenhouden.'

29

'Ik rende achter haar aan. Zo snel dat ik bijna over de zoom van mijn rokken struikelde. Mijn opgestoken haar zakte omlaag en er hingen plukken in mijn mond en voor mijn ogen, zodat ik nauwelijks kon zien waar ik liep. Vertrouwend op mijn intuïtie volgde ik het pad waarvan ik vermoedde dat zij het had genomen. Ik ging ervan uit dat Celia niet de route door het centrale deel van de harem had gekozen, die langs de vertrekken van de walidé leidde, waar ze de kans liep dat iemand haar zou zien, maar de langere weg, via de binnenhof en de Gouden Weg, de grote, stenen gang waardoorheen de uitverkoren vrouwen door de eunuchen naar de slaapkamer van de sultan werden gebracht.

En als door een wonder had ik goed gegokt. Ver voor me uit zag ik opeens haar gestalte in de schaduw verdwijnen. Als ik me haastte, was ik misschien nog op tijd om haar tegen te houden voordat ze bij de poort kwam, voordat het te laat was.

En toen sloeg het noodlot toe. Mijn voet bleef haken achter een van de tegels. Ik viel hard op de stenen en verwondde mijn knieën. Hoe kon ik zo onhandig, zo dom zijn? Ik huilde, niet alleen van de pijn, maar ook van angst en frustratie. Mijn kans om haar in te halen was nu verkeken.

Maar wacht – luister! – wat was dat? Plotseling hoorde ik stemmen en voetstappen, en toen ik omkeek zag ik twee eunuchen mijn kant op rennen. Ze hadden brandende fakkels in hun handen. Madonna! Ik begreep niet dat ze me niet vroegen wat ik daar deed, maar ik greep mijn kans. "Houd haar tegen," riep ik tegen ze. "Houd haar, houd haar, de kadin probeert te vluchten!" Ik wees met mijn vinger in de richting waarin ze was verdwenen.

Tot mijn verbazing, was dat precies wat ze deden. Ze leken me nauwelijks op te merken, hoewel ik languit op de grond lag, maar renden langs me heen, alsof ik een onzichtbare paleisgeest was.

Ik kwam moeizaam overeind en hinkte zo snel ik kon achter hen aan. Ik bereikte de haremtuinen en zag een ongelooflijk schouwspel. De maan ging schuil achter de wolken en het was pikdonker in de tuinen. Eerst zag ik geen spoor van Celia. Ik zocht overal. En toen, ja! Halleluja! Daar was ze; ze rende door de rozentuin. Het was nog niet verloren. Ik weet nog dat me opviel hoe klein ze eruitzag, net zo nietig als een fladderende mot. Alleen haar glanzende haar en haar witte mouwen lichtten op in het duister. Als we haar konden tegenhouden voordat ze bij de poort kwam, dan had ze geen misdaad begaan.

"Daar is ze, daar!" Ik wees weer en opende mijn mond. "Houd haar tegen!" Maar het was duidelijk dat de eunuchen haar al hadden gezien. En toen ik ze nakeek, zag ik tot mijn verbazing aan de andere kant van de tuin nog twee eunuchen tevoorschijn komen. En toen nog twee. Zes eunuchen in totaal, allemaal met een brandende fakkel. De val van de walidé was dichtgeslagen, nog voordat Celia de Vogelpoort had geopend.

Het waren over het algemeen grote, stevige mannen, die eunuchen, ook al hadden ze geen coglioni.' Annetta huiverde even, 'en ze haalden haar snel in. Een van hen had haar bijna te pakken. Ik deed net mijn mond open om weer te roepen, toen de maan achter een wolk vandaan kwam en heel duidelijk te zien was wat ik eerder niet had opgemerkt: in zijn vrije hand had hij een getrokken zwaard.

Eufemia! Wat had ik gedaan?' Annetta greep haar arm en kneep er zo hard in dat de kleine conversa het bijna uitschreeuwde. 'Eufemia! Moge God me vergeven!' Op dat moment besefte ik dat hij haar niet zou redden; hij zou haar vermoorden nog voordat ze de poort had bereikt.

"Wacht!" riep ik. Ik schreeuwde en probeerde met mijn pijnlijke knieën naar haar toe te rennen. Het was absurd om te denken dat ik eerder bij haar zou kunnen zijn dan hij. "Blijf van haar af, laat haar met rust, ze heeft niets misdaan..."

Hij kreeg Celia te pakken, maar toen hij mijn stem hoorde – het leek wel een wonder.' Annetta staarde voor zich uit, haar niets ziende ogen gericht op die verre horizon in haar hoofd, 'toen hij mijn stem hoorde, stopte de eunuch en liet hij zijn zwaard zakken. Ik huilde en rende en schreeuwde tegen hem, allemaal tegelijk. "Doe haar geen kwaad, doe haar geen kwaad! Ze heeft niets misdaan!"

Hij keek om om te zien wie er zo aan het schreeuwen was, alsof hij even niet wist wat hij moest doen. Ik zag haar gezicht, haar wanhopige blik. En op dat moment zag ze mij.

"Jij!"

Nog nooit had ze me met zo'n blik aangekeken.

"Wat?"

Ik begreep niet meteen wat ze bedoelde.

"Jij hebt de wachters geroepen!"

"Nee!"

"Dus jij was het!"

"Celia, alsjeblieft..." ik kon nauwelijks spreken, "luister."

Maar ze luisterde niet. Ze rukte zich los en rende weer weg. Op dat moment sprong een andere eunuch naar voren en terwijl ze langs hem rende liet hij zijn zwaard door de lucht suizen. Met twee houwen sloeg hij haar neer, zo behendig als een slager met zijn vleesmes. Het blad flitste in het maanlicht.

Het ging zo snel dat ik eerst niet goed zag wat er was gebeurd. Celia, geveld als een boom.' Annetta zat nu geknield op het bed; haar gezicht leek wel een masker. 'Vlak voor mijn neus. De eunuch had de spieren aan de achterkant van haar bovenbenen doorgesneden.

Dat doen ze soms bij slaven,' fluisterde Annetta, 'om te voorkomen dat we vluchten.'

Lange tijd was het stil. Ergens ging een bel. Ze hoorden de nonnen in de andere cellen, die zich met tegenzin voorbereidden op de eerste gebeden van die ochtend, maar alsof het was afgesproken maakte Annetta noch Eufemia aanstalten om op te staan.

Toen de laatste non haar cel had verlaten en klepperend de trap was afgedaald naar de kapel, toen ze wisten dat ze alleen waren in het slaapgedeelte, keek Eufemia Annetta aan.

'Hoe is het met haar afgelopen?' Ze leek bijna net zo aangedaan door Celia's tragische lot als Annetta zelf.

'Daar kwam ik pas veel later achter.' Annetta ging op haar rug liggen en trok het dek over zich heen. Ze huiverde. 'Ze was niet dood – dat wist ik tamelijk zeker. Dan zou ik de geweersalvo's hebben gehoord. Iemand vertelde me dat ze naar het hospitaal van de harem was gebracht, maar daarna...' Annetta haalde haar schouders op. 'Niemand kon me vertellen wat er met haar was gebeurd. Het was alsof... *poef!*' ze maakte een gebaar met haar vingers, 'alsof ze er nooit was geweest.'

Het spreeuwtje in de kooi op de vensterbank fladderde met zijn vleugels en begon te tjilpen. Na een tijdje hervatte Annetta haar verhaal.

'Het leven in de harem ging gewoon door. Niemand sprak over Celia, of Kaya, zoals ze daar werd genoemd. Zelfs de kislar niet, zelfs Gulbahar en Turhan, die met haar bevriend waren geweest, niet. Ik wist dat de walidé me in de gaten hield, net zoals ze Celia al die tijd in de gaten moet hebben gehouden. Ik denk dat zelfs zij verbaasd was over wat er was gebeurd: had ik echt met opzet mijn vriendin verraden? Maar hoe erg ik het ook vond dat ze dat dacht, ik kon niet vertellen hoe het zat. Ik mocht op geen enkele manier laten blijken hoe erg ik Celia miste, hoe graag ik wilde weten waar ze was en wat er met haar was gebeurd. Dus ik hield mijn ogen open en mijn mond dicht. Ik zette een ondoordringbaar masker op. Maar ik zwoer dat ik haar op een dag zou vinden en dat ik ons allebei zou bevrijden.

De jaren gingen voorbij, vier jaar om precies te zijn, het ene bijna eender aan het andere. En toen gebeurden er twee dingen, bijna op dezelfde dag. Het eerste was dat ik eindelijk ontdekte waar Celia was.'

'Hoe dan?'

'Dat was heel vreemd: de walidé heeft het me zelf verteld.' Annetta schudde het hoofd. 'Ze had een bezoek gebracht aan het Oude Paleis – het Tranenpaleis, zo noemden ze het, want als een padisjah sterft, moeten al zijn vrouwen voortaan daar wonen. Ik was bij haar in haar privévertrekken en plotseling zei ze: "Ik heb je vriendin Kaya vandaag gezien." Ze zei het terloops, alsof ze over het weer praatte. Eufemia,' Annetta's stem haperde even, 'kun je je voorstellen hoe ik me op dat moment voelde? Ik kon mijn oren nauwelijks geloven.

Ik heb je vriendin Kaya gezien. Had ik haar echt goed verstaan? Het bloed trok weg uit mijn gezicht.

Gelukkig was ik wel gewend aan haar spelletjes – ze was inmiddels oud en rancuneus aan het worden – en ik had de tegenwoordigheid van geest om mijn blik op de vloer gericht te houden, zodat ze mijn gezichtsuitdrukking niet zag.

"Majesteit?"

"Ik zei dat ik vandaag je vriendin Kaya heb gezien, in het Oude Paleis."

"Kaya? Ja... Majesteit."

Celia was nog in leven! En dat niet alleen: ze woonde ook nog heel dichtbij. Al die tijd! Ik kon alleen maar hopen dat mijn stem me niet zou verraden.

Een tijdlang zei de walidé niets. Ze vroeg me een van haar sjaals te brengen en ik hielp haar naar haar stoel bij het raam. Daar zat ze het liefst. Plotseling dacht ik terug aan de eerste keer dat ik haar in die kamer had bediend. Aan de verveling. We waren met zijn vieren, haar uitverkoren dienstmaagden. Natuurlijk moesten we staan. O, wat deden onze ruggen pijn! De walidé zat urenlang te kijken naar het verkeer op het water van de Gouden Hoorn, de koopvaardijschepen die kwamen en gingen. Ze keek, ze droomde, ze bekokstoofde. Maar die dag, na al die jaren, voelde het alsof ik nooit iets anders had gedaan.

"Jammer, toch," zei de walidé na een tijdje. "De padisjah heeft haar altijd gemogen."

Ze keek nog steeds naar buiten, maar ik wist dat ik op mijn hoede moest blijven en hield mijn blik op de vloer gericht. Op de een of andere manier slaagde ze er altijd in om je in de gaten te houden zonder naar je te kijken – ik wist niet hoe ze het deed, door haar huidporiën, dacht ik wel eens – en ik was bang dat mijn emoties van mijn gezicht af te lezen waren.

"Je bent veel stiller dan anders, Ayshe," zei ze na een tijdje.

Stil? Hemelse goedheid. Mijn keel zat zo dicht dat ik dacht dat hij zou barsten. Ik wist niet of ik op dat moment van haar hield of haar haatte. Ik opende mijn mond om antwoord te geven maar er kwam geen geluid.

"Huil maar niet, Ayshe," zei ze heel vriendelijk. "Ik weet hoe het is om van een vriendin te houden."'

Even was het volkomen stil in de kleine cel. Eufemia bewoog zich niet omdat ze de betovering niet wilde verbreken. En toen Annetta weer sprak, klonk haar stem heel rustig.

'Dat waren de laatste woorden die ze tegen me zei. Twee dagen later was ze dood.'

'De walidé? Dood?'

'Ja, wij konden het eerst ook niet geloven.' Annetta lachte ondanks zichzelf om de schrik die in Eufemia's stem klonk. 'De walidé, dood? Onmogelijk! Maar het was waar. Ze stierf 's nachts. En ik was degene die haar vond.'

Annetta ging op haar rug liggen en staarde naar het plafond. In gedachten stond ze weer in de slaapkamer van de walidé. Ze zag het lichaam liggen, de huid al vergeeld, de mond halfopen, de handen – die al stijf en koud waren – keurig over elkaar gevouwen. Het intense gevoel dat er eindelijk een betovering was verbroken en dat ze haar voor het eerst echt zag, dat de walidé al die tijd niet meer was geweest dan een illusie.

Ze wist nog dat ze op dat moment dacht: dus dit is de dood. Is dat alles?

Was het die gedachte die haar ertoe aanzette om de diamant te stelen?

Zelfs nu nog brak haar het zweet uit als ze aan dat moment dacht. Die diamant die zo groot was dat hij niet eens in de gebalde vuist van de walidé paste. De blauwe diamant van de sultan. Hoe vaak had ze sindsdien de angst van dat moment opnieuw beleefd, de worsteling met het lichaam, dat al in ontbinding verkeerde. Met een korte huivering herinnerde ze zich hoe ze in het weeïge, dode vlees beet, de misselijkmakende knak van de vinger toen ze eindelijk de edelsteen los wist te wrikken...

Om de beelden te verdrijven ging Annetta weer zitten, met haar rug tegen de muur.

'Aangezien ik de persoonlijke slavin van de walidé was geweest, was ik nu vrij. Ze had me mijn vrijheid geschonken,' zei Annetta. Ze koos haar woorden zorgvuldig. 'En nog iets. Iets zeer kostbaars. Een diamant.'

'Een diamant?'

'Ze noemen hem de blauwe diamant van de sultan.'

'Heeft ze hem aan jou gegeven?'

'Nee, domkop. Ze was dood, weet je nog?' snauwde Annetta tegen Eufemia, onaardiger dan haar bedoeling was. 'Ik heb hem van haar gestolen.'

'Heb je hem gestólen?'

'Na alles wat ze van mij had gestolen?' Annetta's zwarte ogen fonkelden. 'Ja, ik heb hem gestolen, ik heb haar dierbare diamant gestolen! En het heeft me geen windeieren gelegd.'

'Wat heb je ermee gedaan? Heb je hem nog?'

'Nee! Ik wist dat er een enorm bedrag aan losgeld voor nodig zou zijn om Celia uit het Oude Paleis te bevrijden – en nu bezat ik iets wat een fortuin waard was! Ik wilde maar één ding, en dat was Celia en mezelf vrij kopen.' Annetta leunde achterover alsof ze plotseling doodmoe was en drukte haar vingers tegen haar ogen. 'Er was een *kira* die ik kende en vertrouwde, een jodin die soms klusjes deed voor de haremvrouwen. Ik maakte een pakketje dat leek op een oliekruikje, en daarin verstopte ik de steen en een brief aan Celia, zodat de kira niet wist wat het was. De vrouw beloofde het pakketje naar het Oude Paleis te brengen en persoonlijk aan Celia te overhandigen. Ik heb haar er goed voor betaald. En de rest... nou, de rest lag in Celia's handen.'

Ze legde haar hand tegen haar borst alsof ze pijn had.

'Het is nu al meer dan een jaar geleden en ik heb niets van haar vernomen. Ik weet niet of ze leeft of dood is. Of hoe het met de steen is afgelopen. Tot nu. Tot vandaag. Tot hij kwam, die man over wie ik je vertelde. John Carew. Eufemia, hij weet iets, daar ben ik zeker van! Je moet me helpen hem te vinden!'

30

Toen Carew het palazzo van Constanza binnenging, maakte het hele gebouw opnieuw een verlaten indruk. Hij liep over de binnenplaats, door de keukens en de voorraadkamers op de begane grond en besteeg de buitentrap naar de piano nobile.

Ook de mooie kamer van Constanza was leeg. Net als eerder waren de linnen schermen half voor de ramen getrokken om de hitte buiten te houden. Overal lag nog rommel van de vorige dag: borden met half opgegeten brood en kaas, nauwelijks aangeraakte wijnglazen, een slordig hoopje tarotkaarten in een plas gestold kaarsvet. Nu de kaarsen niet meer brandden vulde de lucht zich met de stank van het kanaal – een zwarte geur van verderf. De ruimte was nog wanordelijker dan de dag ervoor. Vlak boven de vloer dwarrelden lome stofdeeltjes. Het was duidelijk dat Constanza's bedienden niet waren teruggekomen.

Constanza zelf was nergens te bekennen, maar toen Carew naar de ramen liep om de schermen omhoog te trekken, merkte hij dat hij toch niet alleen was. Op het bed zag hij de half zittende, half liggende gestalte van Paul, gekleed in een vies linnen hemd dat geopend was tot aan zijn navel en met een baard die in geen dagen was bijgeknipt.

'Wel, wel, kijk eens wie we daar hebben.' Hij keek Carew aan met toegeknepen ogen. 'Ik zie dat je je hier inmiddels aardig thuis voelt,' zei hij zachtjes.

'U ook een hele goedendag gewenst, meester Pindar.' Met een vinnige polsbeweging trok Carew het laatste scherm omhoog. Hij keek onderzoekend de kamer rond. 'Waar is Constanza?'

Pindar haalde zijn schouders op. De mannen keken elkaar een tijdje aan in een vijandelijk zwijgen.

'Ik dacht dat je was vertrokken,' zei Paul uiteindelijk. Hij leunde achterover tegen het hoofdeinde. In het grauwe licht dat nu de kamer binnenstroomde, zag hij er bleker uit dan gewoonlijk, maar dit keer was hij tenminste tamelijk nuchter. 'Ambrose zei dat je al op weg was naar Engeland. Op een van de koopvaardijschepen.'

'Het spijt me dat ik je moet teleurstellen.' Carew stond hem wijdbeens aan te kijken van de andere kant van de kamer. Hij had een norse uitdrukking op zijn gezicht. 'Het ziet ernaar uit dat Ambrose niet zo goed is in het vergaren van inlichtingen als wel wordt beweerd, vind je niet? Als je het mij vraagt, is hij alleen maar geïnteresseerd in dat zeemeerminjong voor het kabinet van Parvish. Bah!' Carew huiverde. 'De laatste keer dat ik hem zag, kon hij er maar niet over ophouden. "Het is pervers."' Hij gaf een verbazend nauwkeurige imitatie van Ambrose ten beste.

'Ik vervloek Parvish en zijn dierbare kabinet,' zei Paul geïrriteerd. 'En ik vervloek Ambrose trouwens ook. Wat ik wil weten is of je nog iets te weten bent gekomen over die non van je? Die non met het beursje.'

'Ik begrijp dat je met Constanza hebt gepraat?'

'Ze was zo vriendelijk om je boodschap door te geven.'

'Nou, ik heb inderdaad een van de nonnen gezien,' zei Carew langzaam. 'Het was niet Celia.' Hij zweeg omdat het hem onmogelijk leek om ooit uit te leggen – aan zichzelf, laat staan aan iemand anders – wat er die middag in het klooster was gebeurd.

'Je weet iets.' Paul nam hem aandachtig op.

'Nee, ik weet niets.'

'Ik denk van wel.' Paul sprong verrassend soepel van het bed en liep naar Carew.

'Het is me nog niet gelukt om...'

'Denk je dat ik dat geloof? Ik ken die blik, al jaren. Ik zie het wit van je ogen en dat betekent problemen. Je weet iets, vervloekte rattenvanger. Je weet iets en je verzwijgt het voor me.'

Uit een gordel onder zijn hemd trok Paul een kleine dolk tevoorschijn. Hij liet het lemmet over de wang van Carew glijden, langs het witte litteken dat van Carews kaak naar zijn mond liep. Carew voelde de punt in zijn huid prikken.

'Vertel, anders snijd ik dit keer je oor af.'

Carew rook zijn adem, die stonk na weer een nacht van te veel wijn en te weinig slaap.

'Ga je gang, ik heb er nog een... Au! Jezus!' Carew trok zijn hoofd snel weg en drukte zijn hand tegen de zijkant van zijn gezicht. 'Waarom doe je dat?' Hij voelde kleverig en warm bloed langs zijn nek sijpelen. Hij bracht zijn hand naar zijn oor en voelde een stukje loshangende huid. 'Christos, je hebt écht mijn oor afgesneden!'

'Dacht je dat ik een grapje maakte? Laat me je er dan aan herinneren dat ik nooit grapjes maak,' zei Paul koeltjes. 'Stel je niet zo aan, het is maar het lelletje. Bovendien,' hij veegde het lemmet zorgvuldig schoon aan de slippen van zijn hemd, 'zoals je net zelf zo opgewekt zei, je hebt er nog een.'

'Jezus...'

Carew liep naar het klaptafeltje, pakte de karaf, schonk wat wijn op een van de linnen servetten en drukt het tegen zijn oor.

Paul was op de rand van het bed gaan zitten en keek Carew onverschillig aan. 'Doet het pijn?'

Carew antwoordde niet. In plaats daarvan haalde hij een van de keukenmessen uit de gordel om zijn middel en richtte die op zijn bloedende oor.

'Jij kunt mij geen pijn doen, Pindar.'

Met een vakkundige polsbeweging, alsof hij een stuk vlees fileerde, sneed hij zijn oorlel helemaal af. Een stukje huid ter grootte van een *farthing* kwam neer voor Pauls voeten.

Pindar keek onaangedaan naar Carews oorlel.

'Het spijt me.'

Carew leunde met zijn rug tegen de muur en liet zich naar beneden glijden tot hij op de grond zat.

'Niet waar.'

Ze zwegen een tijdje. De zon was verschoven en scheen nu recht naar binnen, waardoor de lege plek waar een van de bewerkte, leren muurpanelen had gehangen en het gerafelde damast van het baldakijn boven het bed goed zichtbaar waren.

'Kijk nou eens naar jezelf.' Carew drukte de linnen doek tegen zijn kloppende oor. 'Kijk nou eens wat er van je is geworden. Wat denk je dat je vader zou zeggen als hij je zo kon zien?'

'Laat hem erbuiten.'

Weer een lange stilte.

'Ambrose denkt dat je ten prooi bent gevallen aan melancholie.'

Pindar ging weer op het bed liggen.

'Ik vervloek Ambrose,' zei hij zwakjes, 'ik vervloek jullie allemaal.'

'Waarom, Paul? Waarom haat je me zo?'

'Je vergist je, ik haat je niet...' zijn woorden stierven weg. 'Althans, niet de hele tijd.'

'Wat is er dan?'

'Jij hebt haar gezien. En ik niet. Je had die muur met je blote handen neer moeten halen om haar te redden. Maar dat is je niet gelukt.'

'Het was onmogelijk.'

Weer een stilte.

'Dat weet ik. Denk je dat dat iets uitmaakt?'

Carew zat nog steeds met zijn rug tegen de muur.

'Ga met me mee terug naar Engeland. Het schip vertrekt over een paar dagen, of zelfs morgen al, als de wind gunstig is.'

Hij leek dit even te overwegen.

'Ik kan het niet.' Paul staarde naar het plafond. 'Ik kan mijn gezicht daar niet laten zien, niet op deze manier. Althans, nog niet. Bovendien...' stilte, '...heb ik beloofd dat ik mee speel.'

Carew sloot vermoeid zijn ogen.

'En met welk spel dan wel?' Alsof hij het antwoord op die vraag nog niet wist.

'Wat denk je? Het spel van Zuanne Memmo, natuurlijk. Het grote spel.'

'Ik dacht... ik dacht dat je niet mee mocht spelen? Ik dacht dat de inzet te hoog was.'

'Wat? Denk je nou echt dat ik zo'n spel aan mijn neus voorbij laat gaan? Hoe dom denk je dat ik ben?'

'Nou, ik had niet gedacht dat je zó dom zou zijn,' snauwde Carew, 'zelfs jij niet.'

'Waar denk je dat ik de afgelopen dagen mee bezig ben geweest?'

Het was weer even stil.

'Wil je niet weten hoe ik hem heb overgehaald me te laten spelen?'

'Niet echt.'

'Door mijn juwelen in te zetten als onderpand,' ging Paul verder. Hij sprak zacht en snel, alsof hij in een biechthokje zat. 'Ik heb al mijn belangen in de Levant Compagnie verkocht om die juwelen te bemachtigen. En nu heeft Zuanne Memmo ze.'

'Alles wat je bezit? Om mee te mogen doen met dit ene spel?'

'Alles wat ik bezit om die steen te bemachtigen. Ik moet hem hebben, John, het moet...' Paul slikte. En toen voegde hij er met een scheef glimlachje aan toe: 'Alles of niets, dat klinkt goed, vind je niet?'

'Heb je dan niet naar Constanza geluisterd? Heeft ze het je niet verteld?'

'Ja, ja, ja,' Paul maakte een wegwerpgebaar met zijn hand, 'natuurlijk heeft ze dat verteld. Ik weet dat jij haar daartoe hebt aangezet.'

Carew maakte een ondefinieerbaar geluid.

'Het wordt je ondergang.'

'Dit keer zal ik niet verliezen.'

'Hoe weet je dat?'

'Hoe ik dat weet?' zei Paul met geklemde kaken. 'Omdat ik voel dat het geluk aan mijn kant staat!'

'Het wordt je ondergang,' herhaalde Carew.

'Je begrijpt het echt niet, hè?' Paul keek Carew eindelijk aan. In zijn ogen lag de wazige, afwezige blik van iemand die al in geen maanden goed heeft geslapen. 'Wat er ook gebeurt, ik zal voelen dat ik leef.'

De gondel van Ambrose kwam tot stilstand bij het trapje naar Constanza's palazzo. Op hetzelfde moment verscheen er een tweede gondel in de bocht van het kanaal die hun kant op voer. De stank van het kanaal was bijna ondraaglijk en Ambrose drukte zorgvuldig een lap van batist gedrenkt in rozenolie tegen zijn enorme neus.

'Neem me niet kwalijk, signore, is dit het palazzo van de dame die ze Signora Constanza Fabia noemen?' riep de passagier in de boot, een jong meisje van op zijn hoogst twaalf, dertien jaar, gekleed in een slonzig zwart nonnenhabijt.

Ambrose bekeek haar zonder enthousiasme. Tenzij ze iets konden bijdragen aan een van de papiermusea of rariteitenkabinetten waarvoor hij zo ijverig de wereld afstruinde – bijvoorbeeld een schitterende botanische aquarel, zoals die van zuster Veronica, of een heilig reliek, zoals de exemplaren die hij, zonder al te veel lastige vragen te stellen, kocht bij een van hun kapellen (de laatste aanwinsten waren een stuk van het scheenbeen van Sint Johannes en een druppel van de moedermelk van Onze Lieve Vrouwe) – had Ambrose weinig belangstelling voor nonnen.

Maar toch, een non die op zoek was naar een courtisane? Zelfs in deze stad van ongebreidelde, diepe verdorvenheid wekte dat zijn nieuwsgierigheid.

'De courtisane Constanza Fabia?'

'Si, signore. *La cortigiana honesta.*'

'En wie wil dat weten, als ik zo brutaal mag zijn?'

'Eufemia,' antwoordde het meisje met de schrapende, hoge klanken van het Venetiaanse dialect. Haar accent was zo dik, dat Ambrose dacht dat hij er een lepel in zou kunnen steken. 'Suor Eufemia,' voegde ze er trots aan toe. Toen ze zei tot welk klooster ze behoorde, trok Ambrose bijna onmerkbaar een wenkbrauw omhoog.

'Nou, lief kind, je bent wel een flink eind van huis.'

Hoewel hij het klooster heel goed kende – hij had zowel de tuinen als het atelier van Suor Veronica diverse malen bezocht –, leek het Ambrose niet nodig om deze informatie prijs te geven.

'Is het niet heel ongebruikelijk dat je hier zomaar rondvaart?' Hij keek haar vluchtig aan. 'Ik dacht dat jouw orde erg geïsoleerd was.'

'Nee, signore, ik ben een werkzuster, wat wij een conversa noemen.' Eufemia grijnsde. 'De regels gelden niet voor ons, alleen voor de koorzusters. Hoewel, als Suor Puree... ik bedoel Suor Purificacion d'r zin kreeg, kwam geen van ons ooit buiten... Ze zegt dat het leidt tot immoreel gedrag en dat het verboden moet worden, maar de rest van ons trekt zich daar eigenlijk niks van aan nu onze heilige abdis Suor Bonifacia, het hoekje om is, moge haar ziel rusten in vrede...'

'Nou, nou, kalm aan, ik geloof dat ik het begrijp.' Ambrose keek haar aan, nog steeds met de zoetgeurende zakdoek tegen zijn neus.

'En vertel eens, zuster...'

'U ken me Femia noemen, als u wilt.'

'Is het heus? Wat aardig, Femia.' Ambrose verbreedde zijn lippen tot iets wat voor een glimlach zou kunnen doorgaan. 'En vertel eens, hoe ben je hier zo terechtgekomen?'

Het viel hem op dat de jonge non die zo parmantig in haar armoedige gehuurde gondel zat, eruitzag als iemand die van een onverwachte vrije dag genoot.

'Prospero Mendoza, signore. Hij zei dat ik hier moest zijn.'

'Prospero Mendoza?' Weer ging zijn wenkbrauw een klein stukje omhoog en hij liet langzaam zijn zakdoek zakken. 'De juwelenhandelaar uit het getto?'

'Juist. Bent u ook met hem bevriend?'

Ambrose nam haar nu scherp op. Als ze op dat moment niet zo bedwelmd was geweest door haar eigen gevoel van gewichtigheid, had ze die blik misschien angstaanjagend gevonden. 'Hij zei dat de kans groot was dat ik die buitenlandse heer hier zou aantreffen.'

Eufemia keek nu met nauw verholen nieuwsgierigheid naar zijn neus, maar na een tijdje riep ze zichzelf tot de orde. Het feit dat Ambrose haar moedertaal gebrekkig sprak, bracht haar op een idee: 'Ben jij een buitenlander?'

'Dat klopt, ehh... Eufemia. Zeg, als je me toestaat, kan ik je misschien helpen.' Ambrose spande zijn gezichtsspieren zo aan dat hij glimlachte als een soort vriendelijke oom. 'Je hebt het getroffen, mijn kind. Ik ken iedereen hier. Mag ik zo brutaal zijn te vragen hoe hij heet?'

Toen hij haar antwoord hoorde, gooide hij zijn handen theatraal in de lucht.

'Lieve hemel!' riep hij uit en hij keek haar zo bewonderend aan dat Eufemia bijna geloofde dat hun toevallige ontmoeting geheel en al het gevolg was van haar eigen genialiteit. 'John Carew! Wel heb ik ooit!' Ambrose klopte op de zetel naast zich in de kleine kajuit van zijn gondel. 'John Carew is een zeer goede vriend van me. Ik heb hem altijd een uiterst intrigerende man gevonden. Als je hier naast me komt zitten,' hij keek even omhoog naar het raam van Constanza, maar zag alleen de geruststellende linnen zonneschermen, die nog steeds gesloten waren, 'dan kun je me vertellen waar dit allemaal over gaat.'

'O, nee, signore, dat kan ik niet doen!' Eufemia schudde resoluut haar hoofd.

'Doe niet zo dwaas, kind, waarom niet?' Ambrose probeerde niet te geërgerd te klinken.

'Ik moet hem de boodschap van de signora geven en dan meteen terugkeren naar het klooster. De boodschap en de brief die haar Engelse vriendin heeft geschreven aan haar koopman in Constantinopel.' Ze klopte op iets wat was weggestopt in haar gewaad, zoals iemand doet aan wie een waardevol voorwerp is toevertrouwd en die doodsbang is om het kwijt te raken. 'Dan weet hij dat die boodschap echt van haar komt.'

Ambrose zei niets. Zijn wangen, die al gloeiden van de middaghitte, kleurden nu nog dieper rood. Hij leek iets te willen roepen – of het een vloek was of een lied, of misschien allebei, was moeilijk te zeggen –, maar bedacht zich plotseling. Hij liet de lucht uit zijn longen lopen, alsof hij een ballon was, en toen hij weer sprak, leek het alsof wat hij zojuist had gehoord hem nauwelijks interesseerde.

'Aha, een ruzie tussen geliefden, zeker? Natuurlijk, ik begrijp het maar al te goed. Zoals je wilt.' Met een verveelde blik liet hij zijn vinger door het water glijden. 'Je bent een goed meisje. Ik zou willen dat mijn bedienden zo zorgvuldig waren.' Met zijn andere hand pakte hij een waaier waarmee hij zich loom koelte begon toe te wuiven. 'Een ruzie tussen geliefden, wat saai. Als het dat tenminste is.' Hij keek haar steels aan. 'Ik hoop voor jou dat het dat is en niet iets belangrijkers. En te bedenken dat ik hem had kunnen helpen. Poverino! Arme John.' Hij zuchtte luid en begon nadrukkelijk te schuiven met de kistjes aan zijn voeten. 'Goed, ik moet gaan.'

'Hoezo, poverino?'

'Nou, omdat hij is vertrokken, natuurlijk. Uitgevaren. *Disparu*. Vanwege al die geruchten over de pest, zie je,' mompelde Ambrose, die nog steeds over zijn kistjes gebogen zat. 'Ik heb hem gezegd dat dat het beste voor hem was.'

'Wat, de stad uit?' zei ze verslagen.

'Nou,' Ambrose ging rechtop zitten, zijn gezicht rood van de inspanning. 'Ik geloof niet dat het schip al is vertrokken,' zijn grote, bleke ogen keken haar bedroefd aan, 'maar voor jou is het te laat, vrees ik, beste... ehh... Femia. Tenzij je iemand als mij hebt om je te helpen, natuurlijk.'

'Te laat? Waarom?'

'Je weet dat zeelieden niet graag vrouwen aan boord toelaten. Ze geloven dat het ongeluk brengt.'

'Echt waar?' Eufemia fronste achterdochtig haar voorhoofd. 'Daar heb ik nog nooit van gehoord.'

'Engelse schepen. Die zijn heel anders.'

'Arme suora! Dan zal ze nooit de waarheid horen over haar vriendin en die diamant van haar... o, lieve hemel.' Verschrikt sloeg het meisje haar hand voor haar mond. 'Ik ook altijd met mijn grote mond.'

'Zei je... zei je "diamant"?'

Ambrose staarde haar nu aan alsof hij een goudvis had ingeslikt.

'O, lieve hemel!' Eufemia rolde met haar ogen. 'Dat had ik niet moeten zeggen, hè?'

'Nee, meisje.' Ambrose schudde zijn hoofd langzaam heen en weer. 'Dat had je inderdaad beter niet kunnen doen.' Hij keek haar nu strak aan met een ernstige, bestraffende blik. 'Het is blijkbaar belangrijker dan ik dacht. Tja, ik was van plan om me er niet mee te bemoeien, het zijn mijn zaken niet, maar ik denk,' hij zuchtte weer diep, 'ik denk dat ik je nu wel móét helpen. Heel vervelend, maar ik zie geen andere mogelijkheid. Och, och, het is dat John Carew zo'n goede vriend van me is.'

Op dat moment klonk er vlak boven hun hoofd een scherp geluid. Ze keken op en zagen dat iemand op het balkon van de eerste verdieping de linnen schermen omhoogtrok. Eufemia deed haar mond open om iets te zeggen maar Ambrose legde haar het zwijgen op.

'Sst.' Hij legde zijn vinger tegen zijn lippen. 'Stil, kind. De muren hebben oren. Kom hier zitten. We willen niet dat de hele wereld ons gesprek hoort.' Hij wees naar het open raam van Constanza en klopte op de zitplaats naast hem. 'Goed,' zei hij resoluut, 'we moeten maar helemaal bij het begin beginnen, vind je niet?'

'Nou, signore, ik weet echt niet of...' Eufemia deinsde terug, maar Ambrose hield haar tegen. Door de ruwe stof van haar habijt knepen zijn sterke vingers in haar arm. 'Ik zei nee, signore.'

'Onzin, kind! Wil je dat ik je help of niet?'

'Si, signore.' Een klein stemmetje.

'Nou, schiet dan op. Ik heb niet de hele dag de tijd. En begin maar met mij die brief te laten zien. Ik weet dat je die ergens op je lichaam hebt verstopt.'

Carew hoorde geluiden buiten het palazzo. Een vertrekkende gondel die tegen de muren stootte, de kreten van de bootsmannen, en toen een vrolijke, Engelse, maar al te bekende stem.

Carew duwde zich overeind en liep naar het raam. Precies wat hij dacht: Ambrose. Verdomme! Hij deed een stap naar achteren in de hoop dat hij niet zou worden gezien, maar zag nog net dat er een tweede passagier in de gondel zat, die diep in gesprek leek te zijn met Ambrose. Vreemd. Hij meende zelfs dat het een vrouw was. Voorzichtig gluurde Carew weer over het balkon. Hij zag de bekende rug van Ambrose, robuust, onbeweeglijk. Zijn gesprekspartner was aan het zicht onttrokken door het luifeltje dat hen tegen de zon beschutte.

Hij ging weg bij het raam.

'Het is je vriend, spion Jones.' Carew keek alsof hij zojuist iets zuurs had geproefd. 'Ik heb een raadseltje voor je: wat is het verschil tussen Ambrose en een dode vis? Antwoord: niets. Ze gaan allebei met de dag meer stinken.'

'Ambrose?' Paul ging zitten. 'Nou, hij neemt wel ruim de tijd. Ik heb hem laten komen om zaken te bespreken.' Hij stond op en keek Carew onverschillig aan. 'Zeg, moet jij niet op een schip zitten?'

Carew haalde de bebloede zakdoek van zijn oor. De wond bloedde nu niet meer. 'Is dat het enige wat je te zeggen hebt?'

'Als je wilt dat ik zeg dat ik spijt heb van wat ik met je oor heb gedaan, tja, zoals je zelf al zei, dat heb ik niet.'

'Dus je gaat het echt doen? Spelen, bedoel ik.'

'Of ik meedoe met het spel van Memmo?' Paul keek hem spottend aan. 'Jazeker.' Terwijl hij sprak klonken er voetstappen op de trap buiten. 'En als je hierover ook maar iets aan Ambrose vertelt, snijd ik je andere oor af.'

Ambrose stormde de kamer in.

'Ah! Vrienden! Goede vrienden! Wat een geluk dat ik jullie hier allebei aantref!' Hij spreidde zijn armen en keek met een gelukzalige glimlach van de een naar de ander. 'Precies de twee mensen die ik hoopte te zien!'

'Heb je nieuws, Ambrose?' vroeg Paul. 'Je straalt als een meteoriet, zoals altijd, eigenlijk.'

'Paul, mijn beste, beste Paul...' Ambrose liep naar hem toe en omhelsde hem hartelijk. 'Ik heb fantastisch nieuws.'

'In godsnaam, Ambrose, wat dan? Is de hele Portugese vloot bij Buena Esperanza op de klippen gelopen?' Half geamuseerd, half geïrriteerd duwde Paul hem van zich af. 'Nee, je gaat me toch niet vertellen dat je een gans hebt gevonden die gouden muskaatnoten legt?'

'Nee, nee, niets van dat alles.' Glimlachend zette Ambrose zijn gele tulband af en wiste hij zich het zweet van zijn voorhoofd. 'Kun je het niet raden? Zij is degene naar wie we al die jaren hebben gezocht.'

Paul en Carew staarden hem aan.

'Bedoel je dat je me niet hebt zien aankomen? Heeft geen van jullie bij toeval het gesprek opgevangen dat ik op de aanlegsteiger voerde?' Hij keek van de een naar de ander. 'Ik vraag het alleen omdat ik zo hoop dat ik de verrassing niet heb bedorven...'

'Ambrose, zeg alsjeblieft wat je te zeggen hebt.'

'Zoals je wilt. Ik denk...' Zijn stem stokte even. 'Ik denk dat ik haar heb gevonden. Mijn god, ik kan het nauwelijks geloven, na al die tijd.' Hij bracht een trillende hand naar zijn lippen.

'Haar gevonden?' Pauls gezicht werd asgrauw. 'Waar heb je het over?'

'De zeemeermin voor het kabinet van Parvish natuurlijk. Wat denk je dan?' Er stonden tranen in zijn ogen. 'Ze is hier Pindar. Mijn zeemeermin. Ze is eindelijk in Venetië.'

31

Carew liep terug naar zijn logement, maar zijn hoofd was zo vol van alles wat er in het palazzo van Constanza tussen hem en Paul was voorgevallen, dat hij al bij de Rialto was voordat hij er erg in had.

Het marktplein van Venetië was die middag drukker dan anders. Carew stak de brug over en baande zich een weg door de drommen straatverkopers, buitenlandse kooplieden, Joodse goud- en edelsteenverkopers en een acrobatengroep die een voorstelling aankondigde. Hij had net de andere oever bereikt toen hij tegen een oude man botste die de andere kant op liep.

'Ho, Engelsman!' protesteerde een stem die vaag bekend klonk. 'Waar is de brand? Kijk waar je loopt!'

Carew keek omlaag en zag de kleine Prospero Mendoza naar hem opkijken.

'Prospero!'

'Jij weer, Engelsman!' De oude man keek hem misprijzend aan. 'Altijd die sombere blik. Is er iemand gestorven?' Toen kneep hij zijn bijziende ogen tot spleetjes en tuurde naar de zijkant van Carews hoofd. 'Wat is er met je oor gebeurd?' Nu er geen loep voor zijn ogen zat, bleken ze heel licht te zijn. 'Het lijkt wel of er een stuk vanaf is gebeten door een hond.' Hij leek dat een zeer amusant idee te vinden.

'Een hond?' Carew bracht zijn hand naar zijn gehavende linkerwang en krabde een paar bloedkorstjes weg. Hij was zo diep in gedachten verzonken geweest, dat hij zijn oor bijna was vergeten. 'Ja, zoiets.'

'Jullie Engelsen! Wat is dat toch met jullie? Altijd vechten, altijd bloed.' Prospero haalde zijn schouders op. 'Waar ga je eigenlijk naartoe?'

Toen Carew hem vertelde waar hij logeerde, zei Prospero dat hij ook die kant op moest en de twee mannen wandelden samen verder over de markt op de zuidzijde van het Canal Grande.

Ze liepen langs de groenten- en fruitverkopers die hun waren hadden opgestapeld in piramiden van fonkelende kleuren, sneden af via de vismarkt met zijn hoge zuilen, kooien met levende krabben, planken met manden vol makreel, en sardines en piepkleine ansjovisjes die glommen als zilveren munten.

'En Pindar? Hoe is het met hem? Gisteren kwam hij langs om me te vragen hoeveel zijn juwelen waard zijn. Je weet vast nog wel dat ik je de juwelen liet zien die hij mij in bewaring heeft gegeven.'

Maar Carew had geen zin om te praten en gaf geen antwoord.

Na een paar minuten ging de oude man verder. 'Dit keer nam hij nog iets anders mee. Een Venetiaanse heer. Geen manieren, maar wat verwacht je anders. En een beetje groezelig. Hij zei dat hij zijn vriend was, van lang geleden, maar zijn voorkomen stond me niet aan.'

De oude man schudde zijn hoofd. 'Hij nam alle juwelen van de koopman mee en zei dat hij ze voortaan zou bewaren.' Prospero keek Carew bedroefd aan. 'Waarom, Engelsman? Je meester wilde niets zeggen. Wat is er allemaal aan de hand?'

'Groezelig, zeg je?' Carew fronste. 'Dat moet Francesco zijn, zo zeker als één en één twee is.'

'Ja, zo heette hij, Francesco, nu weet ik het weer.'

'In dat geval verbaast het me niet dat Pindar zijn mond hield, want die juwelen krijg je nooit meer te zien,' zei Carew. 'Heb je het niet gehoord? Dat uilskuiken van een vriend van je wil meedoen met het grote spel van Zuanne Memmo.'

'Ah!' Prospero streelde zijn baard alsof hij nu alles begreep. Hij keek Carew met hernieuwde interesse aan.

'De diamant? Heb je die dan gezien?' Prospero moest nu bijna rennen om Carew bij te houden; voor iedere stap van Carew moest hij er drie zetten.

'De diamant? O ja, die heb ik gezien,' zei Carew boos. 'Ik vervloek de dag waarop hij hem onder ogen kreeg.'

'Dus hij is in de greep van de waanzin?' Prospero keek Carew bedroefd aan.

'Ja,' zei Carew. 'Ik geloof dat we dat wel kunnen concluderen.'

De Rialto en de markt lagen nu ver achter hen en ze liepen via een reeks smalle kanaaltjes en steegjes naar de armere delen van de stad. De straatjes werden steeds nauwer en ze kwamen steeds minder mensen tegen. Uiteindelijk waren de steegjes vrijwel verlaten, maar Carew merkte het nauwelijks op. Vervaald roze en rood pleisterwerk brokkelde van de muren; op de bovenverdiepingen stonden vrouwen hun was uit te hangen en tegen elkaar te schreeuwen. Een groepje kinderen met kleren aan die zo versleten waren dat ze bijna naakt leken, speelde in het stof. Uit een huis kwam een vrouw met de karmozijnrode wangen en absurd hoge steltschoenen van een courtisane uit de lagere klasse tevoorschijn. Toen de kinderen haar zagen, pakte een van hen een steen op en gooide hem naar haar. 'Puttana, puttana!' riepen ze met hun hoge stemmen. De steen miste haar, maar schampte de schouder van Prospero die net langs liep. Met gebogen hoofd liep hij snel verder, maar ze hadden hem al gezien. 'Ebreo, Ebreo.' Treiterend dansten de kwajongens om hem heen tot Carew ze wegjoeg.

'Heeft ze je trouwens gevonden?'

'Heeft wie me gevonden?'

'Die kleine monaca die vanochtend naar mijn werkplaats kwam.'

'Een monaca? Een non?' Carew stond abrupt stil. Hij hapte naar adem; het was alsof hij een stomp in zijn maag had gekregen. 'Welke non?'

'Ik heb geen idee waarom ze dacht dat ik wist waar je was. Ik zei dat ze het bij Constanza Fabia moest proberen...'

'Maar daar kom ik net vandaan en ik heb geen non gezien.' Carew greep Prospero bij beide armen en schudde hem heen en weer. Kon het zijn dat zij naar hem op zoek was? 'Hoe zag ze eruit?'

'Hoe zag ze eruit?' Met schrille stem bootste Prospero hem na. 'Hoe zien nonnen eruit? Zwart gewaad, zwarte hoofdkap. Ze zag eruit als een non, imbeciel!'

'Kom op, ouwe, je kunt wel iets preciezer zijn.' Opnieuw schudde Carew hem ruw heen en weer en hij tilde hem bijna van de grond. 'Oud? Jong? Donker? Blond?'

Hij realiseerde zich dat hij bijna iedere minuut van de dag haar gezicht voor zich zag en hij herinnerde zich de woorden van Constanza: 'Ik heb medelijden met het arme meisje dat ooit verliefd op je wordt, Carew.'

'Had ze een schoonheidsvlek, hier,' hij wees op zijn wang, 'op haar jukbeen?'

'Wat nu, een monaca met een schoonheidsvlek?' Prospero's stem werd nog scheller. 'Ik weet genoeg. Geen wonder dat je maar één oor hebt.' Hij probeerde zich los te rukken uit Carews greep. 'En wil je zo vriendelijk zijn om mij los te laten, jongeman.'

'Nee, zo zit het niet. Helemaal niet.' Carew liet zijn handen zakken. 'Het spijt me, Prospero. Wat wilde ze?'

'Hoe moet ik dat weten?' Prospero wreef verontwaardigd over zijn schouders. 'Dat wilde ze me niet vertellen. Ze zei dat ze Eufemia heette, dat is alles.' Hij wierp Carew een boze blik toe. 'En nee, ze had geen schoonheidsvlek.'

Ze wilden net een kleine *campo* oplopen toen Prospero aan Carews mouw trok.

'Wacht even, Engelsman,' hoorde Carew hem bij zijn schouder zeggen, 'ga niet verder.'

Vanaf de andere kant van de campo kwam een gemaskerde man langzaam hun kant op. Hij had een lange stok in zijn hand en, ondanks de zomerse hitte, een jas die zo lang was dat hij de grond raakte en waarvan de panden zo stijf waren dat het leek alsof ze waren ingewreven met teer of was. Zijn eigenaardige masker had de vorm van een vogelsnavel, als van een raaf of een kraai – nooit eerder had Carew zo'n naargeestig masker gezien.

Hij maakte aanstalten om door te lopen maar Prospero hield hem stevig vast.

'Wat heb je?' fluisterde de oude man. 'Wil je soms dood, Engelsman? Kun je niet zien dat dat een pestdokter is?' Hij wees naar de sinistere, gemaskerde gedaante. 'Dus de pest is eindelijk in de stad; ze zeiden al dat het niet lang zou duren!' Zijn stem beefde van angst. 'Je bent gek als je die kant op gaat.'

'Ik kan niet anders; ik moet mijn spullen ophalen.'

'Ik raad je aan om ze te laten liggen. Je moet daar wegblijven.'

'Maar mijn schip vertrekt over een paar dagen. Het duurt niet lang.'

Prospero zuchtte. 'Goed, snel dan, kom maar mee. Ik zal je een andere weg wijzen die veiliger is.'

Ze liepen snel verder, zonder te praten. Nu volgde Carew Prospero en de oude man was verrassend snel. De steegjes waren uitgestorven en de meeste huizen leken verlaten. De ruw houten luiken van de vervallen woningen van de armen waren gesloten om de dampen van ziekte en dood buiten te houden. Zelfs Carew voelde nu de vreemde sfeer. De angst kleefde als zweet aan zijn huid.

Ergens in de buurt klonk het sombere geluid van een kerkklok die een begrafenismis aankondigde. Ze sloegen een hoek om en kwamen terecht op een tweede, grotere campo. Ondanks de kerk in het midden, maakte het plein een verwaarloosde indruk. In de spleten tussen de keitjes groeide onkruid. Anders dan de meeste kerken in de stad was deze heel eenvoudig en sober: een arme kerk voor arme mensen.

Bij de deur stond een vreemd groepje. Een vrouw met een bleek gezicht, die twee meisjes bij zich had, en twee anderen. Naast hen stond een reus van een man. Hij hoorde ook bij het groepje en had een klein rechthoekig kistje in zijn armen. Het duurde even voordat Carew besefte wat het was: de doodskist van een baby.

Toen Prospero het groepje rouwenden zag stond hij stil.

'Verder ga ik niet, Engelsman. Weet je zeker dat je niet wilt om-keren? Je moet hier weg; het is hier niet veilig.'

'Maak je om mij maar geen zorgen, Prospero. Ik moet terug naar Constanza's huis. Ik blijf hier niet lang.'

'Goed dan, ga door dat poortje en volg het kanaal tot je bij het Ospedale degli Incurabili komt...'

Maar Carew lette niet op. Zijn blik was gericht op het kleine groepje rouwenden.

'Luister je wel? Ik zei...'

'Ik weet wat je zei. Kijk, daar, ik geloof mijn ogen niet, is dat Ambrose daar bij de kerk?'

Carew wees naar een van de twee mannen aan de andere kant van de campo die ook naar het groepje stonden te kijken. De andere man had een grote leren knapzak over zijn schouder.

'Dat moet je mij niet vragen. Ik ben een oude man; denk je dat ik zo ver kan zien?'

'Mijn god, die man is ook overal,' zei Carew stomverbaasd. 'Hoe doet hij dat? Ik heb hem net nog gezien, bij Constanza.'

'Vaarwel. Ik denk niet dat wij elkaar nog eens zullen tegenko-men.' Prospero liep weg, maar plotseling leek hem zich iets te bin-nen te schieten. Hij stopte en riep naar Carew: 'Nog één ding, En-gelsman.'

'Wat?'

Carew was al halverwege de campo.

'De monaca. Ik herinner me nu dat ze zei dat ze van het ei-landklooster kwam, je weet wel, dat klooster met de botanische tuin.'

Had Carew hem gehoord? Hij wist het niet zeker. Met zijn blik volgde hij Carew die over de kapotte keitjes wegrende. Er dreigde onheil, hij voelde het in zijn botten.

'Jullie Engelsen,' mopperde hij, terwijl hij hoofdschuddend naar de snel kleiner wordende gedaante van Carew keek, 'altijd vech-ten, altijd bloed.'

Bloed! Inderdaad. Op het moment dat Carew Ambrose daar zag

staan – met die zelfgenoegzame glimlach, zo oneindig zeker van zichzelf – wist hij het. Bloed! En als het kon het bloed van Ambrose!

Helder en scherp als winterlicht zag hij weer het beeld voor zich van die iets te stevige, met een tulband getooide figuur in de gondel voor het palazzo van Constanza. De vrouw die ook in de gondel zat, had hij net niet kunnen zien, maar hij had haar stem gehoord en was ervan overtuigd dat het Eufemia was, de jonge non van het eilandklooster. Een golf van vreugde vermengd met wanhoop was door hem heen gegaan, want hij wist ook zeker dat ze door Annetta was gestuurd. En toch had Ambrose niet alleen besloten de boodschap niet aan hem door te geven, maar had hij zelfs haar naam niet genoemd. Waarschijnlijk had hij het meisje met een smoesje weggestuurd.

Carew nam niet de tijd om zich af te vragen waarom Ambrose hem kwaad zou willen doen of wat hij uitspookte in dit arme door de pest getroffen deel van de stad. Dat soort kleinigheden kwamen niet in zijn hoofd op. Hij had maar één doel: Ambrose bij zijn keel grijpen, het hoofd van zijn lijf rukken en de verwaande glimlach van die klootzak voorgoed van zijn gezicht slaan.

Maar hij kon zijn plan niet ten uitvoer brengen, want het leek erop dat iemand anders hem voor was. Toen Carew dichter bij de groep kwam, zag hij dat er rond Ambrose en diens onbekende metgezel een meningsverschil was ontstaan. Tot zijn verbazing waren de rouwenden bij de kerkdeur erbij betrokken. De campo, die tot een paar seconden eerder bijna verlaten was geweest, begon opeens vol te stromen met nieuwsgierigen die het schouwspel niet wilden missen. De vreemde, spanning die op het plein hing, werd plotseling nog intenser en een uitbarsting leek onafwendbaar.

Carews straatvechtersinstinct vertelde hem dat er iets stond te gebeuren.

32

De kerkdeur was gesloten.

'Doe open.' Maryam hield het kleine kistje onder haar arm en bonsde met haar vrije vuist tegen de deur. 'Wij vragen om de zegen voor onze dode.'

Even gebeurde er niets. Ze bonsde nog een keer. 'Alleen maar uw zegen, alstublieft, vader. Voor onze dode baby.'

Uiteindelijk kwam er vanuit de kerk een gedempte stem, maar de deur bleef gesloten.

Er ging geroezemoes door de menigte.

Met een verslagen blik keerde ze zich naar haar metgezellin. 'Het heeft geen zin, Elena, hij doet niet open.'

Op dat moment klonk er achter haar een vertrouwde stem – een mannenstem.

'Wat had je dan verwacht? Het is tenslotte geen menselijk wezen.'

De metgezel van Ambrose, de man met de leren knapzak over zijn schouder, kwam nu naar het groepje toe. Toen Maryam hem zag, deinsde ze terug met zo'n verschrikte blik op haar gezicht dat het leek of ze een spook had gezien.

'Panayia mou!' Instinctief zette ze een stap opzij om voor Elena en de twee meisjes te gaan staan. 'Jij! Wat doe jij in godsnaam hier?'

Haar reactie deed de man zichtbaar plezier. Hij leek een stukje te groeien en zette uitdagend een stap in haar richting.

'Zie je, ik zei het toch?' Hij wendde zich tot Ambrose. 'Zo lelijk als een nijlpaard!' Hij gniffelde. 'En zelfs een snor; dat was ik vergeten.'

Eindelijk vond Maryam haar stem terug.

'Bocelli!' Ze had een drukkend gevoel op haar borst. Dus ze had hem toch gezien in het dorp. Ze had een slecht voorgevoel, een heel slecht voorgevoel. 'Wat wil je?'

'Altijd recht voor zijn raap, hè?' lachte Bocelli, waarbij de zwarte stompjes van zijn voortanden zichtbaar werden. 'Wat denk je dat ik wil? Ik kom natuurlijk dáárvoor.' Hij wees met zijn kin naar het kistje en zei toen met luide stem, zodat iedereen hem kon horen: 'Ik kom ophalen wat van mij is.'

Even staarde Maryam hem ongelovig aan. 'Je komt wát doen?'

'Je hebt me wel gehoord.' Hij sloeg met opzet een aanmatigende toon aan. 'Ik kom ophalen wat van mij is.'

Maryam wist dat ze nu snel moest denken. Uit het groepje toeschouwers steeg gemompel op. Er kwamen nog meer mensen hun huis uit om te zien wat er aan de hand was. Maryam kende de gevaren van grote groepen. Ze deed nog een stap naar achteren, naar Elena en de twee meisjes.

'Ik weet niet waar je het over hebt, Bocelli.'

'Je hebt die... dat wat in het kistje zit voor mij naar Venetië gebracht en nu wil ik het terug.'

'Dat is niet waar,' ze probeerde zo redelijk mogelijk te klinken, 'je smeekte me je van haar te verlossen.' Maryams hart klopte nu in haar keel, zo luid dat ze het bijna kon horen. 'Je gaf me een paard in ruil,' zei ze, wetend dat ze kalm moest blijven en niets moest laten blijken van de wanhoop die ze voelde.

'Ja, dat is ook zo. Ik heb je er ruim voor betaald.' Bocelli wierp zijn metgezel een blik toe en liep vervolgens naar haar toe. 'Om het in leven te houden tot je de Serenissima bereikte.'

'Nee! Dat was niet de afspraak.'

'Je zei dat je naar Venetië zou gaan en dat je het gedrocht in leven zou houden. Wees nou redelijk, ik had er toch niet voor kunnen zorgen? Ik wist dat de moeder het niet lang zou maken.' Hij haalde onverschillig zijn schouders op. 'En toen zag ik jullie in Messina. Een groep vrouwen, zelf ook gedrochten.' Bocelli grinnikte weer. 'Het was de ideale oplossing! Kom op! Je kon het maar al te goed gebruiken, dat weet je zelf ook. Je zei zelf dat je er flink aan zou kunnen verdienen.'

'Dat is niet waar.' Ze voelde een tinteling in een van haar armen en klemde het kistje tegen haar borst. 'Zoiets zou ik nooit zeggen.'

'Luister, monsterlijk wagenpaard dat je bent.' Bocelli, die nerveuzer werd van de menigte dan hij wilde laten blijken, begon zijn geduld te verliezen. 'Voor jou was dat ding interessant toen het nog leefde,' fluisterde hij woedend, 'voor mij is het interessant nu het dood is, capito? Geef nu maar hier...'

Hij stak zijn handen uit om het kistje aan te nemen, maar Maryam, die drie koppen groter was dan hij, verzette zich. Er ging een zucht door de menigte; de toeschouwers wisten niet of ze moesten lachen of huilen om het schouwspel.

'Hét?' Maryams stem was zo laag, dat het bijna als een grom klonk.

'Je weet heel goed waar ik het over heb. Doe je nou niet nog dommer voor dan je bent!' Bocelli gaf een klein knikje in de richting van Ambrose. 'Zie je die man daar, met die tulband? Hij zal me hier goed voor betalen. Heel goed.' In zijn gretigheid om het kistje in handen te krijgen, probeerde hij haar nu te paaien. 'Luister, ik zal ervoor zorgen dat jij er ook wat aan verdient, als extra betaling voor de moeite. Maar we hebben er geen van beiden wat aan als het hier wegrot, capito?'

'Signor Bocelli!' Het was Elena die sprak. Ze kwam naar voren en staarde Bocelli verbijsterd aan. 'Wat wil die man met ons dode kind? Ja, een dood kind,' zei ze nu tegen de groeiende menigte, 'een kleine baby. God hebbe zijn ziel.'

Een van de meisjes, Leya, begon te huilen.

'We zijn hier gekomen om hem te laten zegenen en hem te begraven, met alle rituelen die daarbij horen. Alstublieft, laat ons met rust.'

'Schaam je!' riep een vrouw met een groene hoofdkap naar Bocelli. 'Ja, schaam je. Laat die arme mensen gaan, laat ze hun kind begraven!' viel een wasvrouw met rode handen vol kloven die uit haar raam leunde haar bij. Er plofte een zwaar rond voorwerp neer voor de voeten van Bocelli, een rotte appel, gegooid door een ongeziene hand.

'Wacht!'

Tot nu toe was Ambrose zwijgend achter Bocelli blijven staan, op de voorste rij van de menigte. Zichtbaar walgend van de smerige omgeving, hield hij een ruiker voor zijn gezicht – een linnen zak met gedroogde kruiden die beschermden tegen ziektes. Alleen zijn ogen, twee starende bolle, blauwe knopen, verraadden dat hij alles met grote belangstelling volgde.

'Wacht!' Zijn zware, kalme stem weergalmde over de met onkruid overwoekerde campo. 'Beste mensen van Dorsoduro, waarom zouden jullie medelijden met hen hebben? Deze vrouwen zijn vreemden in jullie midden. Geen haar beter dan zigeuners...' Er viel een onbehaaglijke stilte. 'En we weten allemaal hoe zigeuners zijn.'

Vergeleken met het ordinaire geschreeuw van de menigte, klonk de stem van Ambrose, ondanks zijn onmiskenbaar Engelse accent, gezaghebbend en aristocratisch. Hij overstemde met een ijzige klank het rumoer. 'We weten allemaal wat zigeuners doen, waar of niet?' ging hij verder. 'Ze liegen. En ze bedriegen. En ze stelen.'

'Ze stelen kinderen,' riep een man met een flink gezwel in zijn nek, 'dat weet iedereen.'

'Zo is het.' Ambrose liet de ruiker langzaam ronddraaien tussen zijn vingers. 'En ongetwijfeld ook baby's.'

Hij liet deze informatie een paar seconden doordringen.

'Wie zegt dat deze baby – als er echt een baby in het kistje ligt – van hen is?'

Hij bracht de ruiker weer naar zijn neus en liet strategisch een stilte vallen. Iedereen op de campo zweeg.

'Vertel eens,' onderbrak Ambrose uiteindelijk de stilte, 'wie van jullie is de moeder?' Eerst keek hij met zijn priemende blik Elena aan en vervolgens Maryam. Alle ogen waren gericht op het kleine groepje vrouwen bij de kerkdeur. Toen geen van beiden antwoord gaf, schudde Ambrose langzaam zijn hoofd.

'Nee,' zuchtte hij bedroefd, 'dat dacht ik al.'

En toen, als een zucht, steeg er weer geroezemoes op uit de menigte, maar nu was de klank anders; het was de klank van opborrelende woede.

'Zigeuners brengen ons niets dan vuil en ziekte!' Nu wist hij zeker dat hij de toeschouwers aan zijn kant had. Ambrose durfde zijn stem iets te verheffen: 'Wie weet, misschien zelfs... de pest!'

'Madonna! Wat zegt hij nou?' 'Zei hij, de pest?' 'Ja, de pest... de pest.'

Opeens hing er angst en woede in de lucht. Maryam kon het bijna ruiken. Ze voelde de stemming omslaan en het drukkende gevoel op haar borst keerde terug. Ze kon nauwelijks ademhalen.

'Ja, inderdaad, de pest!' Hij keek triomfantelijk om zich heen. 'Waarom zouden jullie medelijden hebben met dit gespuis? Terwijl zij, deze vieze zigeunerinnen, deze afschuwelijke ziekte onder jullie hebben verspreid.'

Ambrose schreeuwde nu bijna, bedwelmd door zijn eigen retoriek. Maar wacht even! Wat was dat? Een bekende Engelse stem zei iets in zijn oor.

'Zigeunerinnen? Ze lijken helemaal niet op de zigeuners die ik heb gezien, Mr. Ambrose.'

Ambrose draaide zich snel om. Toen hij Carew zag, zakte zijn mond open.

'Jij! Waarom sluip jij hier rond? Waarom hang je toch altijd om ons heen?'

'Dat zou ik jou ook kunnen vragen, Mr. Ambrose.'

Carew gaf geen zier om de vrouwen en hun dode baby, maar hij zag waar Ambrose mee bezig was.

'Dit zijn geen zigeuners!' riep hij. 'Lijken ze op de zigeuners die jullie kennen?' Zijn blik gleed over de gezichten, die van angst waren vertrokken. 'Waarom luisteren jullie eigenlijk naar hem?' Hij wees met zijn vinger naar Ambrose. 'Hij is een buitenlander, een vreemdeling. Wie zegt dat hij niet degene is die de pest heeft meegenomen?'

'Carew!' De bleke ogen van Ambrose puilden bijna uit hun kassen. 'Ben je gek geworden? Ja, dat kan niet anders; volgens mij ben je eindelijk echt gek geworden.'

Vanwege zijn statige kleding en superieure houding had de menigte vanzelf ontzag voor Ambrose, maar van Carew wisten ze meteen dat hij een van hen was. Tot grote ergernis van Ambrose daalde er weer een gespannen stilte over de menigte neer.

'Ik ken deze man.' Carew wees nu naar Ambrose, die tot zijn tevredenheid nerveus begon te worden, 'en als er één leugenaar en bedrieger is, dan is hij het.'

'Carew!' zei Ambrose smekend. 'Waar denk je dat je mee bezig bent? Ze scheuren ons aan stukken.' Hij was nu echt bang en keek onrustig om zich heen.

Maar Carew bracht zijn mond weer naar het oor van Ambrose en fluisterde zo zacht dat alleen hij het kon horen: 'Ach, als zij het niet doen, dan doe ik het wel.' En hij voegde er liefdevol aan toe: 'En dat is nog maar het begin.'

'Wat? Nu ben je te ver gegaan! Ik vertel het aan Pindar. Ik zal je laten geselen... en... en kielhalen, reken maar.'

Carew deed of hij het niet hoorde. 'Waarom heb je me die boodschap niet gegeven?'

'Wat?' Ambrose staarde hem aan. 'Welke boodschap?' sputterde hij. 'Ik weet niet waar je het over hebt.'

'O, volgens mij weet je dat heel goed.' Carew keek hem met een harde blik aan. 'Waarom heb je me die boodschap niet gegeven, Ambrose? Weet je, ik denk dat Constanza al die tijd gelijk had over jou,' zei hij langzaam. 'Jij kent alle geheimen, nietwaar? Maar geen van ons weet echt aan welke kant je staat.'

De gedachte aan wat Ambrose had gedaan wekte zo'n moordzuchtige woede op bij Carew, dat hij de neiging om ter plekke zijn nek om te draaien maar met moeite kon onderdrukken. Maar de enige reden dat hij nog niet het genoegen mocht smaken om die grote neus van Ambrose tot moes te slaan, zijn grote, kale schedel als een eierschaal tussen zijn handen te vermorzelen – althans voorlopig niet – was dat hij nu een mogelijkheid zag om hem op een andere, misschien nog pijnlijkere manier te straffen.

Hij hoefde niet te raden wat er in het kistje zat. Er kon maar één reden zijn waarom Ambrose het zo graag in handen wilde krijgen: in het kistje lag het zeemeerminjong waar Ambrose zo lang naar op zoek was geweest, Carew wist het zeker. Maar hij wist ook dat hij nu snel moest handelen.

'Denk je dat ik niet doorheb waar je mee bezig bent? Denk je dat ik niet weet wat er in dat kistje zit? Ik sla je tot moes, Ambrose, maar voordat ik dat doe...' hij wees naar de vrouwen die nog steeds bij de kerkdeur stonden, '...ga ik nog iets veel ergers doen.'

'Wacht, nee... Niet zo snel, je begrijpt het niet. Je hebt geen idee hoeveel moeite het heeft gekost om het hier te krijgen.' Hij wierp een vluchtige blik op Bocelli, die hen verward aanstaarde. 'Het is een échte zeemeermin, geloof me! De eerste ooit. Dat ding is een fortuin waard, John,' smeekte hij. Hij glimlachte niet meer en zijn gezicht was vertrokken van angst en hebzucht. 'Een vermogen! Meer dan de blauwe diamant van de sultan!'

'Dat is het enige wat jou interesseert, is het niet? Wat was je ermee van plan, Ambrose, met dat dode kind?'

'Kind? Waar heb je het over? Het is een gedrocht!'

'Daar denken deze arme vrouwen anders over.' Carew keek naar het treurige groepje. 'Zij wilden het een fatsoenlijke begrafenis geven. Wat was jij ermee van plan? Het inleggen als een komkommer? Roken als een ham? Of misschien dacht je dat je het beter kon zouten? Wat zouden deze brave burgers daarvan vinden, vraag ik me af? Ik denk niet dat ze veel weten van jouw kabinetten en je curiositeiten. Weet je wat? Laten we het ze vragen.'

'Stop!' zei Ambrose. Zijn stem klonk als het zwakke gesnater van een gans.

Maar Carew liep al met ferme passen naar de kerk. Het vooruitzicht dat hij zijn schat zou verliezen, had op Ambrose het effect van een plens koud water. Hij wendde zich tot Bocelli, die met halfopen mond naast hem stond. 'Zie je die man?'

Bocelli knikte.

'Zorg dat hij verdwijnt!'

Bocelli keek hem verbijsterd aan. 'Maar signore...'

'O, schiet op, man! Het maakt me niet hoe je het doet,' siste Ambrose in Bocelli's oor. 'Vermoord hem als het moet.'

Toen Maryam Carew op zich af zag komen, wist ze niet dat hij geen kwaad in de zin had. Ze had geprobeerd het gesprek tussen de twee mannen te volgen, maar het vond grotendeels plaats in een taal die ze niet verstond.

Ze stond te luisteren met het kistje in haar armen. Hoewel het voor haar niet zwaarder was dan een zak graan, was het op de een of andere manier moeilijk om er grip op te houden. Haar armen en vingers begonnen te tintelen. Ze voelde dat het kistje begon weg te glijden. Elena rukte aan haar mouw en zei iets tegen haar, maar ze verstond het niet. Ze probeerde iets te zeggen, maar er kwamen geen woorden. In haar oren klonk een vreemd gesuis.

De campo stond nu bijna vol mensen. Ze zag de angst en haat op hun gezichten. Ze zag hun bewegende monden, de pezen van hun nekken. Maar ze had het vreemde gevoel dat ze werd omringd door stilte.

De stilte was het eerste geweest wat Maryam had opgemerkt toen ze de lagune binnen voeren. Na al die weken op de open zee, leek het water wel van glas. De eilanden waren zo plat en staken maar zo'n klein stukje boven water uit dat het vlotten leken. Er stond geen zuchtje wind. De zeilen van de boten hingen slap en het enige geluid was dat van de roeiriemen die langzaam door het water gingen.

Ze waren bijna bij de stad toen de baby stierf. Het gebeurde heel vroeg in de ochtend. Het was de mooiste dageraad die Maryam ooit had gezien. Ze stond op het dek met het kind in haar armen, betoverd door de schoonheid. Toen Maryam naar beneden keek, zag ze dat het slapende kind wakker was geworden. Teder dekte ze hem weer toe. Ze streek onhandig met haar vinger over het kleine hoofdje, over de haartjes die niet dikker waren dan de pluisjes van een paardenbloem. De baby draaide zijn hoofd en zocht met zijn mond naar de borst van zijn moeder; hij gaf geen kik, haalde alleen heel zacht adem. Maryam kreeg een brok in de keel toen ze naar hem keek.

'Kijk, *agapi mou*, kijk,' fluisterde ze, 'we zijn er bijna. We zullen een dokter zoeken die ons kan helpen. Een van de bootsmannen weet waar we moeten zijn...' Maryam probeerde de woorden van Elena te vergeten, duwde ze zo diep mogelijk weg.

Het heeft geen zin, Maryam, je moet je voorbereiden. Het kind is te zwak om te eten. Het zal niet lang meer duren. Ze hoorde het verdriet in de stem van Elena, die zelf twee baby's had verloren. *Je moet het de moeder niet kwalijk nemen. Het is afschuwelijk om te weten dat je kind gaat sterven, ook... ook als het er zo een is. Het is de wil van God, Maryam.* Elena had haar hand op Maryams arm gelegd. *Maar er zullen er meer komen.*

Maar niet voor mij! wilde Maryam schreeuwen. Voor schepsels als ik is er geen God! Voor mij komen er geen kinderen meer!

Had ze die afschuwelijke, godslasterlijke woorden uitgesproken? Had ze ze hardop gezegd. Misschien wel. Ze besefte dat het haar niet meer uitmaakte wie het wist. Ze konden haar uitlachen zoveel ze wilden. Ze zag de walging op hun gezichten als ze de doeken afwikkelde om de baby te verschonen; ze voelde dat ze gruwden als ze zijn misvormingen zagen. Maar voor Maryam was het anders. Zij zag alleen maar de volmaakte voetjes, tien volmaakte teentjes, de nagels als kleine scherfjes paarlemoer.

Maar nu ze de stad naderden, voelde het alsof haar armen al leeg waren.

'We zijn er bijna, lieveling, we vinden wel iemand die ons kan helpen, wacht maar af... Ik geef het niet op, nooit.'

Maryam voelde dat het vuistje zich zachter dan een wolk om haar vinger sloot. Nooit eerder in haar leven had ze zich zo gevoeld. Ze kon het bijna niet verdragen, de pijn van deze intense liefde.

Ze hoorde een kreet van een van de matrozen en toen ze opkeek zag ze een van hen naar de horizon wijzen. Eerst zag ze niet wat hij aanwees. In de verte stonden hoge bergen als schildwachten achter de stad, hun toppen nog bedekt met sneeuw. Maar voor zich zag ze alleen mist en het glazige water van de lagune, dat dezelfde kleur had als de hemel. De man riep en wees opnieuw, maar nog steeds zag ze niets. Met een eenzame kreet vloog een zwerm vogels over de boeg. Ze draaiden, doken en scheerden over het water.

En toen, opeens, zag ze het. De mist werd wat dunner en in de verte was eindelijk de veelgeroemde stad te zien, in de roze en gouden gloed van de dageraad. Op dat moment had Maryam de indruk dat de stad bewoond werd door engelen in plaats van mensen.

Toen ze weer omlaag keek bewoog de kleine ribbenkast van de baby niet. Zijn ogen stonden open, maar ze waren glazig en leeg. Er moesten vier bootsmannen aan te pas komen om haar in bedwang te houden, zodat Elena het dode kind weg kon nemen.

Maryam zag dat de menigte op de kleine campo steeds groter werd en ze voelde zich vermoeider dan ooit.

Ze had zichzelf zo slim gevonden toen ze Bocelli zover had gekregen dat hij haar die twee paarden had gegeven, maar nu realiseerde ze zich dat hij de slimmerik was; hij had haar misleid. Het was allemaal te gemakkelijk gegaan. De kits die precies op het juiste moment klaarlag, de bereidwilligheid van de bootsmannen om de vrouwen zonder vragen te stellen helemaal naar Venetië te brengen. Ze hadden zelfs meteen besloten om de dode baby naar het Ospedale degli Incurabili te brengen. Ze zag alles nu heel helder: al die tijd was zij de pion geweest in het plan van iemand anders.

En nu ze Carew naar zich toe zag komen, zag ze niet hem, maar de gezichten van die mannen van al die jaren geleden, de gezichten van haar kwelgeesten.

Maryam begon te rennen.

Ze had het kistje nog in haar armen en baande zich blind een weg door de menigte. Mannen en vrouwen stoven opzij, vielen languit op de grond achter haar. Ze zag hun bewegende monden, de gespannen pezen in hun halzen, maar de wereld was doodstil. Het enige was ze hoorde, was het bonzen van haar eigen hart.

Ze rende om de kerk heen en probeerde het steegje te vinden dat haar terug zou brengen bij het ospedale, maar ze liep verkeerd. Toen ze over een bruggetje rende realiseerde ze zich dat ze daar nog nooit was geweest. Ze kon kiezen uit twee wegen. Even aarzelde ze en ging toen door een *sottoportego* aan haar linkerhand – het straatje liep dood.

Voor haar was een enorm wateroppervlak. De mannen waren nog maar een paar stappen achter haar. Ze kon geen kant meer op; er was geen uitweg. Met haar zesde zintuig voelde ze de voetstappen eerder dan dat ze ze hoorde. Ze draaide zich om en zag iets metaligs flitsen in Bocelli's hand.

Ze wist wat er zou komen; ze wist dat ze moest vechten. Hadden ze honden meegenomen? Ergens moesten honden zijn. Ze had een smaak in haar mond die ze niet herkende en even dacht ze dat ze moest overgeven. In haar verwarde toestand verkeerde Maryam in de waan dat ze weer koeienhoorns op haar hoofd had. Ze schudde haar hoofd van links naar rechts, maar het was zinloos, ze was als een gewond dier.

Het was haar niet gelukt om het korte, ellendige leven van de baby te redden. Maar nu zou ze het kind beschermen, ze zou het niet afstaan aan die mannen, al kostte het haar haar laatste adem.

Wat er ook gebeurde, ze zouden de baby niet meenemen. Ze had het beloofd!

Ik zweer het.

Op mijn leven.

Maar toen Maryam zich omdraaide en hen aankeek, besefte ze dat al haar strijdlust was verdwenen. Ze had maar weinig tijd nodig om een beslissing te nemen. Met het kistje nog in haar armen, sprong ze.

Maryam en de zeemeerminbaby vielen samen als een steen in het diepe groene water.

33

De klokken luidden nog steeds toen Carew bijkwam. Hij lag op de grond in een benauwd, doodlopend steegje met de geur van urine in zijn neus. Hij voelde een gemene, bonzende pijn op zijn achterhoofd.

Het duurde even voordat hij wist waar hij was. Hij ging zitten en bracht zijn handen naar zijn hoofd, waar onder zijn kleverige haar een eivormige bult groeide.

Hij hoorde iemand huilen. Niet ver bij hem vandaan stond een vrouw in het water van het Canale della Giudecca te kijken. Toen ze merkte dat hij bewoog, keerde ze zich met een betraand gezicht naar hem om.

Carew merkte dat hij geen geluid kon maken. De twee keken elkaar sprakeloos aan, als overlevenden van een schipbreuk.

De vrouw zakte op de grond en begroef haar gezicht in haar handen. Carew ging moeizaam rechtop zitten. Zijn kleren waren doorweekt. Zijn oren suisden.

Langzaam kwam het voorval bij de kerk in de campo terug in zijn herinnering: het opeengepakte groepje vrouwen, de onverwachte komst van Ambrose en die andere man, die schijnbaar voor hem werkte. En die vrouw, die hij eerst voor een man had aangezien, de grootste en lelijkste mens die hij ooit had gezien, met het kleine kistje onder haar arm, rennend, vallend...

'Wat is er met ze gebeurd?' riep hij naar de vrouw op de grond, maar ze leek hem niet te horen.

Carew duwde zich nog wat verder overeind, maar kromp meteen ineen. Behalve zijn achterhoofd deden ook zijn ribben pijn, alsof iemand tegen zijn borst had getrapt.

'Hoe heet je?'

De vrouw huilde nu geluidloos. *'To onoma mou inai Elena.* Elena.'

'Elena.' Waarom had hij dat gevraagd? Wat had hij eraan? Hij herinnerde zich vaag dat ze in de campo twee kinderen bij zich had gehad. 'Waar zijn je kleintjes?'

'Ik heb ze naar het ospedale gestuurd,' de vrouw haalde moedeloos haar schouders op, 'iemand moest het de moeder vertellen.'

'De moeder?'

'De moeder van het dode kind.'

Carew liet dit even op zich inwerken.

Elena keek op. 'De moeder kan niet lopen... haar benen...' Ze was te uitgeput om te praten. 'Ze kan zich weer een paar dingen herinneren... maar dat niet.'

Christos! Carew sloot zijn ogen. Wat deed hij hier in godsnaam? *Voor dood achtergelaten in een godvergeten steegje,* hoorde hij Pauls stem in zijn oor zeggen, *dat zag ik wel aankomen.*

Maar hij bleef hier niet. Wat konden die vrouwen hem schelen, wat kon dat dode kind hem schelen? Ze betekenden niets voor hem. Zijn bestemming was het klooster, en daar zou hij allang geweest zijn als Ambrose hem die boodschap had gegeven. Hij probeerde weer te bewegen, maar het deed te veel pijn.

Ambrose! Ambrose en zijn dierbare zeemeermin. Nou, die zou hij nooit meer te pakken krijgen. Toen hij bedacht hoe het gezicht van Ambrose eruit moest hebben gezien op het moment dat hij besefte dat het schepsel verdwenen was, begon Carew te lachen – maar zijn lach werd gesmoord door een nieuwe pijnscheut in zijn ribben.

Hij besloot nog even te rusten voordat hij op zou staan. Zonder zijn ogen open te doen riep hij tegen de vrouw: 'Waar zijn ze naartoe gegaan... die twee mannen? Heb je dat gezien?'

Toen ze geen antwoord gaf, opende hij zijn ogen. De vrouw, Elena, keek naar hem. Achter het verdriet in haar gezicht zag hij een kalme, heldere intelligentie. Ze bleven nog een tijdje zitten, starend naar het groengrijze, olieachtige water.

'Die man, Bocelli, ik geloof dat hij probeerde je te doden,' zei ze na een tijdje.

'Die met de leren knapzak?'

'Ja, die.'

Bocelli. Zo heette hij dus.

'Die ander zette hem ertoe aan, die met de gele tulband. Ik zag het gebeuren. Hij gaf je van achteren een klap en je viel in het water. Je probeerde Maryam tegen te houden toen ze wilde springen.'

Hij staarde haar aan. Dus Ambrose had geprobeerd hem te doden. Het leek aan de ene kant ongelooflijk en aan de andere kant heel wel mogelijk dat Ambrose zoiets zou doen. De vraag was waarom.

'De man met de gele tulband? Weet je dat zeker?'

'Ja, die dikke. Hij gaf Bocelli zijn mes.' Uit de plooien van haar vreemde gewaad met de lange mouwen haalde de vrouw een kleine dolk met een benen heft tevoorschijn. 'Gelukkig kon ik het van hem afpakken,' voegde ze eraan toe, 'en daarom gebruikte hij zijn stok.'

Met een nauwelijks waarneembare beweging liet ze de dolk, die eerst in haar open handpalm lag, verdwijnen.

Carew was met stomheid geslagen.

'Hoe deed je dat?'

Elena glimlachte flauwtjes. 'Sorry, gewoonte, dat is alles.' En voor de verbaasde ogen van Carew verscheen de dolk weer in haar hand. 'Het is mijn werk.'

'Je werk? Dat begrijp ik niet.'

'Ik behoor tot een groep reizende acrobaten, allemaal vrouwen...' Haar stem stierf weg. 'Maar ik weet niet wat er nu met ons zal gebeuren... nu Maryam...' Elena zag eruit alsof ze weer zou gaan huilen, maar ze vermande zich. 'Goochelen is mijn specialiteit. Kunstjes voor op de kermis.' Ze glimlachte weer. 'We hebben ooit voor de sultan opgetreden. In Constantinopel.'

'Echt waar?' zei hij ongeïnteresseerd. Met een norse uitdrukking op zijn gezicht legde hij zijn voorhoofd op zijn knieën. Constantinopel! Zo langzamerhand kon hij zelfs de naam van die stad niet meer horen.

'Je moet iets op die bult leggen.' Elena keek hem aan.

Carew bracht zijn hand naar de bebloede bult achter op zijn hoofd.

'Ik leef toch nog?'

'En wat is er in godsnaam met je oor gebeurd?'

Zijn oor. Christos! Hij was zijn oor helemaal vergeten.

'Als je wilt kun je met me meegaan naar het ospedale,' bood ze aan, alsof ze zijn gedachten las. 'Daar kunnen we water krijgen waarmee ik de wond kan wassen.'

'Dank je wel, maar nee.' Met veel moeite stond Carew op. Het laatste wat hij wilde was dat hij nog nauwer bij deze vrouwen betrokken zou raken. 'Mijn logement ligt hier om de hoek... geloof ik... ergens,' zei hij vaag. Zijn hoofd tolde zo dat hij bijna weer viel. Hij zocht steun bij de muur.

'Goed, vaarwel. Ik vind het heel erg van je vriendin.'

Hij wist dat hij eigenlijk de vrouw moest ondervragen over haar bezoek aan Constantinopel, maar zodra deze gedachte opkwam, maakte ze plaats voor de herinnering aan wat Pindar met zijn oor had gedaan.

Harems. Juwelen. Celia Lampreys. Ze konden allemaal naar de hel lopen! Hij voelde een golf van misselijkheid door zijn lichaam trekken. Waarom zou hij zich daar nog mee vermoeien? Ze konden de pot op, stuk voor stuk. Laat Pindar het allemaal zelf maar uitzoeken.

'Vaarwel,' herhaalde hij, terwijl hij een onvaste hand opstak ten afscheid. Maar ze reageerde niet. Ze zag er zo verloren uit, zoals ze daar met haar lange, bleke, betraande gezicht nog steeds aan de rand van het water zat, alsof ze niet echt kon geloven dat haar reusachtige vriendin er niet meer was, alsof ze ervan overtuigd was dat Maryam ieder moment weer uit het water kon verrijzen.

Wat zou er van haar worden, vroeg hij zich af, van haar en haar twee kinderen? Zou de groep uiteenvallen? Zouden een paar kermiskunstjes genoeg zijn om zichzelf en haar kinderen te onderhouden of zou ze andere dingen moeten verzinnen om te overleven? Hij was in heel Europa dit soort vrouwen tegengekomen; hij wist maar al te goed welk lot hun beschoren was.

Nou ja, het waren zijn zaken niet. Hij zou zich er niet mee bemoeien. Hij zou proberen nog één keer naar het klooster te gaan en over een paar dagen zou hij vertrekken. In de verte, aan de overzijde van het water, zag hij het eiland La Giudecca, met zijn glinsterende kerken en lusthoven. Hij vroeg zich half af of Constanza nog daar was, of hij haar ooit nog zou zien. Gondels en andere boten voeren langs over de drukke waterweg. Het gewone leven ging verder, alsof er niets was gebeurd.

Zonder nog iets te zeggen draaide Carew zich om en liep hij door het verlaten steegje langzaam terug naar de kerk. Hij hoorde een stem achter zich.

'*Kyrios*,' riep de vrouw hem achterna. 'Die man, Bocelli...'

Met tegenzin stond Carew stil. 'Wat is er met hem?' Hij kon zich niet herinneren dat hij zich ooit eerder zo moe had gevoeld.

'Weet je waar ik hem kan vinden?'

'Na wat je me hebt verteld, zou ik maar proberen uit zijn buurt te blijven, als ik jou was.'

'Hij is een leugenaar en een dief.' Haar stem klonk zo zwak dat hij nauwelijks hoorde wat ze zei. Ze mompelde iets onsamenhangends.

'Onder meer,' zei Carew droog.

Maar weer leek Elena hem niet te horen, doordat ze zo opging in haar eigen gedachten. 'De moeder van de baby...'

'Wat is er met haar?' Hij begon zijn geduld te verliezen.

'Hij heeft het van haar gestolen, dat weet ik zeker,' zei ze, plotseling fel. 'Hij heeft het gedaan, dat kan niet anders.'

Carew wist niet wat hij hiermee aan moest, dus hij gaf geen antwoord.

'Ze weet niet meer wat het was,' Elena's gezicht was zo bleek dat ze eruitzag als een spook, 'maar ze is er altijd naar blijven zoeken.' Ze keek naar hem op en schudde bedroefd het hoofd. 'Ze heeft er een naam voor, maar ik weet niet wat die betekent...'

'Ik weet ook niet wat het allemaal betekent,' zei Carew bijna tegen zichzelf, 'niemand weet het.'

Hij draaide zich om en liep weer verder. Voor zijn geestesoog verscheen het gezicht van Annetta; het enige wat hij wilde, was haar weerzien. Al deze narigheid achter zich laten.

'Meneer...' Weer hoorde hij haar stem, heel zwak, die hem nariep. 'Alstublieft, meneer, wacht nog even...'

Maar plotseling kon hij die uitdrukking van rauwe pijn op haar gezicht niet meer verdragen. Hij deed alsof hij haar niet had gehoord en vervolgde zijn weg.

34

Zuanne Memmo legde een blauwe fluwelen tas midden op tafel.

'Dame, heren...' Hij keek naar de spelers in de kleine achthoekige ruimte, die voor het eerst bijeen waren en wier gezichten goed verborgen waren achter een masker. Toen hij zeker wist dat hij ieders volledige aandacht had, keerde hij de tas om. Met een harde klap viel een klein, onaanzienlijk, vaalroze beursje op tafel.

Er klonk geen enkel geluid in de ruimte. De stilte was zo geladen dat de spelers bijna geen adem durfden te halen. Paul Pindar voelde het haar in zijn nek prikken.

Dit was waarop hij zo lang had gewacht. Hij zag hoe Memmo het beursje oppakte en het voorzichtig in zijn handpalm hield. Zwijgend toonde Memmo het beursje aan de groep, met licht trillende hand.

'Dame en heren,' herhaalde Memmo zachtjes, terwijl hij ze een voor een aankeek: 'Ik presenteer u: de blauwe diamant van de sultan.'

Gemompel ging als een zucht door de kamer. De diamant fonkelde in het schijnsel van honderd kaarsen, vonkjes met de kleur van ijs of maanlicht, zo helder, zo puur, dat het leek of het licht uit een bron diep in de steen zelf kwam. Nog magischer dan de eerste keer, dacht Paul.

Net op dat moment kwam er een bediende de kamer binnen die iets in Memmo's oor fluisterde.

'Neem me niet kwalijk, dame, heren,' verontschuldigde Memmo zich. 'Ik ben zo terug.'

Na het vertrek van Memmo vulde een ongemakkelijke stilte de kleine ruimte. Ze waren met zijn zessen: vijf mannen en, tot Pauls verbazing, één vrouw. Allemaal gemaskerd. Hun gezamenlijke winst bij het primerospel aangevuld met de tienduizenden dukaten – in geld of in bezittingen – die ze aan Memmo hadden afgestaan om toegelaten te worden tot het spel, deed dienst als onderpand. Zo verzekerde Memmo zich ervan dat de enorme bedragen die door alle spelers behalve één zouden worden verloren, daadwerkelijk betaald zouden worden. Hij nam geen enkel risico.

De gemaskerde figuren, die tot nu toe zo zwijgend en roerloos op hun stoel hadden gezeten dat ze op wassen beelden leken, kwamen opeens tot leven. Ze begonnen met elkaar te fluisteren, maar heel zachtjes, alsof het om een samenzwering ging. Alleen Paul Pindar, die gekleed was in zijn gebruikelijke zwarte kostuum, hield zich op de vlakte. Hij wilde graag zo veel mogelijk te weten komen over zijn medespelers.

De eerste die sprak, was een man die meteen rechts van Paul zat.

'Bij alle heiligen,' zei hij, 'hebben jullie ooit eerder zoiets gezien? Driehonderd karaat!'

Paul nam zijn buurman zorgvuldig op door de smalle oogspleetjes van zijn masker. Aan de duim van zijn ene hand droeg hij een zware, gouden ring met een gegraveerd zegel. Een oudere man dus, en aan zijn stem te horen vast en zeker uit de hogere kringen. Een liefhebber van mooie dingen. Te oordelen naar de kwaliteit van zijn kleding – zoals zijn onderhemd van fijn batist doorstikt met gouddraad –, waarschijnlijk een aristocraat, die vrijelijk de verzamelde rijkdommen van een oud Venetiaans geslacht kon verkwanselen aan de speeltafel.

'Driehonderd karaat? De blauwe diamant is driehonderd-tweeëntwintig karaat. Ik zag het met mijn eigen ogen toen hij werd gewogen. Hij is volmaakt, loepzuiver, *incredibile*...' zei een tweede speler, terwijl hij vol verwondering het hoofd schudde.

'Maar hoe komt Memmo eraan, dat zou ik wel willen weten,' fluisterde een derde speler, die aan de andere kant van de tafel in zijn stoel hing.

'Een enorme gokschuld, natuurlijk, hoe anders?' antwoordde de eerste spreker vol overtuiging. 'De een of andere dwaas is hem kwijtgeraakt bij het kaarten.'

'De blauwe diamant verloren bij het kaarten?' De derde speler, die bijna recht tegenover Paul zat lachte even. 'Dan moet hij wel heel diep in de nesten hebben gezeten!'

Zijn stem, die weliswaar gesmoord werd door het masker, en zijn slanke gestalte, deden vermoeden dat hij veel jonger was dan de eerste twee. Paul kon hem goed observeren door de spleetjes van zijn masker. Ook deze jongere speler had alle kenmerken van een edelman, inclusief de verwaandheid. Paul kende dat type maar al te goed; hij had vaak genoeg tegen ze gespeeld. Het waren jonge mannen, jongens soms, die roekeloos gokten met geld dat ze nog niet hadden geërfd.

'Hij heeft gelijk, hoe weten we dat hij niet gestolen is?' vroeg de tweede spreker, die links van Paul zat.

'Ach, wat maakt het uit? Wat ik wil weten is waarom de Cavaliere hem niet gewoon zelf houdt.' Het was de vierde speler die sprak, de enige vrouw in hun midden. Ze was een courtisane; de laag uitgesneden hals en de flamboyante haarstijl, twee hoorntjes aan weerszijden van haar voorhoofd, verraadden haar beroep. Paul spitste zijn oren in de hoop dat hij haar stem zou herkennen. Hij vroeg zich af of hij haar ooit had ontmoet bij Constanza, maar door haar masker waren haar woorden moeilijk te verstaan. Paul wist zeker dat ze net zozeer een vreemde voor hem was als de anderen.

'Wat!? Dacht je dat Zuanne Memmo de steen zou houden?' antwoordde de man met de zegelring neerbuigend. 'En wat moet een man als hij ermee? Voor hem heeft de blauwe diamant geen enkele waarde. Zuanne geeft niets om schoonheid. Geld is het enige wat hij belangrijk vindt.'

'Maar als je die diamant bezit, heb je een fortuin in handen!' De courtisane klonk alsof ze buiten adem was, alsof ze in de met kaarsen gevulde kamer naar lucht snakte. 'De steen op zich heeft voor hem geen enkele waarde,' sprak de oude edelman. Hij lachte even. 'Daar gaat het nou net om, mevrouw: de blauwe diamant is alles waard, en niets.'

'Wil je zeggen dat hij waardeloos is?' De jonge man hing in zijn stoel, zijn lange benen uitgestrekt onder tafel. 'Niet dat het mij wat kan schelen,' zei hij stoer. 'Ik ben hier voor de kaarten, niet voor een stuk gekleurd glas.'

Onder de tafel voelde Paul de trilling van zijn voet die rusteloos tegen de andere tikte. Niet zo ontspannen als hij zich voordeed, dus. Het was niet moeilijk om te zien dat hij een zorgvuldig ingestudeerd toneelstukje speelde, maar vanbinnen gespannen stond als een veer. Hij zou zeker fouten maken.

'Nee, meneer,' antwoordde de oudere man koeltjes, 'ik beweer niet dat de steen waardeloos is, ik beweer dat hij van onschatbare waarde is.'

'Wat deze edele heer zegt, mevrouw, is dat de diamant waard is wat men ervoor wil betalen.' Nu was het Pauls linkerbuurman weer die sprak. Uit de relatieve soberheid van zijn kleding en zijn lichte accent, leidde Paul af dat hij een koopman was, net als hijzelf.

De koopman wendde zich tot de courtisane die meteen links van hem zat, en sprak beleefd tegen haar.

'Ik heb gehoord dat de Cavaliere een koper probeerde te vinden, maar dat het hem niet is gelukt.'

'En ik heb gehoord dat hij de diamant zo snel mogelijk kwijt wilde,' zei de jonge edelman, die rusteloos heen en weer draaide op zijn stoel. 'Hij is bang dat de Raad te weten komt dat hij een ridotto heeft; sommigen zeggen dat ze dat allang weten, dat ze de boel ieder moment kunnen sluiten. Je weet hoe dat gaat hier in Venetië. Iedereen weet van de steen. Ik durf te wedden dat Memmo bang is dat ze hem te grazen nemen voordat hij de steen kwijt is. Daarom heeft hij dit zo snel geregeld.'

'Niet snel genoeg, als je het mij vraagt. Hoe lang laat hij ons nog wachten?' zei de oudere edelman ongeduldig. 'Waar is die idioot naartoe?'

Hij draaide zich om en rekte zijn hals in de richting van het zware gordijn voor de ingang – nog steeds geen spoor van Memmo.

De spelers vervielen weer in stilte. Op de zwarte tafel tussen hen in lag de diamant, eenzaam op zijn fluwelen bed.

Er was één persoon die, net als Paul, tot nu toe had gezwegen. Deze zesde speler was een jongeman, misschien nog wel jonger dan zijn luie buurman, met donker haar en een gouden masker. Hij zat tegenover Paul, tussen de courtisane en de jonge edelman. In een impuls strekte de jongen zijn hand uit naar de diamant, maar de courtisane duwde zijn arm weg voordat hij hem kon pakken.

'Bent u gek, mijnheer? Heeft niemand u verteld van de vloek?' zei ze verschrikt. 'Alleen de rechtmatige eigenaar van de steen mag hem aanraken. Alle anderen brengt hij *sfortuna* – ongeluk, groot ongeluk.'

'Wat, weer die bakerpraatjes?' zei de oude man met de duimring smalend.

'Die praatjes kennen we allemaal,' zei de koopman. 'Of de steen de eigenaar geluk of ongeluk brengt, weet niemand.' Hij haalde zijn schouders op. 'Maar je moet niet luisteren naar alles wat je in de Rialto hoort, signora.' Uit de klank van zijn stem leidde Paul af dat hij glimlachte achter zijn masker.

'Maar hij brengt sfortuna, geloof me.' Toch liet ze haar hand zakken.

Het leek wel of de jongeman verlamd was; hij ondernam geen poging meer om de steen aan te raken.

'Hier,' zei Paul, die voor het eerst sprak, 'ik ben niet bang.'

Hij strekte zijn arm uit, pakte de diamant en hield hem in zijn handpalm, voelde dezelfde vreemde tinteling in zijn huid als eerder. De courtisane hapte geschokt naar adem. De anderen zeiden niets en keken hem achterdochtig aan.

'Als we die verhalen geloven, wie kan die steen dan ooit aanraken?' zei Paul uitdagend. 'Hoe weten wij aan wie een steen als deze toebehoort? Een van ons zal hem vanavond winnen, maar is die persoon dan ook de rechtmatige eigenaar?' Hij keek de anderen aan. 'We weten allemaal hoe de diamant hier terecht is gekomen – een gokschuld, volgens Memmo – maar hoe is die ander eraan gekomen? U hebt gelijk, meneer, als u zegt dat de steen van onschatbare waarde is,' sprak hij tot de man met de zegelring. 'Ze zeggen dat dit soort grote juwelen zelden of nooit op de markt wordt gekocht of verkocht. Ze worden meestal weggegeven of, waarschijnlijker nog, met geweld afgenomen. Bovendien, denken jullie echt dat Memmo ons de waarheid zou vertellen als hij die kende?'

Het eigenaardige, maanblauwe vuur binnen in de steen lichtte op in zijn uitgestrekte hand. Paul keek naar de inscriptie en streek met zijn vinger over het kleine Arabische schrift. 'Er staat *A'az ma yutlab*, mijn hartenwens.'

Er viel een stilte.

'Nou, nou,' de jonge edelman begon te lachen, 'dus die Engelse dooie pier kan toch praten.'

'Geen dooie pier maar een filosoof,' zei de oudere man, die nu voor het eerst naar Paul keek.

'Wat bedoelt u, signore?' vroeg de courtisane. Ze pakte haar waaier op en wuifde er loom mee voor haar gezicht. 'U wilt toch zeker niet voorstellen dat we de diamant teruggeven aan de Grote Turk?'

'Nee, mevrouw.' Paul draaide zich abrupt naar haar toe. Hij strekte zijn hand met de steen uit in haar richting en zag dat ze terugdeinsde alsof ze bang was dat hij zou bijten. 'De Grote Turk bezit veel dingen die niet van hem zijn.'

Hij keek weer naar de diamant in zijn licht trillende hand en dacht terug aan de woorden van Prospero: *Ze zeggen dat stenen altijd verder reizen. Het heeft geen zin om te vragen waarom of om te proberen ze tegen te houden.* Paul staarde er lange tijd naar. Zou de steen bij hem blijven? Hij had alles ingezet, alles wat hij bezat. Maar wat voelde hij eigenlijk nu hij de diamant bekeek? De tinteling was opgehouden. Hij voelde niets. Was hij gek geworden, zoals Carew beweerde? Misschien wel, dacht hij. Een steen kon Celia niet terugbrengen; hoe had hij dat ooit kunnen denken? Nu hij de diamant in zijn hand had, vond hij het opeens een gruwelijk ding. De steen leek te leven en de ijsblauwe glans had iets kwaadaardigs. Paul stopte hem snel weer veilig in zijn fluwelen cocon.

Plotseling ontstond er beroering aan de tafel: Zuanne Memmo keerde terug.

'Bent u klaar?'

Een bediende hield het zware gordijn opzij. De spelers stonden op, klaar om Memmo naar de grote zaal te volgen.

'Signore,' fluisterde de courtisane tegen hem toen hij voorbijliep, 'als wat u zegt waar is, wat moeten we dan doen?'

'We doen het enige wat we kunnen doen: spelen, natuurlijk.' Paul ademde diep in. 'Spelen en Vrouwe Fortuna over ons lot laten beschikken.'

Er was geen weg meer terug.

35 .

Paul wist niet meer hoe lang ze al aan het spelen waren. Misschien twee dagen en nachten, misschien drie. Hij betwijfelde of iemand van de groep, afgezien van Memmo zelf, het wist.

In de wereld buiten de mooie, hoge kamer met zijn muren van spiegelglas, moest het leven gewoon zijn gang zijn gegaan. Die wereld waarin de zon opkwam en onderging, koopmannen zaken deden, schepen aan- en afmeerden; die wereld waarin mannen en vrouwen elkaar ontmoetten, verliefd werden, stierven. Maar in de ridotto van Zuanne Memmo was het altijd nacht; de zware fluwelen gordijnen voor de ramen bleven dicht en er brandden constant kaarsen.

Op die eerste avond was hij zich nog enigszins bewust van het natuurlijke ritme van zijn lichaam. Hij wist wanneer zijn lichaam voedsel of drank of slaap nodig had. Maar daarna raakte hij het besef van zichzelf kwijt. Hij verloor het contact met zijn zelf en genoot van de verdovende dwingendheid van het kaartspel, die maakte dat hij alles om zich heen vergat.

Bepalen wie deelt. Eerste en laatste inzet bepalen. Delen. Extra kaart vragen. Meegaan. Verhogen. Hand opgeven.

Was hij gelukkig? Hij wist het niet. Hij kon niet denken.

Hij leefde. Dat was genoeg.

De kaarten werden geschud. Iedereen trok een kaart om te bepalen wie zou delen.

'Ik heb een aas.'

'Ik een vier.'

'Ik een hofkaart.'

'Ik ook.'

'Ik ook.'

'En ik een zeven.'

De kaarten gingen naar de hoogste hand, de zeven.

Er werd gedeeld.

Een, twee. Een, twee. Een, twee. Een, twee. Een, twee. Een, twee. Bekers. Pentakels, Staven. Zwaarden.

'Pas.'

'Pas.'

'Pas.'

'Ik zet honderd dukaten in.'

'Ik ga niet mee.'

'Ik ga niet mee.'

'Ik ook niet.'

'Ik moet wel meegaan. Deel maar.'

De hoogste hand deelt weer.

Een, twee. Een, twee. Een, twee. Een, twee. Een, twee. Een, twee. Nu hadden alle spelers vier kaarten.

'Ik ga mee met zijn inzet.'

'Dit is mijn eindinzet. Laat iedereen inzetten.'

'Ik pas weer.'

'Ik ook.'

'Ik ook.'

'Ik zet mijn eindinzet in.'

'Ik ga mee.'

'Ik kan niet meegaan.'

'Ik had een primero.'

'Maar ik een *fluxus*.'

Enzovoort, enzovoort. Soms werd het spannend. In plaats van een primero, van alle kleuren één kaart, had iemand dan een *su-*

premus of een *numerus* of een fluxus. Alleen de hoogste hand, vier kaarten van dezelfde kleur – de *chorus* – kwam niet voor. En al die tijd groeiden en slonken de stapels dukaten voor alle spelers, als de getijden.

Af en toe bracht een knecht een schaal met vleeswaren, brood en vruchten, een glas wijn; af en toe trok een van hen zich terug om zich te ontlasten in de po achter de deur. Er kwamen bedienden binnen om de kaarsen te vervangen of de biezen op de vloer te bevochtigen. Op die momenten praatten de spelers wat over koetjes en kalfjes. Toen Paul een keer zijn compendium tevoorschijn haalde, merkte hij dat de anderen hem nieuwsgierige blikken toewierpen.

'Wat heb je daar? Is dat je talisman, Engelsman?' De oude edelman met de zegelring boog zich naar hem toe.

Paul kuste het koperen doosje met het motief van de in elkaar gestrengelde lampreien, en stopte het zonder iets te zeggen weer weg.

'Twee palingen! Ik hoop dat ze je meer geluk brengen dan je tot nu toe hebt.' De man strekte vermoeid zijn armen boven zijn hoofd, maar Paul hoorde de spot in zijn stem. 'Maar niet vanavond, hè, heren?'

De grote groep toeschouwers die zich aan het begin van het spel om de spelers had verzameld, was algauw uitgedund tot een paar volhouders. Doordat Paul zich zo sterk op het spel concentreerde en zo zijn best deed om zijn tegenstanders te doorzien en zijn eigen tactieken te verhullen, was hij zich nauwelijks bewust van hun aanwezigheid. Vaag hoorde hij in de hele stad klokken luiden, een hol, groen geluid, dan weer ver, dan weer dichtbij. Kwam de zon buiten al op? Hij probeerde de schoonheid van de zonsopkomst boven de lagune voor zich te zien. Het eerste subtiele ochtendbriesje dat na de lange vochtige nacht lichte rimpeltjes tekende op het water buiten de ridotto, kristalhelder en blauw in het vroege licht...

Maar het visioen verdween al snel. Er was geen andere wereld dan deze; hij wílde geen andere wereld dan deze.

En toen hij opkeek, zag hij tot zijn verbazing dat de zes spelers bijna alleen waren in de enorme zaal. De koortsachtige, zinderende spanning, die deed denken aan de sfeer rond het carnaval, was omgeslagen in extreme loomheid. Zelfs de spelers zagen eruit alsof ze zich verveelden, voor zover hij hun gemoedstoestand kon lezen achter de verhullende maskers. Zuanne Memmo zat te doezelen in zijn stoel. De jonge edelman had een dun, in leer gebonden dichtbundeltje in zijn hand en keek nauwelijks op van de pagina's om zijn kaarten te bestuderen. Het leek of het spel hem niet interesseerde en Paul was er bijna in getrapt. Maar een paar keer werd zijn blik naar de jongen toegetrokken omdat hij het gevoel had dat hij werd bekeken, en dan ving hij nog net de glinstering van zijn ogen op, die heen en weer flitsten tussen Paul en de spelers, in een poging hun hand te raden, hun gedachten op te zuigen, als merg uit een bot.

Allemaal voerden ze hun eigen toneelstukje op, onzichtbaar voor de gewone toeschouwer. De koopman haalde een vel papier tevoorschijn waarop in een keurig secretarishandschrift kolommen met getallen waren geschreven, en bestudeerde het zorgvuldig. Op een gegeven moment – hij wist niet in welk stadium van het spel – merkte Paul dat de oudere edelman met zijn gezicht op tafel lag; niet dood, zoals Paul eerst dacht, maar zomaar in slaap gevallen, uiteindelijk geveld door de vermoeienissen van het kaartspel. Alleen de man met het gouden masker leek zich volmaakt op zijn gemak te voelen en hij sprak alleen als het spel dat vereiste.

Eerst was Paul gefascineerd door deze zwijgzame speler in de groep. Hoewel hij zijn gezicht niet kon zien, werd al snel duidelijk dat de man ouder was dan hij leek. Hij kwam Paul op de een of andere manier bekend voor, misschien in de manier waarop hij zat of de kaarten schudde. Paul dacht dat hij al eens eerder tegen hem had gespeeld, in De Pierrot of in een van de andere ridotti waar hij de laatste maanden zo vaak was geweest. Maar dan verschoof de man op zijn stoel of spreidde hij zijn kaarten op een bepaalde manier uit, en dan begon Paul weer aan zichzelf te twijfelen.

In het begin van het spel had Paul zichzelf beziggehouden met het analyseren van de speelstijl van alle spelers. De speelstijlen die hij het gemakkelijkst kon ontcijferen waren die van de koopman en de oudere edelman. De eerste speelde te behoedzaam, te krampachtig; de andere flamboyant en bombastisch. Vanaf het begin wist hij dat ze geen echte bedreiging vormden. De jonge edelman daarentegen bleek een veelzijdige en subtiele speler zonder de gehaastheid die Paul van een jongeman van zijn stand had verwacht.

Het was duidelijk dat ze allemaal onrustig werden van de aanwezigheid van de courtisane.

'Waarom laat je die vrouw meedoen, Zuanne?' klaagde de edelman toen ze zich even had teruggetrokken.

'Wat kon ik anders? Ze heeft een onderpand.' Memmo haalde zijn schouders op. 'Het is niet tegen de wet, mijnheer.' Weer verscheen die typische glimlach op zijn gezicht die zijn ogen ongemoeid liet. 'De Raad heeft in zijn oneindige wijsheid een *parte* uitgevaardigd over bijna alles, maar niet hierover. Althans nog niet, als Uwe Eminentie mij deze observatie wil vergeven.'

'Nou, die zou er wel moeten zijn,' zei de ander op klagende toon, 'daar zou iemand voor moeten zorgen.'

Maar hij noch een van de andere spelers kon er iets aan doen.

Na de relatieve frisheid van wat vermoedelijk de ochtend was, begon het weer warm te worden in de ruimte en de kaarsen in hun gouden kandelaars sisten in de bedompte lucht. De mannen hadden alleen hun katoenen onderhemd nog aan. De courtisane had haar overmantel uitgetrokken en haar kraag en zelfs haar mouwen afgedaan; ze droeg alleen een hemd en een lijfje dat haar borsten nauwelijks bedekte.

De hitte onder Pauls masker werd ondraaglijk. Het masker paste slecht en het hout drukte op de brug van zijn neus en schuurde tegen een ruwe plek op zijn wang. Hij voelde zich alsof hij uitgedroogd door de woestijn liep, dromend over water, en het enige wat hij wilde, was het masker afzetten. Maar dat was niet toegestaan.

Schudden.

Trekken om te bepalen wie zou delen.

'Ik heb een zes.'

'Ik een zeven.'

'Ik een drie.'

'Ik ook.'

'Ik ook.'

'En ik een hofkaart.'

De kaarten gaan naar de hoogste hand.

Delen.

Een, twee. Een, twee. Een, twee. Een, twee. Een, twee. Een, twee.

Bekers. Pentakels, Staven. Zwaarden.

De spelers zetten in.

Opnieuw delen.

Enzovoort, enzovoort.

De courtisane was de eerste die bezweek.

'Zuanne, het spijt me.' Ze draaide naar hem toe, 'Ik kan het niet meer verdragen. Ik moet mijn masker afzetten.'

'Wat zegt u ervan heren?' Memmo keek de tafel rond. 'Voor de dame kunnen we de regels wel wat versoepelen.'

Maar ze was al begonnen de linten los te maken waarmee het masker was vastgemaakt. De courtisane bewoog traag, misschien uit gewoonte, misschien met opzet – langzamer dan nodig, dacht Paul. Haar vingers frunnikten onhandig aan de knoopjes. Paul verwachtte half dat een van de andere spelers er bezwaar tegen zou maken dat de enige vrouw in hun midden haar masker afzette, maar niemand zei iets; iedereen keek met een begerige blik naar haar. De spanning die nu in de lucht hing, had een ander karakter dan eerst. Alle mannen keken naar de welgevormde armen van de courtisane, die omhooggingen en weer naar beneden zakten. Een straaltje zweet glom als een zilveren litteken tussen haar borsten.

Uiteindelijk nam ze het masker af, maakte de tot hoorntjes gedraaide haarstukjes los, schudde haar eigen haar uit en haalde met een zucht van verlichting haar vingers erdoor. Toen ze zich omdraaide naar Paul, dacht hij even dat hij droomde. Ze tilde haar dikke haardos een stukje op om haar nek wat te laten afkoelen, een gebaar dat hem zo vertrouwd was dat het was alsof er een hand door zijn ingewanden wroette. Hij kwam half overeind. Een glas dat bij zijn elleboog op tafel stond, viel op de grond en brak in duizend stukjes.

Mijn god... kan het waar zijn...? Haar roodachtig gouden haar golfde over haar schouders, glanzend in het kaarslicht. Maar op hetzelfde moment zag hij dat hij zich had vergist. Het was een vreemde die naar hem staarde, een vrouw die hij nog nooit had gezien. Het was niet Celia Lamprey.

'Maar mijnheer.' De courtisane keek van Paul naar het gebroken wijnglas. Nu iedereen haar gezicht kon zien gedroeg ze zich plotseling koket, zich sterk bewust van het effect dat haar lichaam op de anderen had. 'Waar dacht u aan? Kent u mij misschien?' Ze bloosde.

'Neem me niet kwalijk, mevrouw.' Paul plofte weer neer in zijn stoel. Wat was er met hem aan de hand; het moest vermoeidheid zijn. 'U lijkt erg op iemand, maar nee, ik geloof niet dat we elkaar al eens hebben ontmoet.'

De sfeer was weer veranderd; de spanning was voelbaar. Paul probeerde niet naar de ontmaskerde courtisane te kijken, probeerde zich niet te laten afleiden – de wens om een vrouw de baas te zijn bij het kaarten maakte mannen bijna altijd roekeloos – maar hij kon zich niet bedwingen. Hij kon zijn ogen niet van haar afhouden. De gelijkenis met Celia was bijna griezelig. Was dit onderdeel van een truc om hem af te leiden? Als een wurmpje kroop die gedachte langs de rafelrand van zijn bewustzijn. Hadden Carew en Constanza toch gelijk gehad toen ze hem waarschuwden? Maar nee, dat was onmogelijk. Niemand in deze kamer, niemand in Venetië, op Carew en Ambrose na, wist hoe Celia eruitzag.

Het was puur toeval – of toch niet? Hoe groot was de kans dat een vrouw die op Celia Lamprey leek, meedeed aan het spel om de blauwe diamant? Die vraag gonsde door zijn hoofd, als een vlieg bij een raam. Op een gegeven moment dacht hij een blik van verstandhouding te zien tussen Memmo en de courtisane en even later meende hij hetzelfde te zien gebeuren tussen de courtisane en de man met het gouden masker. Maar dit was de weg naar krankzinnigheid. Hij hield het niet meer uit. Hij kon niet ademen, niet denken. Hij werd gek van het masker; hij moest het afzetten, al was het maar voor even. Paul excuseerde zich en liep naar de kleine antichambre. Hij pulkte met zijn vingers aan de linten en rukte het masker af. Naast de po stond een waterbekken met koel, schoon water en een stapeltje linnen doeken. Eerst plensde hij wat water in zijn gezicht maar vervolgens besloot hij zijn hele gezicht onder te dompelen. Zijn hoofd werd weer wat helderder.

Het moest de vermoeidheid zijn die hem parten begon te spelen. Dat kon niet anders. Slaapgebrek kon ertoe leiden dat je in wakende toestand droomt, dat wist hij uit ervaring. Maar hoe hard hij ook probeerde om het gevoel van dreiging van zich af te zetten, het kwam steeds terug, als een dissonante toon die ergens in de kamer weerklonk, een geluid dat zo zacht, zo ver was, dat het bijna onhoorbaar was, als het getingel van een klein, gebarsten klokje.

De ontmaskering van de courtisane had hen allemaal verward. Hun spel veranderde op een ondefinieerbare manier; of het kwam door opzet of door Vrouwe Fortuna, wist Paul niet.

De koopman en de oude edelman, die allebei enorme verliezen hadden geleden, naderden nu heel snel hun limiet. De koopman was de eerste die stopte. Hij stond op met een verdwaasde blik, alsof hij niet kon geloven wat hem overkwam, en wankelde zonder iets te zeggen de kamer uit. De edelman volgde al snel, toen zijn fluxus werd verslagen door de chorus van zevens die Paul liet zien.

Hij stond op, zette zijn masker af en nam waardig afscheid met een buiging voor iedere speler afzonderlijk.

'Mijn felicitaties, Engelsman.' Hoewel hij er net zo gekweld uitzag als de koopman, keek hij Paul aan met een zweem van een glimlach. 'Het lijkt erop dat palingen toch geluk brengen.'

Zwijgend keken de anderen hem na. Toen de deur achter hem dichtviel, keek de jonge edelman Paul onderzoekend aan.

'Palingen?'

'Nee, geen palingen. Lampreien.'

'Lampreien?' Paul hoorde aan zijn stem dat de edelman zijn wenkbrauwen optrok. 'Als jij het zegt, vriend.' Hij rolde zijn mouwen op en lachte onverschillig. 'Kom, waar wacht je op. Laten we verder spelen.'

Waar wachtte hij op? Dat was de vraag. Hoe vaak had Paul zichzelf die vraag al gesteld? Wachtte hij tot hij eindelijk zeker zou weten dat Celia nooit zou terugkeren? Wachtte hij op het moment waarop hij eindelijk kon beginnen met een nieuw leven? Wachtte hij tot hij iets zou voelen, wat dan ook? Maar wat voor leven was er voor hem mogelijk buiten de muren van deze kamer? Hoe het er ook uit zou zien, hij wist niet meer zeker of hij het wel wilde.

Hij had zijn hele fortuin op het spel gezet om te zien wat Vrouwe Fortuna hem terug zou geven.

Alles of niets. Een soort sterven. Of zelfs een boetedoening.

Minder dan dat was geen optie – wat Carew ook beweerde.

En nu, tegen de ochtend van de derde dag, zag het ernaar uit dat hij een antwoord zou krijgen. De courtisane had zich als derde teruggetrokken, dus ze waren nog maar met zijn drieën: de jonge edelman, de man met het gouden masker en Paul.

De zaal stroomde weer vol met nieuwsgierige toeschouwers – net aasgieren, dacht Paul bij zichzelf, wachtend op de genadeslag.

Op een gegeven moment meende Paul vanuit zijn ooghoek een bekende figuur met een tulband in de menigte te zien. Was dat Ambrose? Wat deed die in godsnaam hier? Maar toen hij weer keek, was de gestalte verdwenen.

En toen, als door een wonder, lachte Vrouwe Fortuna hem toe.

Met een fluxus won hij 69 punten, met een numerus 55. De stapel gouden en zilveren munten voor hem werd groter en groter.

De courtisane schoof haar stoel dichter naar hem toe.

'Het lijkt erop dat ik je talisman ben, Engelsman,' fluisterde ze in zijn oor. Na twee nachten zonder slaap rook haar adem muf, maar hij werd te veel in beslag genomen door zijn kaarten om er veel aandacht aan te besteden.

De toeschouwers verdrongen zich nu om de tafel, maar Paul merkte hen nauwelijks op. Hij voelde zijn soepele, snelle hartslag, het bloed dat door zijn aderen werd gepompt. Vanuit zijn vingertoppen stroomde de energie knetterend door zijn lichaam en over zijn huid. Nooit eerder had hij zich zo vitaal gevoeld.

Hij was alles vergeten behalve de harde feiten van het kaartspel. Zijn ruzie met Carew. Celia. Zelfs de blauwe diamant. De waarschuwende, dissonante noodklok in zijn hoofd klonk steeds zachter tot hij hem niet meer kon horen.

Met vier zessen dwong hij de man met het gouden masker tot opgave. Hij was onoverwinnelijk.

Memmo bracht nieuwe kaarten en gaf ze aan de jonge edelman, die ze schudde. Ze draaiden allen een kaart om; hij moest delen. Nu ging het tussen hen tweeën. En toen, plotseling, uit het niets, ontstond er commotie aan tafel. De man met het gouden masker was opgesprongen en riep iets.

'Dat zag ik, mijnheer,' hij had een glas wijn gepakt en in het gezicht van de jonge edelman gegooid, 'deze kaarten zijn vals.'

Paul voelde dat de courtisane zijn arm vastgreep, hij werd zich bewust van het tumult in de kamer achter zich. De tafel werd omgegooid, kaarten vlogen door de lucht, glazen vielen kapot.

Het spel was voorbij. Hij had gewonnen.

Paul stond op en nam zijn masker af. Het werd zwart voor zijn ogen. Hij steunde even op de tafel. Om hem heen had zich een menigte verzameld; hij voelde de hitte van de lichamen die tegen hem aan duwden. De bovenmenselijke energie die hij had gevoeld ebde weg. Het was voorbij en het enige wat overbleef was een verdoofd gevoel. Hij zag hun monden bewegen maar hoorde niets, behalve een ruis in zijn oren, als van de zee. Iemand gaf hem een glas wijn. Hij leegde het in één teug, hield het glas bij om het weer vol te laten schenken en dronk het opnieuw leeg. Iemand had een van de gordijnen opzij getrokken en het grijzige ochtendlicht stroomde naar binnen. Het deed pijn aan zijn ogen.

Paul zag dat de jonge edelman en de courtisane uit de kamer werden weggevoerd, maar het interesseerde hem niet meer. Iemand – hij wist niet wie – praatte tegen hem. De stem was laag, verzoenend, maar hij begreep de woorden niet, alsof het een taal was die hij niet kende.

En toen stond Zuanne Memmo voor zijn neus. Hij hield het roze fluwelen beursje in zijn hand.

'Hij is van u, Engelsman.' Hij was zich er vaag van bewust dat hem de diamant werd aangereikt. Toen Paul de steen niet aannam, pakte Memmo zijn hand, legde het zakje erin en sloot zijn vingers eromheen.

'Hij is van u, Engelsman. De blauwe diamant.'

Paul voelde het gewicht van de diamant in zijn palm. Hij verwachtte dat hij iets zou voelen – opgetogenheid, vreugde –, maar er kwam niets. Er lag een hand op zijn arm; hij draaide zich om en zag Ambrose naast zich.

Paul knipperde met zijn ogen. Ambrose. Wat deed die hier? De wijn steeg plotseling naar zijn hoofd, alsof hij een klap met een hamer kreeg. De alcohol brandde in zijn aderen, als *aqua vitae*.

'Gefeliciteerd, Pindar.'

'Dank je wel.'

'Het ziet ernaar uit dat de steen verder is gereisd.'

'Ja.'

Er viel een korte stilte. De twee mannen keken elkaar aan. Zelfs in zijn verwarde toestand voelde Paul de vijandigheid die de ander uitstraalde.

'Zullen we erom tossen, Pindar?'

'Wat?' Paul was zich ervan bewust dat hij Ambrose met open mond aanstaarde, als een boerenkinkel.

'Ik zei: zullen we erom tossen?'

Paul begon te lachen. 'Waar heb je het in godsnaam over, Ambrose?'

'Je hebt me wel gehoord.' Ambrose was niet in de stemming om eromheen te draaien.

'Ja, natuurlijk heb ik je gehoord.' Hij lachte nog steeds en wreef een traan uit zijn ogen; zijn hoofd tolde nu zo dat hij bang was flauw te vallen. 'Maar je maakt toch een grapje, hoop ik?'

Maar één blik op het gezicht van Ambrose maakte hem duidelijk dat hij geen grapje maakte.

'Je staat bij me in het krijt.'

'Ik bij jou in het krijt?' herhaalde hij. 'Hoezo?'

'Ja, die kerel... ik zal zijn naam niet noemen, o nee, mijnheer... die bediende van jou heeft me heel veel schade berokkend. Je hebt geen idee.'

Paul staarde Ambrose nog steeds aan.

Weer die zachte dissonante toon. Als zijn hoofd maar niet zo tolde.

'Maar de blauwe diamant...' Paul wankelde en was zich ervan bewust dat het muisstil was geworden in de kamer. 'De steen is van onschatbare waarde, Ambrose,' zei hij langzaam.

'En ik heb ook iets wat van onschatbare waarde is.' Ambrose stak zijn hand in zijn zak en haalde een stukje perkament tevoorschijn.

'Een velletje papier?'

'Informatie, man. Dat is mijn werk.' Weer een korte stilte. 'Iets wat jij begeert, veel, veel meer dan welke steen dan ook.'

'Welke informatie zou ik in godsnaam willen ruilen tegen de blauwe diamant?'

'Ik heb de hand kunnen leggen op informatie over Celia Lamprey. Een gedicht, om precies te zijn. Het lijkt erop dat het voor jou is geschreven, Pindar.' Ambrose zuchtte en rolde met zijn ogen. 'Een soort boodschap in haar eigen sierlijke handschrift. Helemaal uit de harem van de Grote Turk in Constantinopel. Heel ontroerend, eigenlijk.'

Hij hield het papiertje zo dat Paul net het handschrift kon zien. Kleine, veerachtige haaltjes met een potlood. Het handschrift van Celia. Hij zou het overal herkennen.

'"Vaarwel, mijn lief."' Ambrose las de titel van het gedicht hardop voor en liet een stilte vallen voor het effect. 'Maar, Pindar, je ziet helemaal bleek. Ik garandeer je dat alles hierin staat, alles wat je wilt weten, alles waarvoor je jezelf zo hebt gekweld de afgelopen jaren.' Ambrose lachte even. 'Het is volmaakt, vind je niet? "Je hartenwens."'

Paul deed zijn mond open om iets te zeggen, maar er kwam geen geluid. Hij sloot hem weer. Een lange stilte volgde.

'Hoe weet ik dat je de waarheid vertelt?' zei hij uiteindelijk. Hij wist dat hij tijd moest winnen om na te denken, maar zijn hele lichaam was zwaar, zijn geest verdoofd.

'Blijkbaar zat ze toch in die harem.'

'Ik geloof je niet.'

'God is mijn getuige.' De bleke ogen van Ambrose leken hem te doorboren. 'Je kunt me vertrouwen. We gooien maar één munt op, dat is alles wat ik vraag. Wie er ook wint, het papier is van jou. Dat is toch een prachtig aanbod, als je erover nadenkt.'

'En als ik weiger?'

Ambrose hield het papier bij een kaars en de vlammen likten aan het hoekje. 'Ik doe het echt, geloof me.'

'Stop, stop...' Paul strekte zijn hand uit. 'Niet zo dichtbij, alsjeblieft.' Hij zweette nu en voelde zijn hart bonken. Wat kon hij doen, wat kon hij zeggen? Hij moest iets bedenken, snel, voordat het te laat was.

'De steen is verder gereisd, Ambrose, hij is nu van mij.' Hij hoopte dat zijn wanhoop niet zichtbaar was. 'Je kunt dit niet winnen. De diamant heeft mij gekozen.'

'Dan heb je niets te vrezen.' De stem van Ambrose was zo zacht als zijde. 'Kom op, Pindar,' fluisterde hij, 'denk eens aan de glorie.'

Toen Paul geen antwoord gaf hield hij een munt op, een zilveren dukaat.

'Als het kop is win ik de diamant,' zei hij plotseling zakelijk, 'als het munt is, mag je hem houden.'

Paul knikte instemmend.

'Cavaliere Memmo...' Ambrose wendde zich tot de eigenaar van de ridotto, 'u bent mijn getuige.' Hij keek de kamer rond. 'Jullie zijn getuigen. Als ik de diamant win, is het eerlijk gegaan. Niemand kan dat tegenspreken.'

Er klonk een koor van instemmend gemompel.

'Doe het, Engelsman.'

'Bravo!'

Memmo pakte de zilveren munt en gebaarde naar Ambrose dat hij hem ook het perkament moest geven. Hij draaide zich om naar Paul.

'Signor Pindar, weet u zeker dat u dit wilt?' Paul zag een blik in zijn ogen van... was het medelijden? 'Ik weet dat u van gokken houdt, maar dit... voor een stukje papier?'

'U begrijpt het niet.' Paul knikte even. 'Gooi de munt maar op.'

'Goed dan,' Memmo schudde zijn hoofd, 'als u het zegt.'

Met een ruim, soepel gebaar gooide hij de zilveren dukaat de lucht in.

36

Toen Paul eindelijk de ridotto verliet, zag hij dat het die nacht had geregend. De temperatuur was flink gedaald en de lucht was kil. Hij stond op het trapje van de wijnhandel en knipperde tegen het zonlicht. Hoe lang was het geleden dat hij precies op deze plek had gestaan met Carew en Francesco? Een week, een maand, een leven? Hij wist het niet, was alle besef van tijd kwijtgeraakt. Na de bedomptheid van het palazzo, dat met zijn zware gordijnen volkomen was afgesloten van de buitenwereld, genoot hij van de frisse buitenlucht. Een lichte nevel van bijna onzichtbare regendruppeltjes – engelentranen, zoals de Venetianen ze noemen – hing als een sluier over de stad en kleurde de gouden dageraad die hij zich in de ridotto had voorgesteld wit.

In zijn hand hield hij het papier dat Memmo hem had gegeven nadat Ambrose de diamant had gewonnen.

Hij ging op het trapje zitten en beschermde het papier zorgvuldig tegen de regen. Zijn hand beefde. Misschien was de diamant toch een magische steen, misschien hoefde je hem niet te bezitten om onder zijn betovering te komen. Op het papier stonden woorden die Celia konden terughalen uit de dood. Woorden die uiteindelijk de geheimen uit het verleden zouden kunnen onthullen en hem zouden kunnen verlossen.

Maar nu het moment daar was, ontbrak hem de moed. Hij was verlamd. Stel dat Ambrose had gelogen? Hij voelde een koude rilling door zijn lichaam trekken. Was het echt het handschrift van Celia of had hij zich vergist? Wat als de brief door iemand anders was geschreven en op geen enkele manier met haar was verbonden? Er was maar één manier om daarachter te komen. Hij streek voorzichtig met zijn vinger over het papier, dat zorgvuldig in drieën was gevouwen. Hij bracht het naar zijn gezicht en snoof eraan; het rook zoet, naar verre landen. Langzaam vouwde hij het open. Het handschrift was zo klein en fragiel dat hij zijn hoofd moest buigen om het te lezen. Een stem uit de dood.

Vaarwel, mijn lief –

Toen ik je zag daar bij de poort
Voorgoed verstoten van mijn oord
Wist ik vertwijfeld, vol van pijn
Dat ik je nooit meer weer zou zien
Ach lief! Mijn hartje brak, ging stuk
In tranen baadde jouw ongeluk!

En nu denk ik me waar je bent
En dat dit loodzwaar, eenzaam hart
Wil zijn waar jij nu neder ligt
Opdat het zeggen kan, wellicht,
Wat ons toen trof met bittere pijn
Zal ooit nog eens genadig zijn.

Maar in de allerzwartste nacht
Als zelfs de maan zich heeft bedacht
En uit de torens van de moskee
Heidenen klagen ach en wee
Hoor ik van ver de waarheid spreken
Gij zijt verdoemd, uw hoop geweken.

Ach lief! Blijf trouw onze herinneringen
Aan tuinen waarin wij samen gingen
Wijl in uw oog in zacht rood gloren
De Engelse dag werd wedergeboren
Toen heel de wereld van ons leek te zijn,
Mateloos gelukkig, zonder zorg of pijn;

Weet nog dat aan het Bosporus-strand
Uw naam schrijft in het koele zand
Onder een boom, onwezenlijk, vrij,
Ter nagedachtenis van u aan mij:
Die u nog immer en altijd bemint
Wijl gedurig verdriet mijn hart verslindt.

Dus ze wist het! Al die tijd wist Celia dat hij in Constantinopel was
– of ze daarachter was gekomen door het suikerschip van Carew
of door zijn eigen compendium, dat deed er niet toe. In ieder geval wist hij het nu zeker. En het leek erop dat iemand haar had
doen geloven dat ze hem kon ontmoeten. Ze had ergens gewacht,
in de hoop hem te zien, in de verwachting dat hij naar haar toe
zou komen – maar natuurlijk was hij niet gegaan. Had ze gedacht
dat hij haar in de steek had gelaten? Mijn god! Had hij dat ver-
domde perkament maar nooit onder ogen gekregen. In plaats van
dat het hem verloste, maakte het zijn marteling nog erger.

Paul stond op en liep overstelpt door verdriet kriskras door de
kronkelende, smalle calli. Het water in de kanalen die hij overstak,
was zo donker als pek. Hij had geen idee waar hij naartoe ging of
wat hem nu te doen stond.

Hij belandde op een kleine campo met een stenen put in het
midden, zag tot zijn schrik dat er twee huizen waren dichtgetim-
merd met planken waarop een zwart kruis stond, en vervolgde
haastig zijn weg.

Plotseling zag hij voor zich in een bredere straat het silhouet
van een brede man met een tulband die zich door de mist spoed-
de. Ambrose!

Paul volgde hem, hoewel hij niet precies wist waarom, misschien alleen maar omdat hij wist dat deze man de diamant – zijn diamant! – ergens in de ruimvallende plooien van zijn gewaad had verstopt. Als een dwaallicht lokte die gedachte Paul voorwaarts.

Even overwoog hij Ambrose in te halen, hem zijn rapier in de rug te steken, de diamant terug te stelen en hem als een varken te laten doodbloeden in een naar urine stinkend steegje. Maar de vele dagen en nachten zonder slaap en de wijn hadden hem van al zijn krachten beroofd. Bovendien, zo besefte hij nu, had hij zijn rapier achtergelaten in de ridotto.

Was Carew er maar – Paul zag voor zich hoe Carew met zijn blote handen de schedel van Ambrose verbrijzelde, hoorde bijna het bevredigende geluid van brekend bot – maar Carew was er niet en zou waarschijnlijk ook nooit meer terugkeren. Wat had hij gedaan? Zelfs Carew had hem verlaten. Hij voelde een steek van iets wat op verdriet leek.

Paul rilde. Hij kon niet zeggen of het van verdriet of van de kou was. Pas op dat moment besefte hij dat zijn rapier niet het enige was wat hij had achtergelaten. Anders dan Ambrose, die zich goed had ingepakt tegen de regen, was Paul alleen gekleed in zijn onderhemd. De rest van zijn kleren – zijn wambuis en zelfs zijn hoed – had hij bij Memmo laten liggen.

De engelentranen drongen steeds verder door in het dunne batist van zijn onderhemd. In een mum van tijd zou hij doorweekt zijn, maar het kon hem niet schelen. Bovendien kon hij niet meer terug. Hij betwijfelde of hij in zijn verwarde toestand de geheime ridotto terug zou kunnen vinden – als hij dat al wilde. Op dat moment leek de ridotto net zo onwerkelijk als een verloren land uit de volksboeken van de zeemannen, een wereld van illusies en onvervulde dromen.

Hij strompelde voort, ervoor zorgend dat hij Ambrose net niet uit het oog verloor, en kwam tot zijn verrassing uit op een groot plein. De mist was hier zo dicht dat het even duurde voordat hij wist waar hij was. Toen zag hij de vergulde koepels, de mozaïeken van een kerk, een flard roze en wit, en hij besefte dat hij op het San Marcoplein was.

Dichtbij klonk muziek: cimbalen, een rietfluit en een trommel. De klagende melodieën werden gedempt door de mist. Een klein groepje toeschouwers, allemaal gekleed in lange, zwarte mantels, stonden aan de waterkant. Ambrose naderde het groepje en Paul volgde hem op veilige afstand.

Een rondtrekkende acrobatengroep had zich op het plein geïnstalleerd, voor het Dogepaleis. Paul had dit soort groepen vaak gezien, vooral op de kermis – minstrelen en acrobaten, goochelaars en krachtpatsers, en één keer zelfs een koorddanser. Uiteindelijk kwamen ze allemaal een keer in de Serenissima terecht. Ambrose liep recht op een wachtende gondel af, die was vastgemaakt aan de waterkant, en kwam daarbij vlak langs de acrobaten. Paul ging op de klanken van de muziek af en kwam bij de lagune, waarvan het water tegen de stenen kade klotste.

Daar, omringd door toeschouwers, stond de vreemdste persoon die hij ooit had gezien: een vrouw met een lang, droevig gezicht dat met krijt of een soort poeder wit was gemaakt. Ze droeg een gewaad van een felgekleurde stof, van top tot teen bezet met zilveren pailletten. Eerst dacht Paul dat ze danste, maar toen hij naderbij kwam zag hij dat ze heel snel cirkels draaide om een groepje toeschouwers heen. Ze had een vreemde, bijna glijdende tred – het was niet echt lopen en niet echt dansen –, alsof ze zich voortbewoog op goed geoliede wielen.

De mist begon op te trekken en een straal waterig zonlicht brak door de witte sluier. Het licht viel op de pailletten van het gewaad van de vrouw en ze straalde als een engel.

Het was zo'n bijzonder gezicht dat zelfs Ambrose even stilstond om te kijken. Toen Paul dichterbij kwam, zag hij dat de vrouw, terwijl ze rond het groepje cirkelde, op mysterieuze wijze voorwerpen liet verdwijnen en weer verschijnen.

Veren, bloemen en vruchten kwamen tevoorschijn uit de mantel van een toeschouwer, uit de mouw van een andere. Er werd een roos uit de omslagdoek van een vrouw geplukt. Bij twee mannen die vlak voor Ambrose stonden, toverde ze twee geborduurde zakdoeken tevoorschijn. Ze duwde ze allebei in haar vuist en trok ze er met een snelle beweging weer uit, maar nu waren ze aan elkaar geknoopt tot een golvende zijden regenboog. Vanachter beide oren van een jong kind dat met haar moeder op de voorste rij van de cirkel stond, haalde ze een ei tevoorschijn. Ze gooide ze allebei in de lucht waarna ze verdwenen en in de gedaante van twee zacht tokkende kippen weer opdoken in de schoot van een ander kind.

De muziek zwol aan en het trommelritme versnelde. De vrouw ging nu voor Ambrose staan. Ze strekte haar arm naar hem uit en haalde iets uit zijn tulband. Ambrose hief zijn hand op om haar weg te duwen, maar ze was hem te snel af. Ze hield iets in haar hand en toonde het aan de mensen die tegenover Paul in de kring stonden. Hij rekte zijn nek, maar er stonden zoveel mensen voor hem dat hij het niet goed kon zien. Toen viel zijn oog op Ambrose. Diens verbijsterde blik verried wat ze in de gele plooien van zijn tulband had gevonden. Op dat moment danste de vrouw langs Paul en nu zag hij dat ze inderdaad het roze, geborduurde beursje in haar hand had. De blauwe diamant van de sultan!

Het gezicht van Ambrose werd eerst lijkbleek en toen vuurrood. Hij opende zijn mond om iets te roepen maar er kwam geen geluid. De vrouw boog haar arm en helde iets achterover, alsof ze het beursje in de lucht wilde gooien.

'Stop! Dief!' Plotseling had Ambrose zijn stem teruggevonden. Maar het was te laat.

Voor hun stomverbaasde ogen ging het beursje in rook op.

Ze hield haar hand op. In plaats van het beursje lag er een zilveren muntje in.

Ambrose wierp er één blik op en sloeg het met een brul uit haar hand.

'Ladro! Dief! Waar is het gebleven?' Hij sprong op haar af. 'Wat heb je gedaan met mijn... mijn... mijn eigendom?' Hij greep de vrouw met het bleke gezicht bij de keel en schudde haar heen en weer als een rat. 'Geef antwoord, vuile zakkenroller,' schreeuwde hij, 'wat heb je ermee gedaan? Geef het onmiddellijk terug.' Hij loeide nu als een woedende stier.

'Het spijt me, kyrios, ik had geen kwaad in de zin...' begon ze. Maar Ambrose kneep haar keel dicht. De drie vrouwen die muziek maakten, gooiden hun instrumenten op de grond en renden naar haar toe om haar te helpen.

'Stop, stop, laat haar gaan, laat haar gaan,' riepen ze.

Een paar mannen kwamen naar voren uit de menigte. Er waren er drie voor nodig om hem van haar af te trekken.

De vrouw lag hijgend op de vloer. Ze had een schram op haar wang van de val. Ergens uit haar kleding, Paul zag niet goed waarvandaan, haalde ze het kleine zakje tevoorschijn en ze gooide het naar Ambrose.

'Hier is uw zakje,' zei ze. 'Pak aan. Ik had geen kwaad in de zin.'

Ambrose ving het zakje onhandig op. Zijn gezicht zat vol rode vlekken en was vertrokken van woede en hebzucht. Met trillende vingers trok hij aan de koordjes. Hij keek in het zakje, woog het op zijn hand en was gerustgesteld. Hij draaide zich om en haastte zich zonder op of om te kijken naar de gondel.

Paul keek hem na. Hij zag de gondel heen en weer schommelen toen Ambrose instapte, hoorde het geklots van het water tegen de stenen steiger, zag hoe de gondelier afzette, hoe het ranke, zwarte vaartuig de lagune op voer en uiteindelijk in de mist verdween.

En dat was dat. De voorstelling was voorbij. Langzaam verspreidden de toeschouwers zich. Paul ging op de grond zitten met zijn hoofd tussen zijn knieën, te moe om na te denken.

Het duurde even voordat hij doorhad dat er iemand naast hem stond. Hij keek op en zag de vrouw met het bleke gezicht en het veelkleurige gewaad met de pailletten. Hij voelde in zijn zak maar realiseerde zich dat hij niets had om aan haar te geven, zelfs geen kopermuntje.

'Het spijt me...' begon hij, maar ze onderbrak hem.

'Paul Pindar?'

Niets verbaasde hem meer. 'Wat?'

'Bent u de Engelse koopman die Paul Pindar heet?'

Hij vond dat ze een aangename, lage stem had; niet Venetiaans
– Grieks, misschien?

'Ja,' zei hij, terwijl hij de absurde impuls om in lachen uit te barsten onderdrukte. Als hij nu zou beginnen met lachen zou hij misschien nooit meer kunnen ophouden. 'Tenminste, dat denk ik...
ooit...' hij schudde zijn hoofd, '...misschien.'

'Panayia mou!' zei ze heel zachtjes.

Ze keek over de lagune naar de gondel van Ambrose, die in de
verte verdween. Om haar lippen lag een zweem van een glimlach.

'Is hij weg?'

'Ja,' antwoordde Paul alleen maar – meer viel er niet te zeggen.

En inderdaad, de gondel was niet meer te zien. Paul voelde zich
vreemd genoeg licht, alsof er een enorm gewicht van zijn schouders was gevallen.

'In dat geval denk ik dat ik u dit veilig kan laten zien.'

Ze hield iets kleins en glimmends in haar hand. Verbaasd pakte hij het van haar aan. Het was een zilveren munt, de munt die
Ambrose een paar minuten geleden uit haar hand had geslagen.

'Wat is dat?'

'Kijk eens goed.'

Paul draaide het muntje om en om tussen zijn vingers: aan beide zijden kop. Zwijgend gaf hij het terug.

'Hij heeft een valse munt gebruikt om de diamant te bemachtigen. Uw vriend, John Carew, was ervan overtuigd dat hij iets in
zijn schild voerde, maar het was vrouwe Constanza die het geheim
van de munt ontdekte. U hebt heel wat aan ze te danken, Mr. Pindar. Vooral aan John Carew.' En meer tegen zichzelf dan tegen Paul
vervolgde ze: 'Godzijdank keerde hij zich toch om in dat steegje.'

Carew omgekeerd? In een steegje? Paul had geen idee waar ze
het over had en het kon hem ook niet schelen. Lange tijd zeiden
ze geen van beiden een woord.

'Het had niets uitgemaakt,' zei hij uiteindelijk. 'Ze zeggen dat het geen zin heeft om de steen tegen te houden als hij verder wil. Als het niet op deze manier was gebeurd dan...'

'Tja,' voor het eerst lachte ze, 'misschien had iemand dat aan uw vriend Ambrose moeten vertellen.'

Vaag vroeg hij zich af hoe ze in godsnaam de naam van Ambrose kende, en die van John, en die van Constanza, en trouwens ook die van hem. Zijn verwarring was zo groot dat het leek of hij droomde.

'Hoe bedoel je?'

'Ik bedoel dat de steen al maanden naar u op weg is, Mr. Pindar.' Hij keek omlaag en zag dat ze iets naar hem ophield: een roze, geborduurd beursje.

'Pak aan, Mr. Pindar. De blauwe diamant van de sultan.'

Op dat moment kwamen de drie vrouwen die haar op hun instrumenten hadden begeleid naar hen toe en gingen om hen heen staan.

'Het is zover, Elena,' zei een van hen.

'Is ze hier?'

'Ja, kijk maar, daar komen ze.' Een van de anderen wees naar de lagune.

'Snel, help hem overeind.' Hij voelde vriendelijke handen die hem omhoogtrokken. 'Voorzichtig, voorzichtig.'

'Ik moet erbij vertellen dat ze zich niet alles herinnert, en misschien komt haar geheugen ook nooit meer helemaal terug,' zei de vrouw, die Elena werd genoemd, tegen hem. 'Misschien is dat een zegen; dat vond Maryam...' ze stopte even en haalde diep adem, '...dat vond Maryam in ieder geval.'

Paul staarde haar nog steeds niet-begrijpend aan.

'En haar benen, die waren niet gebroken, zoals ik eerst dacht. Ze had diepe snijwonden die nooit helemaal genezen zijn. Volgens de dokter in het ospedale hebben ze als door een wonder op een haar na de pezen gemist. Panayia mou! Hij heeft er goede hoop op dat ze op een dag weer gewoon kan lopen.'

'Haar benen?' Hij greep haar bij de arm en schudde haar heen en weer. 'Over wie heb je het?' Zijn hart klopte nu als een razende.

Maar toen ze zich naar hem omdraaide, zag hij dat ze stilletjes huilde.

'Nou, Paul Pindar,' fluisterde ze, 'kunt u dat niet raden?' Ze keek hem oneindig bedroefd, oneindig lief aan. 'Waarom denkt u dat de diamant naar u toe is gekomen?'

En het volgende moment was hij alleen op de oever. De vrouwen waren verdwenen; hij wist niet waar ze waren gebleven. Hij staarde naar het grijsgroene water van de lagune, maar zag eerst niets. En toen verscheen uit de mist de lage, ranke vorm van een gondel.

Er waren twee mensen aan boord, een man en een vrouw: de man stond op de boeg, de vrouw zat aan zijn voeten. Toen ze dichterbij kwamen, herkende hij Carew. De vrouw achter hem was gehuld in een mantel. De mist wervelde om haar heen en versluierde haar gezicht.

Dit is onmogelijk...

Had hij gesproken? Hij wist het niet.

O, alstublieft, God...

Zijn ogen stonden vol tranen; hij zag niets.

Maar nu had ze hem gezien. Carew hielp haar overeind. Ze riep naar hem. Ze riep zijn naam.

O, alstublieft, God...

Hij viel op zijn knieën in de regen.

Celia. Mijn Celia. Mijn Celia.

37

Toen Carew eindelijk bij het klooster kwam, regende het weer. Engelentranen hulden de oude muren van de botanische tuin, de ramen en de toppen van de linden in een witte nevel, waardoor er een melancholieke sfeer hing. Dit keer ging hij naar de hoofdingang. Daar werd hij tegengehouden door een non wier stem hij niet herkende.

'U heb hier niks te zoeken, mijnheer,' hoorde hij de onzekere, gedempte stem aan de andere kant van de deur zeggen. 'U moet gaan.'

Maar Carew liet zich niet zo gemakkelijk afschrikken. Hij bonsde met beide vuisten op de grote houten poort. Uiteindelijk opende het luikje zich op een kiertje en zag hij een paar angstige, bruine ogen.

'Wat doet u hier, mijnheer?' Haar accent was zo dik dat hij haar maar met moeite verstond. 'We hebben geen kruiden om te verkopen. Ze zeggen dat ze infecties verspreiden. De aartsbisschop heeft het verboden, totdat er geen gevaar meer is.'

'Gevaar? Welk gevaar?'

'Hejje 't nie gehoord? De pest is gekomen. We mogen geen vreemden binnenlaten. Orders van de aartsbisschop.'

Ze stond op het punt het luikje weer te sluiten, maar Carew was te snel voor haar. Hij trok een van zijn messen uit zijn gordel en stak het heft door het kiertje zodat het luikje niet meer dicht kon. 'Jullie aartsbisschoppen interesseren me geen moer.' Tot zijn tevredenheid hoorde hij haar vol afschuw naar adem happen toen ze deze godslasterlijke taal hoorde. 'Doe die deur open! Anders sla ik hem aan duigen!'

Het was even stil aan de andere kant. Door het openstaande luikje zag hij dat ze met gebogen hoofd stond te luisteren of hij er nog was.

'Luister, ik wil je geen problemen bezorgen, suora,' zei hij op meer verzoenende toon, 'als je wilt, zal ik toestemming vragen aan je abdis.'

'Onze gezegende Suo' Bonifacia is gestorven, mijnheer, vier dagen geleden. Haar bediende ook,' sprak de poortwachtster met een bevend kinderstemmetje. 'En Suo' Purificacion is doodziek en we denken dat zelfs de duivel haar niet durfde mee te nemen. De meeste oudjes ook, de discrete...' Haar stem ging over in hulpeloos gefluister. 'Het ging allemaal zo snel. Ook de educande zijn weg, naar huis gestuurd. Ik moet u vragen weg te gaan, mijnheer. U mag niet naar binnen.'

Carew dacht even na. Hij had wel gedreigd de deur kapot te slaan, maar hij wist dat hij zonder haar hulp geen schijn van kans had om binnen te komen. Misschien kon hij binnendringen via de ingang van Suor Veronica of over de muur klimmen bij dat deel van de tuin waar hij een keer zijn schoen had verloren, maar op de een of andere manier had hij geen zin meer in dat soort avonturen.

Hij haalde diep adem en zei: 'Luister, het spijt me als ik je bang heb gemaakt.' Geduld was niet Carews sterkste kant, maar hij werd beloond door een zachte snik aan de andere kant van het luikje.

'Hoe heet je?'

'Eufemia, mijnheer.'

'Luister, Eufemia. Dit is heel belangrijk.' Hij dwong zichzelf langzaam en rustig te spreken. 'Ik heb een dringende boodschap voor een van de suore. Denk je dat je me kunt helpen? Ze heet Annetta.'

'Suo' Annetta?' Hij hoorde iets van herkenning in haar stem.

'Ja, suo' Annetta, natuurlijk.'

Lieve god, hij legde zijn voorhoofd tegen de houten deur, hoe had het zover kunnen komen? 'Het is belangrijk... Kun je haar halen... de suora... voor mij, alsjeblieft?'

Lange tijd bleef het stil en toen hoorde hij plotseling het geluid van de grendel die op een wat onhandige manier werd weggetrokken.

Zodra de poort op een kiertje stond, zette Carew zijn laars ertussen. De deur zwaaide verder open en voor zijn ogen ontvouwde zich een vreemd tafereel. Voor hem, op de drempel, stond een nerveuze, kleine non, maar toen hij beter keek, zag hij dat ze weliswaar nonnenkleding droeg, maar dat ze nog maar een kind was.

Ze droeg een slecht passend habijt van vettige, zelf gesponnen wol, dat eruit zag alsof het er al heel wat jaren op had zitten, voordat het aan de huidige draagster was gegeven. Aan haar voeten had ze ruw houten klompen.

Tegen beide zijmuren van het poorthuis lag een berg smeulend stro, een weinig doeltreffende poging om goederen en kleren die het klooster in en uit gingen pestvrij te maken.

'Wou u Suo' Annetta zien?' zei ze.

'Ja,' antwoordde Carew.

'Dus u bent het,' zei ze, terwijl ze hem nieuwsgierig aankeek.

'Wat?'

'U bent degene aan wie ik het briefje moest geven in de werkplaats van Prospero Mendoza.' Ze keek hem aan met onschuldige kinderogen. 'Degene om wie ze de afgelopen dagen heeft gehuild.'

Carew staarde haar aan. 'Degene om wie ze heeft gehuild?'

Grote goedheid, wat was er met hem aan de hand? Carew kon zichzelf wel slaan. Moest hij echt alles herhalen wat het meisje zei, als een simpele boerenkinkel? Maar behalve zijn ergernis over zichzelf voelde hij nog iets heel vreemds, iets wat hij nog nooit had gevoeld. Hij kon het niet onder woorden brengen; het was een gevoel van woeste, waanzinnige vreugde, alsof de wind zijn ziel was binnengedrongen.

Heeft ze om míj gehuild? wilde hij vragen. Hij wilde haar arm pakken en haar door elkaar schudden: *heeft ze echt om míj gehuild?* Alleen maar om haar de woorden nog een keer te laten zeggen, om ze nog een keer te horen, en dan nog een keer, om zeker te weten, heel zeker, dat hij het niet verkeerd had begrepen.

Maar hij deed het niet, want hij was er niet zeker van of hij wel tot spreken in staat was.

'Nou, ze zegt dat het te maken heeft met het papier dat ik ben kwijtgeraakt,' ging ze verder met haar hoge stemmetje, 'dat ik aan die grote, dikke man heb gegeven. Hij zei dat hij je kende, die man met die grappige, gele hoed. En een neus als een flinke zucchino. Maar hij loog,' ze kneep haar ogen tot spleetjes, 'omdat hij het papiertje wilde, en nu zegt ze dat ze haar belofte aan haar vriendin niet kan nakomen... Maar toen u niet kwam en ze niet wist hoe ze u nog zou kunnen vinden... nou, toen wist ik dat dat niet de enige reden was waarom ze huilde.'

'Alsjeblieft, suora... Eufemia, kun je haar voor me zoeken?' Carew onderbrak haar woordenstroom. 'Ik heb goed nieuws voor haar, over haar vriendin.' Hij keek haar bemoedigend aan. 'En ook voor jou, hier,' hij stak zijn hand in zijn hemd, 'ik heb het papiertje meegenomen, om te bewijzen dat ik geen kwade bedoelingen heb.'

Eufemia keek hem een paar seconden achterdochtig aan. 'Hoe komt u daaraan?'

'Die man met die neus als een zucchino,' zei hij ernstig en Eufemia knikte, 'die heeft het aan mij teruggegeven, in zekere zin.'

'Ja, ik zal haar halen,' zei ze, plotseling kordaat. Ze draaide zich om en wenkte hem haar naar de binnenhof te volgen. 'Maar geloof me, mijnheer, dit zou ik voor niemand anders doen.'

Carew volgde Eufemia door de binnenhof en een gang naar de gastenkamer. Hij herkende het ijzeren rooster dat de zaal scheidde van de nonnenkamer en dacht aan de laatste keer dat hij Annetta had gesproken. Tot zijn verbazing vroeg Eufemia hem niet om daar te wachten, maar leidde ze hem door een deur die gewoon open stond naar het hoofdgedeelte van het klooster. Pas op dat moment merkte Carew dat er een vreemde stilte hing. Gewoonlijk was het er een drukte van belang – educande die lachend door de gangen renden, het geluid van stromend water in de grote tuin achter de muren, nonnen die aan het werk waren met schoffels en gieters, de geur van gestoofd vlees met uien die uit de keukens dreef –, maar nu niet. Nu maakte het gebouw een naargeestige, verlaten indruk.

Zonder iemand tegen te komen liepen ze door de gang, de klompen van de eenzame jonge non klepperend op de stenen vloer. Ongeveer halverwege kwamen ze bij een deur waar ze stopte. Carew keek naar binnen en zag dat ze hem naar de enige ruimte had gebracht die hij op de een of andere manier op zijn nachtelijke dwaaltochten nooit had gezien.

De refter was een grote zaal met een hoog plafond en houten panelen tegen de muren. Een eenvoudige crucifix hing aan de muur tegenover hem en daarboven, bijna tussen de daksparren, hing een groezelig schilderij van het Laatste Avondmaal. Op de middellijn, op ongeveer een derde van de lengte van de ruimte, had iemand een bisschopsstoel geplaatst met een hoge rug van houtsnijwerk. Ertegenover, op ongeveer een derde vanaf de andere zijde, stond een identieke stoel. Ertussenin lag een afscheiding van half verbrand stro, en Carew vermoedde dat hier een soort ondervraging had plaatsgevonden.

'U moet hier op haar wachten.' Eufemia wees op de stoel het dichtst bij de deur. 'U moet op die stoel blijven zitten, capito?'

'Capito.'

Carew ging op het puntje van de stoel zitten en keek om zich heen. Langs drie muren stonden lange, gedekte schraagtafels. Bij ieder bord stonden een klein schaaltje zout en een flesje olijfolie, maar dat waren de enige sporen van huiselijk comfort. Toen hij beter keek, zag hij dat de witte tafelkleden vol vlekken zaten en dat overal stukken oud brood lagen, de resten van een maaltijd die allang voorbij was. Kleine bruine spreeuwen vlogen tjirpend tussen de daksparren en maakten ongestoord duikvluchten om zich tegoed te doen aan de kruimels.

Het was bijna onvoorstelbaar dat een ruimte in zo korte tijd zo drastisch kon veranderen. Carew vroeg zich af wat hij zou doen als een van de andere nonnen binnenkwam en hem daar zou vinden, maar hoewel hij zijn oren spitste, klonken er nergens voetstappen of stemmen, zelfs niet in de verte.

Eindelijk hoorde hij aan de andere kant van de zaal een deur opengaan. En toen hij opkeek, zag hij haar. Haar fijne huid was nog bleker dan gewoonlijk. Ze droeg het zwarte habijt, maar zonder de hoofdkap. Haar donkere haar hing los over haar schouders.

Eerst stond ze daar alleen maar alsof ze niet wist of ze naar hem toe moest gaan of niet, maar nadat ze hem een tijdje had bekeken werd ze plotseling boos.

'Wat is dit voor waanzin?'

Toen hij geen antwoord gaf, zette ze een paar stappen verder de kamer in.

'Weet je dan niet dat hier de pest heerst?' Ze wees naar het smeulende stro op de vloer. 'Je had niet moeten komen.' Ze stond nu bij de stoel tegenover de zijne, met haar hand op de rugleuning, en keek hem strak aan.

'Je had niet moeten komen,' herhaalde ze zachtjes, bijna fluisterend, 'niet hier, niet nu.'

'Ik moest wel.' Hij stond op. 'Ik moet je iets vertellen. Celia Lamprey is gevonden. Ze is hier, in Venetië. Nog geen mijl hiervandaan.'

'Celia?' Ze fronste. 'Hoe ken je die naam?' Ze sprak langzaam, als in een droom. 'Gevonden?'

'Ja.'

'Gansje? Gevonden.' Hij zag dat ze de stoel nog steviger omklemde. 'Dat kan niet waar zijn. Maar... wat... hoe weet je dat?' Ze leek in de war.

'Ik ben de dienaar van Paul Pindar.'

'Wat?' Ze staarde hem aan. 'Jij? De monachino?'

'Ja,' zei Carew. 'En jij bent de dame uit de harem. Degene naar wie we al die tijd hebben gezocht. Ik wist niet...'

Maar ze viel hem in de rede.

'Jij!' Ze geloofde haar oren niet. 'Nee, nee, nee, dat kan niet. Toen je me vroeg naar de blauwe diamant van de sultan, dacht ik...' Ze zweeg even. 'De waarheid is dat ik niet weet wat ik moet denken, daarom heb ik Eufemia gevraagd je te zoeken...' ze zocht naar woorden, '... maar dat jij de dienaar van de koopman was – al die tijd...'

Ze staarden elkaar aan.

'En dus moet hij... Is hij ook hier?'

'Ze is nu bij hem.'

Annetta maakte een ondefinieerbaar geluid en legde haar hand op haar borst, alsof de gedachte daaraan zo mooi was dat het bijna pijn deed.

'Alsjeblieft, wil je niet gaan zitten?' Hij gebaarde naar de stoel, maar ze schudde het hoofd.

'Nee, ik kan niet blijven.'

Hij zag de tranen in haar ogen.

'Ze zegt dat je de diamant van de walidé hebt gestolen en aan haar hebt gegeven...'

'... daarmee kon ze de eunuchen omkopen om iemand te zoeken die haar naar Venetië kon brengen. Maar dat was nu een jaar geleden.' Ze leunde zwaar op de rugleuning, alsof haar benen haar niet meer konden dragen. 'Al die tijd wist ik niet wat er van haar was geworden.' Ze sprak nu heel zacht. 'Al die tijd... je hebt geen idee.'

Ze keek hem onderzoekend aan. 'Maar hoe gaat het met haar?' Ze meende een soort verborgen onrust bij hem te zien. 'Is ze gezond?'

'Ze wordt wel weer gezond... in de loop van de tijd.' Carew koos zijn woorden behoedzaam. 'Maar ik moet je waarschuwen: ze heeft heel wat doorgemaakt.'

'Hoe bedoel je?'

'Ze zegt dat ze hebben geprobeerd haar te verdrinken. De diamant heeft haar het leven gered.'

Annetta bracht haar hand naar haar mond. 'Arm gansje.'

'Dat herinnert ze zich in ieder geval nog.' Carew zweeg even omdat hij niet wist hoe hij verder moest. 'Maar degene aan wie ze de diamant heeft gegeven, dwong haar met hem te slapen... met hem of met iemand anders onderweg,' Carew hield haar blik vast, 'en ze heeft een kind gebaard.'

Annetta staarde hem aan. 'Heeft ze een kind?'

'Ze heeft een kind gebaard, maar voor zover ik heb begrepen was de kans dat het zou blijven leven van begin af aan heel klein.'

Hij vertelde het verhaal over Celia's reis, voor zover mogelijk; het vreemdste verhaal dat ze allebei ooit hadden gehoord. Het verhaal van de zeemeerminbaby en de gestolen diamant. Een verhaal over de hebzucht van de mens en de vriendelijkheid van vreemden. Hij vertelde haar over Ambrose Jones en zijn hulpje Bocelli, over Elena en Maryam en Constanza. Hij vertelde haar over het kaartspel om de blauwe diamant.

Hij vertelde haar zelfs over zijn eigen bescheiden rol. Over hoe hij die dag in de steeg toch was omgedraaid en teruggelopen.

Toen hij klaar was, staarden ze elkaar aan.

'Ik kan het niet geloven,' zei ze na een tijdje.

'Ik zweer op mijn leven dat het waar is.'

Wat was er met hem aan de hand? Hij kon zijn ogen niet van haar gezicht afhouden. Durfde niet te bewegen, voor het geval hij haar weer aan het schrikken zou maken en ze weg zou gaan. Hij zou het niet kunnen verdragen als ze hem nu al alleen zou laten. Lange tijd zeiden ze geen van beiden een woord en het enige wat ze hoorden, waren de spreeuwen tussen de daksparren.

'En nu?'

'Ze heeft me gevraagd om je op te zoeken. Ze wil je zien.'

'Nou, dat kan niet,' zei Annetta boos. 'Begrijp je het dan niet? Niemand mag mij zien, nu niet.' Ze keek de verlaten refter rond, naar de afscheiding van verbrand stro. 'En jij hoort hier ook niet te zijn,' fluisterde ze. 'Waarom ben je gekomen? Het is waanzin.'

Waarom was hij gekomen? Misschien was hij inderdaad een beetje gek. Hij was zichzelf niet, dat was waar. Sinds die dag dat hij in de tuin het beursje had opgeraapt. Hij wist wat hij wilde zeggen, maar hoe kon hij, John Carew, die woorden uit zijn mond krijgen? 'Ik ben gekomen omdat ik... omdat ik niet weg kon blijven.' Opeens was het eruit en hij had het vreemde gevoel dat het iemand anders was die door hem sprak.

Ze keek hem aan met glanzende ogen. 'Maar ik... ik ben bang...'

'Wees niet bang!' Het voelde als een marteling. 'Die keer in de tuin, ik zou je nooit pijn hebben gedaan. Ik zweer dat je niets te vrezen hebt.'

'Maar ik ben wel bang...'

'Waarvoor... waarvoor ben je bang?'

'Dat ik net als de anderen niet meer dan een speeltje voor je ben.'

'Nee, nooit, ik zweer het.'

Hij hield het niet meer uit. Hij wilde zich voor haar voeten op zijn knieën laten vallen en zonder zich ervan bewust te zijn zette hij twee stappen in haar richting. Ze sprong op.

'Nee, niet doen! Kom niet dichterbij.'

Ze stonden nu nog maar een halve meter van elkaar, alleen gescheiden door het stro. Hij zag de soepele, lange lijn van haar hals, de mooie vorm van haar bovenlip, haar jukbeen met de kleine, bruine moedervlek – en hij bedacht dat Suor Veronica nooit iets ontroerenders zou kunnen schilderen.

'Ga weg, John Carew.' Haar stem trilde. 'Je moet hier weg. Nu.'

'Dat kan ik niet.'

'Je moet gaan!' Toen hij geen antwoord gaf, herhaalde ze: 'Dat weet je heel goed.'

'Hoe kun je tegen me zeggen dat ik weg moet, terwijl je dagenlang om mij hebt gehuild?' fluisterde hij.

'Maar hoe...?'

'Want ik heb om jou gehuild.'

Zoals ze daar stonden, in die verlaten kamer, leek het wel alsof ze de laatste twee mensen ter wereld waren.

'Ik dacht dat je niet zou komen,' er liep een traan over haar wang, 'ik dacht dat ik je nooit meer zou zien... maar dit is nog erger.'

'Ik laat je nooit meer alleen.'

'Doe niet zo raar, John Carew!' Ze veegde de traan weg. 'Maak dat je wegkomt, voordat het te laat is.'

'Mag ik je omhelzen, mag ik je één keer kussen?'

Nooit van zijn leven had hij iets zo graag gewild; haar lichaam in zijn armen houden; haar lichaam voelen samensmelten met het zijne, haar hart onder het zijne voelen kloppen. Hij had het gevoel dat hij hele bossen kon omhakken, muren kon slechten, rotsen met zijn blote handen in tweeën kon klieven als dat nodig was om bij haar te komen – maar het had geen zin. Ze stonden nu zo dicht bij elkaar dat hij haar haar en het geheime plekje achter haar oor bijna kon ruiken – en toch werden ze gescheiden door die on-overbrugbare, peilloze diepte.

'Nee!' Ze schudde haar hoofd.

'Ik kan je hier niet achterlaten.'

'Het moet.'

Carew keek wanhopig om zich heen. 'Ga met me mee.'

'Nu weet ik zeker dat je gek bent.'

'Ik meen het, ga mee. Kijk, de weg is vrij.' Carew wees naar de open deur. 'Er is niemand die ons tegenhoudt. Ga mee, ik heb een koopvaardijschip gevonden dat vanavond vertrekt en ons naar Engeland kan brengen.'

'Nee! Ik wil het niet horen.' Annetta drukte haar handen tegen haar oren om zich af te sluiten voor zijn stem. 'Ik luister niet! Je zult sterven als je hier nog langer blijft.'

'En jij zult ook sterven als je hier blijft.'

'Misschien wel. Misschien heb ik al de pest. Maar stel dat ik blijf leven.' Ze huilde nu. 'Ik heb iets nodig...' De woorden bleven steken in haar keel.

'Wat heb je nodig?' Hij spitste zijn oren. 'Zeg het, zeg me wat je nodig hebt – wat het ook is.'

'Ik heb iets nodig om voor te leven.'

Werktuiglijk liep Carew terug door de galmende gang, door de gastenkamer, door de binnenhof en naar buiten door het poorthuis, tussen de bergen stro door, naar de buitenwereld waar nog steeds engelentranen neerdaalden.

Hij kon maar aan één ding denken, aan de pijn die hij voelde, alsof iets hem vanbinnen aan stukken scheurde. En om de een of andere reden die hij niet helemaal begreep, dacht hij niet aan Annetta of Celia of zichzelf, maar alleen maar aan Paul die in de regen op zijn knieën was gevallen toen Celia naar hem toe kwam, huilend als een kind.

En op dat moment begreep hij eindelijk wat hij nooit echt had begrepen: hoe het voelde om degene van wie je het meest hield te verliezen.

John Carew liep strompelend de regen in.

Dankwoord

Mijn dank gaat uit naar Al Alvarez, voor zijn prachtige boeken en voor de opwindende gesprekken over poker, en naar Thomas Leveritt, die me meenam naar het Grosvenor Victoria Casino om het spel te spelen. Ik ben schatplichtig aan de uitgave van *Pleasant and Delightfull Dialogues in Spanish and English* uit 1623 van John Minsheu, die onmisbaar was bij de beschrijving van het primerospel in dit boek.

Ook veel dank aan Ken Arnold, die zijn kennis over rariteitenkabinetten met mij deelde, aan Michael Gibson, Melanie Gibson, aan Sarah-Jane Forder voor het redigeren, en vooral aan June-Anne Hare voor onze bezoekjes aan Hatton Garden en voor haar vriendelijkheid door de jaren heen. Verder dank ik Alexander Russell, die bereid was mij van de benodigde Griekse termen te voorzien, Abdou Filali-Ansari voor het Arabisch en Andrea Chiari-Gaggia voor zijn adviezen over Venetiaans Italiaans – eventuele fouten zijn uiteraard mijn volledige verantwoordelijkheid.

En als altijd gaat mijn grote dank uit aan iedereen bij Bloomsbury, zowel in Groot-Brittannië als in de Verenigde Staten, maar vooral aan Katie Bond, Alexa von Hirschberg, Kathleen Farrar, Penelope Beech, Erica Jarnes en natuurlijk mijn weergaloze redacteur Alexandra Pringle. Verder wil ik graag Cara Jones, Stephen Edwards, Laurence Laluyaux en uiteraard mijn agent Gill Coleridge van Rogers, Coleridge and White bedanken.

Dichter bij huis wil ik vooral Libbi Seymour bedanken, wier hulp in het afgelopen jaar van onschatbare waarde was. En als laatste, maar niet de minste, mijn man Anthony, voor al zijn liefde en steun, en natuurlijk voor het gedicht van Celia.